Petits Classiques
LAROUSSE

Collection fondée par Félix Guirand,
Agrégé des Lettres

L'Île au trésor

Robert Louis
Stevenson

Roman

D0755203

Édition présentée,
annotée et commentée
par Évelyne AMON,
certifiée de lettres modernes

Direction de la collection : Carine GIRAC-MARINIER

Direction éditoriale : Jacques FLORENT

Édition : Marie-Hélène CHRISTENSEN

Lecture-correction : service lecture-correction LAROUSSE

Direction artistique : Uli MEINDL

Couverture et maquette intérieure : Serge CORTESI,
Sophie RIVOIRE , Uli MEINDL

Mise en page : Monique BARNAUD, JOUVE, SARAN

Responsable de fabrication : Marlène DELBEKEN

SOMMAIRE

Avant d'aborder l'œuvre

20   L'Île au trésor

Stevenson

252   Avez-vous bien lu ?

Pour approfondir

AVANT D'ABORDER
L'ŒUVRE

AVANT D'ABORDER L'ŒUVRE

Fiche d'identité de l'auteur

Robert Louis Stevenson

Naissance : le 13 novembre 1850, à Édimbourg (Écosse).

Nom : Robert Louis Stevenson.

Famille : père ingénieur, constructeur de phares.

Formation : enfant de santé fragile ; grand lecteur de récits d'aventures ; tempérament imaginatif (« Dès mon plus jeune âge, c'était chez moi un goût de faire joujou avec des séries d'événements imaginaires »). D'abord ingénieur puis avocat, décide de se consacrer à ses deux passions : l'écriture et l'exploration du monde.

Le succès à 30 ans : nombreux voyages ; publie des essais, des récits de voyages (*Voyage avec un âne dans les Cévennes*, 1879), des poèmes, des nouvelles, des articles ; rêve d'écrire un roman (« Bien que je m'y fusse essayé avec vigueur au moins dix ou douze fois, je n'avais pas encore écrit un roman »). En 1883, s'impose comme la référence du roman d'aventures avec *L'Île au trésor*, d'abord publié sous la forme d'un feuilleton signé Captain John North dans le journal pour enfants *Young Folks* (1881).

L'exploration du monde et l'écriture : devenu auteur à succès, il acquiert une notoriété mondiale avec *L'Étrange Cas du Dr Jekyll et de Mr Hyde* (1886). En 1888, embarque à San Francisco pour une longue croisière (îles Marquises, Tahiti, Honolulu, îles Gilbert) et se fixe avec sa famille à Vailima, dans l'archipel des Samoa, en Polynésie. Mène une vie simple et naturelle parmi les indigènes. Publie *Le Maître de Ballantrae* (1889) et *Les Trafiquants d'épaves*, roman rédigé avec son beau-fils Lloyd (1892). Édition de ses œuvres complètes en 28 volumes en 1898, à Édimbourg.

Une mort prématurée : meurt le 3 décembre 1894, d'une crise d'apoplexie. Enterré sur son île.

Pour ou contre
Robert Louis Stevenson ?

Pour

Daniel LEUWERS :

« Il ne se perd pas dans les détails inutiles ou les descriptions gratuites. Et il n'a que faire des analyses psychologiques dont il laisse implicitement le soin au lecteur, ce qui est une marque de modernité de son écriture. »
Commentaires de *L'île au trésor*, Livre de poche, 1985.

Marcel SCHWOB :

« Le réalisme de Stevenson est parfaitement irréel, et c'est pour cela qu'il est tout-puissant. Stevenson n'a jamais regardé les choses qu'avec les yeux de son imagination. »
Spicilège, Mercure de France, 1960.

Contre

Daniel LEUWERS :

« Stevenson pâtit du discrédit qui a longtemps affecté le roman d'aventures. On aime son œuvre, on l'adore même, mais il n'est pas de bon ton de le dire. »
Commentaires de *L'île au trésor*, Livre de poche, 1985.

Abel CHEVALLEY :

« La génération présente lui conteste toute originalité, toute sincérité. «Un poseur qui exploite son charme», tel est le verdict d'un de ses plus récents critiques. «Un feuilletoniste retors», dit-on aussi, «pur comme l'eau claire, léger comme le vide, qui sait avec art conter des riens.» »
Le Roman anglais de notre temps, Université d'Oxford, 1921.

Repères chronologiques

Vie et œuvre de Robert Louis Stevenson	Événements politiques et culturels

Vie et œuvre de Robert Louis Stevenson

1850
Naissance à Édimbourg (Écosse).

1856-1863
Scolarité irrégulière (problèmes pulmonaires).

1866
La Révolte du Pentland (court roman historique) publié aux frais de son père.

1867
Études d'ingénieur à l'université d'Édimbourg.

1871
Études de droit.

1876
Rencontre la femme de sa vie : Fanny Osbourne, une Américaine. Difficultés financières.

1877
Une apologie des oisifs (essai).

1879
Voyage avec un âne dans les Cévennes (récit de voyage).

1880
Mariage avec Fanny Osbourne. Aide financière de son père. Première publication sur l'art d'écrire : *De la littérature considérée comme un art* (essai).

1881
Rédaction de *L'Île au trésor* et publication en feuilleton.

1882
Les Nouvelles Mille et Une Nuits (nouvelles).

1883
Triomphe de *L'Île au trésor* publié en volume. Situation financière meilleure. Santé défaillante.

Événements politiques et culturels

1849
Charles Dickens, *David Copperfield*.

1850
Alexandre Dumas, *La Tulipe noire*.

1851
Herman Melville, *Moby Dick*. Mort de James Fenimore Cooper (*Le Dernier des Mohicans*). Nerval, *Voyage en Orient*.

1852-1870
Napoléon III (second Empire).

1853
La France occupe la Nouvelle-Calédonie (île découverte en 1774 par le capitaine Cook).

1856
Alexandre Dumas, *Les Compagnons de Jéhu*.

1858
L'Inde, colonie anglaise.

1861-1862
Conquête française de la basse Cochinchine. Charles Dickens, *Les Grandes Espérances* (1861).

1862
Victor Hugo, *Les Misérables*.

1863
Jules Verne, *Cinq Semaines en ballon*.

1865
Jules Verne, *De la Terre à la Lune*. Abolition de l'esclavage aux États-Unis.

1867
Alfred Assollant, *Les Aventures du capitaine Corcoran*. Exposition universelle de Paris.

1868
Jules Verne, *Les Enfants du capitaine Grant*.

Vie et œuvre de Robert Louis Stevenson	Événements politiques et culturels
1885 *Le Jardin poétique d'un enfant* (poésie).	**1870-1871** Guerre franco-allemande ; défaite française de Sedan ; chute de l'Empire.
1886 *L'Étrange cas du Dr Jekyll et de Mr Hyde* (roman fantastique). Renommée internationale.	**1873** Jules Verne, *Le Tour du monde en quatre-vingts jours*.
1887 Longue croisière en Océanie. Mort de son père.	**1874-1875** Jules Verne, *L'Île mystérieuse*.
1888. *La Flèche noire* (roman d'aventures).	**1876** Jules Verne, *Michel Strogoff*.
1889 Triomphe du *Maître de Ballantrae* (roman d'aventures).	**1879** Jules Vallès, *L'Enfant*.
1890 S'installe dans son domaine de Vailima (îles Samoa). Stevenson surnommé « Tusitala » (le conteur d'histoires) par les indigènes.	**1880** Annexion à la France des îles Tahiti et Moorea (Polynésie).
	1882 Jules Verne, *L'École des Robinsons*.
1892 *Les Trafiquants d'épaves* (avec son beau-fils Lloyd). *La Traversée des plaines* (récit de voyage).	**1883** Expansion coloniale française (Afrique, Asie du Sud-Est)
1893 *Veillées des îles* (nouvelles).	**1888** Rudyard Kipling, *L'Homme qui voulut être roi*.
1894 **Stevenson, au sommet de sa gloire, meurt brutalement d'une attaque d'apoplexie le 3 décembre.**	**1891** Installation du peintre Gauguin à Tahiti.
1895-1898 Publications posthumes : *Dans les mers du sud*. Œuvres complètes en 28 volumes.	**1895** Première projection cinématographique des frères Lumière à Paris. Ruée vers l'or au Yukon, puis au Klondike en 1896.

Fiche d'identité de l'œuvre

L'Île au trésor

Forme : prose. Jim Hawkins, narrateur principal. Livesey, narrateur des chapitres 16 à 18.

Auteur : Robert Louis Stevenson (33 ans).

Genre : roman d'aventures.

Structure : 6 parties, 34 chapitres.

Principaux personnages :

Le camp des pirates : ce sont les anciens membres de l'équipage du capitaine Flint, composé de Billy Bones, vieux loup de mer balafré, ivrogne ; Chien-Noir, cupide et violent ; Pew, vieil aveugle brutal et coléreux ; Long John Silver, dit Cochon-Rôti, l'homme à la jambe de bois, cuisinier, sympathique, féroce, opportuniste, tous anciens membres de l'équipage du capitaine Flint.

Le camp des honnêtes gens : Jim Hawkins, adolescent audacieux ; John Trelawney, gentilhomme bavard, organise l'expédition vers l'île au trésor ; David Livesey, médecin raisonnable et méthodique ; Smollett, capitaine de l'*Hispaniola*, excellent marin, honnête ; Ben Gunn, flibustier repenti, robinson un peu fou.

Sujet : XVIIIe siècle. Menacé par de mystérieux ennemis, Billy Jones s'installe à l'auberge de l'Amiral Benbow sur les côtes anglaises et se lie d'amitié avec Jim. Quand l'inquiétant Pew lui remet « la tache noire », il comprend que ses jours sont comptés. Mort brutalement, il laisse dans son coffre une carte qui révèle l'emplacement du trésor autrefois caché par le capitaine Flint dans une île des Caraïbes. Jim, le docteur Livesey et le chevalier Trelawney s'embarquent sur l'*Hispaniola* pour retrouver le trésor. Mais au cours de la traversée, Jim s'aperçoit que l'équipage prépare une mutinerie. Sur l'île, les deux camps s'affrontent violemment tandis qu'un allié inespéré, Ben Gunn, guide Jim et ses amis jusqu'au trésor. Après de sanglants affrontements, les vainqueurs chargent la cargaison sur l'*Hispaniola* et mettent le cap sur l'Angleterre. Silver, qui est à bord, s'échappe lors d'une escale en Amérique du Sud : il disparaît avec un sac d'or !

Pour ou contre

L'Île au trésor ?

Pour

« La carte d'un trésor, une expédition dans les mers lointaines, des pirates, la lutte, dans une île déserte, entre les bons et les méchants ; au cœur de tout : un enfant, infini créateur du possible. L'odyssée de la jeunesse est le grand classique du roman d'aventures ; un livre à plusieurs fonds qui dit [...] que la carte du plus fascinant des voyages est celle de l'»espace du dedans». »

Dictionnaire des littératures, Larousse, 1985.

Marc PORÉE :

« Une intrigue resserrée, une grande économie de moyens, une souveraine désinvolture par rapport à la morale, comme l'atteste la fuite du pirate Long John Silver, qui échappe à son châtiment, grâce à la complicité tacite de l'écrivain : «De Silver, nous n'entendîmes plus jamais parler». »

Encyclopaedia Universalis, 1995.

Contre

Abel CHEVALLEY :

« Il est vrai que les personnages de Stevenson sont d'une simplicité élémentaire. Il est vrai qu'il compose et invente comme s'il n'avait pas soupçonné les complexités de l'existence matérielle, ni les problèmes de la vie morale. »

Le Roman anglais de notre temps, Université d'Oxford, 1921.

Pour mieux lire l'œuvre

✤ Au temps de Robert Louis Stevenson

La vogue du roman d'aventures

Le roman d'aventures « moderne » date du XVIIIe siècle : c'est *Robinson Crusoé*, de l'Anglais Daniel Defoe en 1719 qui forme le goût du grand public pour ce genre littéraire. L'histoire de Robinson, marin naufragé obligé de survivre pendant des années sur une île déserte, donne à la littérature d'imagination un élan majeur. Pourquoi ? Parce que l'homme, comme l'enfant, aime rêver, s'évader, se divertir. Ensuite, parce que les principaux thèmes du roman d'aventures (le voyage, la quête, le défi, l'héroïsme, l'accomplissement de soi) aussi bien que son décor (horizons lointains, exotisme) et son action répondent à l'esprit conquérant des siècles passés.

Parmi les récits publiés jusqu'au début du XXe siècle, certains feront date dans l'histoire littéraire : *Ivanhoé* de l'Écossais Walter Scott (1819), *Le Dernier des Mohicans* de l'Américain James Fenimore Cooper (1826), *Les Aventures d'Arthur Gordon Pym* d'Edgar Allan Poe publié aux États-Unis en 1838. Sans compter les romans des Français Alexandre Dumas (1802-1870) et Jules Verne (1828-1905).

Les « seigneurs des mers »

Le monde de la flibuste renvoie à l'époque (XVIIe-XVIIIe siècle) où l'Espagne, le Portugal, l'Angleterre, la France et la Hollande, pays puissants pourvus d'une flotte guerrière prestigieuse, se disputent les îles des Caraïbes pour en exploiter les richesses et y asseoir leur pouvoir. Avec leurs cargaisons précieuses, ces navires sont la cible des pirates, seigneurs des mers dont les surnoms redoutables (« Barbe-Noire », « L'Exterminateur », « Le Cruel ») résonnent dans l'imagination des peuples européens. À ces bandits légendaires, on attribue des butins fabuleux enterrés dans des lieux secrets. Lorsque Barbe-Noire est interrogé sur ses trésors, il répond : « Seuls le diable et moi en savons l'emplacement ». Voilà qui fait rêver !

Pour Stevenson, l'appel des horizons lointains

Enfant, Stevenson, constamment malade, s'échappe du quotidien par l'imagination. La mer tient un espace important dans ses rêveries, d'abord parce que son père est un ingénieur spécialisé dans la construction des phares et passionné par les histoires de vieux matelots, ensuite parce qu'« un petit Écossais entend beaucoup parler de naufrages, de récifs meurtriers, de déferlantes sans pitié et de grands phares[1] ». À cette passion des océans s'ajoute un attrait des horizons lointains qui le conduira aux quatre coins du monde et l'incitera à s'installer dans une des îles Samoa, en Polynésie. Mais le voyage pour Stevenson n'est pas un loisir, c'est une aventure : « L'essentiel est de bouger [...] de quitter le nid douillet de la civilisation, de sentir sous ses pas le granit terrestre et, par endroits, le tranchant du silex[2]. »

L'Île au trésor : un heureux concours de circonstances

Quand il se lance dans la rédaction de *L'Île au trésor*, Stevenson, âgé de 31 ans, n'a pas percé comme romancier. Plutôt connu pour ses essais et ses articles de presse, il a écrit, sans succès, quelques ouvrages de fiction dont *La Révolte du Pentland*, roman historique de 22 pages, tiré à cent exemplaires. C'est un heureux concours de circonstances qui va donner naissance à l'un des romans d'aventures les plus fameux de l'histoire littéraire : par un après-midi pluvieux, alors qu'il séjourne, avec sa femme, son beau-fils et son père, dans un cottage du petit village de Braemar en Écosse, Stevenson a l'idée de distraire le jeune Lloyd, âgé de 12 ans, en dessinant la carte d'une île imaginaire : « Je fis la carte d'une île. C'était travaillé et, je crois, bellement colorié... j'étiquetai mon œuvre *L'Île au trésor*[3]. »

---

1. R.L. Stevenson, *À travers l'Écosse, L'Étranger de l'intérieur*, 1881.
2. R.L. Stevenson, *Journal de voyage dans les Cévennes avec un âne*, 1879.
3. R.L. Stevenson, *Mon premier livre : L'Île au trésor*, 1894.

Pour mieux lire l'œuvre

Une œuvre créée avec bonheur

La rédaction s'engage dans la joie : « Par une froide matinée de septembre, à côté d'un feu pétillant, et la pluie tambourinant sur ma fenêtre, je commençai *Le Cuisinier du bord*. C'était le titre original. [...] je ne peux pas me rappeler m'être attablé devant l'un de mes manuscrits avec plus de complaisance. » En deux semaines, Stevenson a déjà écrit 15 chapitres. L'écriture obéit à une règle : « Ce devait être une histoire pour les jeunes garçons ; pas besoin de psychologie ni de raffinement de style. » D'octobre 1881 à janvier 1882, le roman, signé « Captain George North », est publié sous forme de feuilleton dans un journal pour adolescents appelé *Young Folks* : bizarrement, il n'attire pas la moindre attention. « Je m'en souciai peu », avoue Stevenson. Dès 1883, quand le roman paraît en volume sous le titre *L'Île au trésor*, il conquiert d'emblée le grand public.

L'inspiration : la part des emprunts

Après coup, Stevenson s'est interrogé sur cette incroyable bouffée d'inspiration qui lui a permis d'écrire ce roman auquel il doit sa réputation et le début de sa fortune. En fait, ses lectures sont venues nourrir son imagination, à son insu, comme c'est souvent le cas dans la création littéraire. Dans *Mon Premier Livre, « L'Île au trésor »*, texte autobiographique où il raconte dans quelles conditions il a écrit son roman, il fait la liste de ses emprunts : le perroquet de John Silver est celui de Robinson Crusoé ; le squelette vient du *Scarabée d'or*, nouvelle où Edgar Poe raconte lui aussi une chasse au trésor (1843). La palissade se trouve dans *Masterman Ready*, un roman maritime pour les enfants très populaire, écrit en 1841 par un romancier anglais, le capitaine Frederick Marryat. Enfin, c'est l'Américain Washington Irving qui a essentiellement nourri l'imaginaire de Stevenson : « Billy Bones, son coffre... tout l'esprit du livre et une bonne quantité des détails matériels de mes premiers chapitres, tous étaient la propriété de Washington Irving. »

Pour mieux lire l'œuvre

L'Île au trésor : la formule gagnante du roman d'aventures

Un concert de louanges accueille la publication de *L'Île au trésor*. On salue en Stevenson le fondateur du roman pour la jeunesse ; on célèbre la hardiesse d'un auteur qui ose rompre avec le roman d'aventures traditionnel désormais jugé banal et moralisateur. On vante l'intensité dramatique d'une intrigue qui tient le lecteur en haleine ; on est fasciné par les personnages originaux, pris sur le vif. Les qualités d'écriture du roman font également l'unanimité : langue accessible, dialogues authentiques, détails pittoresques... Ces traits si particuliers de l'art de Stevenson vont bien vite imposer de nouvelles normes aux auteurs de romans d'aventures. Quelques critiques pourtant se font entendre : on conteste à l'œuvre l'étiquette de « roman pour la jeunesse » en raison de la violence de certaines scènes. On désapprouve aussi la morale douteuse d'un récit où John Silver, assassin à ses heures, échappe à la justice des hommes.

✑ L'essentiel

Le succès de *L'Île au trésor* s'inscrit dans la vogue du roman d'aventures à l'époque de Stevenson. Rédigée avec bonheur, cette histoire de pirates qui met en scène un jeune héros assure à son auteur une gloire internationale. On loue la simplicité de la langue autant que l'intensité dramatique d'une intrigue qui exploite habilement la fascination qu'exerce sur le grand public le monde aventureux de la flibuste.

Pour mieux lire l'œuvre

❖ L'œuvre aujourd'hui

Un classique du roman pour la jeunesse

Comme le chevalier, le détective ou encore le chercheur d'or, le pirate occupe dans l'imaginaire des enfants et des adolescents une place de choix. Éternellement sensible à l'attrait romanesque de *L'Île au trésor*, le jeune lecteur d'aujourd'hui se passionne pour les aventures de Jim, ce garçon fougueux qui lui ressemble. Stevenson, devenu un classique du roman pour la jeunesse, inscrit dans les programmes officiels de l'Éducation nationale, cité par Marcel Proust comme un auteur « génial »[1], « tout à fait un grand écrivain [...] un très grand, l'égal des plus grands[2] » a rejoint, dans les bibliothèques, les figures mythiques du roman d'aventures : Daniel Defoe, Jules Verne, Alexandre Dumas, Jack London, Joseph Conrad. Son œuvre, qui a inspiré tant d'écrivains, continue de stimuler l'imagination des artistes : on ne compte plus les adaptations sous forme de bandes dessinées et de jeux vidéo, sans parler du cinéma !

Le prototype du roman de piraterie

L'Île au trésor a créé le prototype du roman de piraterie : le personnage de John Silver, vieux loup de mer à la jambe de bois avec son perroquet sur l'épaule est devenu une figure emblématique de l'univers de la flibuste. Nombreux sont les romans, les films, les bandes dessinées qui reproduiront, en les adaptant parfois, des scènes-clés ou des décors de cette œuvre fondatrice : auberges battues par la tempête, repaires de brigands, tavernes louches où des marins s'enivrent de rhum ; mutineries dans lesquelles un équipage s'avance, poignard aux dents, vers son capitaine cerné ; pirates borgnes portant tricorne ; îles exotiques et hostiles, trésors enfouis

---

1. Marcel Proust, *Jean Santeuil,* 1895-1899.
2. Marcel Proust, *Jean Santeuil,* 1895-1899.

qu'on déterre sous un soleil de plomb. Telles sont les images héritées du roman de Stevenson, qui enchantent l'imagination du public contemporain.

Le succès des films de pirates

L'Île au trésor a été portée à l'écran sous la forme de films d'aventures où l'action bénéficie des ressources visuelles du cinéma, permettant au lecteur de s'approprier l'œuvre sous une forme animée. Désormais le « film de pirates » constitue un genre à part, au même titre que le western. On retiendra, parmi une énorme production cinématographique consacrée à l'aventure maritime et à la flibuste, le film-culte de Victor Fleming (*L'Île au trésor*, 1934) avec les grands acteurs de l'époque, Wallace Berry (Long John Silver), Jackie Cooper (Jim Hawkins) et Lionel Barrymore (Billy Bones), considéré à ce jour comme la meilleure adaptation. Et on s'intéressera au jeu magistral de l'acteur américain Orson Welles, puissant Long John Silver dans le film de John Hough (1972). Quant à la saga cinématographique *Pirates des Caraïbes* qui, d'une production à l'autre, a immortalisé l'acteur Johnny Depp dans le rôle du capitaine Jack Sparrow, elle assied son succès planétaire sur la popularité du personnage mythique de Jonh Silver créé par Stevenson.

✎ *L'essentiel*

L'Île au trésor, qui met en scène un héros adolescent, est une œuvre-clé de la littérature jeunesse. Les jeunes lecteurs y trouvent des thèmes et des personnages représentatifs de leurs goûts. Ce roman continue d'inspirer la bande dessinée, les jeux vidéo et le cinéma : les nombreuses adaptations du roman témoignent de la modernité de l'œuvre, de sa richesse, de l'attrait persistant du public pour l'univers mythique de la flibuste.

L'Île au trésor

Robert Louis
Stevenson

Roman (1883)

I. Le vieux flibustier[1]

1

Le vieux loup de mer[2]
de l'Amiral Benbow

C'est sur les instances de[3] M. le chevalier Trelawney, du docteur Livesey et de tous ces messieurs en général, que je me suis
décidé à mettre par écrit tout ce que je sais concernant l'île au
trésor, depuis A jusqu'à Z, sans rien excepter que la position de
5 l'île, et cela uniquement parce qu'il s'y trouve toujours une partie
du trésor. Je prends donc la plume en cet an de grâce[4] 17..., et
commence mon récit à l'époque où mon père tenait l'auberge de
l'Amiral Benbow, en ce jour où le vieux marin, au visage basané[5] et
balafré[6] d'un coup de sabre, vint prendre gîte sous notre toit.

10 Je me le rappelle, comme si c'était d'hier. Il arriva d'un pas
lourd à la porte de l'auberge, suivi de sa cantine[7] charriée sur une
brouette. C'était un grand gaillard solide, aux cheveux très bruns
tordus en une queue poisseuse[8] qui retombait sur le collet[9] d'un
habit bleu malpropre ; il avait les mains couturées de cicatrices,
15 les ongles noirs et déchiquetés, et la balafre du coup de sabre, d'un
blanc sale et livide, s'étalait en travers de sa joue. Tout en sifflo-

---

1. **Flibustier :** nom donné aux pirates européens qui, du XVIe au XVIIIe siècle,
   pillaient les possessions espagnoles de la mer des Caraïbes.
2. **Loup de mer :** vieux marin qui a beaucoup navigué.
3. **Sur les instances de :** à la demande de.
4. **An de grâce :** se dit avant l'indication de l'année de l'ère chrétienne dont on parle.
5. **Basané :** bronzé, qui s'est exposé longuement au soleil.
6. **Balafré :** qui porte une cicatrice.
7. **Cantine :** malle de voyage très ordinaire.
8. **Queue poisseuse :** queue de cheval basse tombant sur la nuque ; ici elle est sale
   et graisseuse.
9. **Collet :** col.

tant, il parcourut la crique[1] du regard, puis de sa vieille voix stridente et chevrotante[2] qu'avaient rythmée et cassée les manœuvres du cabestan[3], il entonna cette antique rengaine[4] de matelot qu'il devait nous chanter si souvent par la suite :

> *Nous étions quinze sur le coffre du mort...*
> *Yo-ho-ho ! et une bouteille de rhum !*

Après quoi, de son bâton, une sorte d'anspect[5], il heurta contre la porte et, à mon père qui s'empressait, commanda brutalement un verre de rhum. Aussitôt servi, il le but posément et le dégusta en connaisseur, sans cesser d'examiner tour à tour les falaises et notre enseigne[6].

– Voilà une crique commode, dit-il à la fin, et un cabaret agréablement situé. Beaucoup de clientèle, camarade ?

Mon père lui répondit négativement : très peu de clientèle ; si peu que c'en était désolant.

– Eh bien ! alors, reprit-il, je n'ai plus qu'à jeter l'ancre... Hé ! l'ami, cria-t-il à l'homme qui poussait la brouette, accostez ici et aidez à monter mon coffre... Je resterai ici quelque temps, continua-t-il. Je ne suis pas difficile : du rhum et des œufs au lard, il ne m'en faut pas plus, et cette pointe là-haut pour regarder passer les bateaux. Comment vous pourriez m'appeler ? Vous pourriez m'appeler « capitaine »... Ah ! je vois ce qui vous inquiète... Tenez ! (Et il jeta sur le comptoir trois ou quatre pièces d'or.) Vous me direz quand j'aurai tout dépensé, fit-il, l'air hautain comme un capitaine de vaisseau.

Et à la vérité, en dépit de ses piètres effets[7] et de son rude langage, il n'avait pas du tout l'air d'un homme qui a navigué

---

1. **Crique :** enfoncement du rivage, où les petits bateaux peuvent s'abriter.
2. **Chevrotante :** qui tremble.
3. **Cabestan :** espèce de tourniquet qui, sur un navire, sert à rouler ou dérouler un câble pour tirer de grosses charges.
4. **Rengaine :** couplet chanté inlassablement.
5. **Anspect :** levier utilisé dans la manœuvre du cabestan.
6. **Enseigne :** inscription ou emblème signalant l'établissement d'un commerce (ici, l'auberge de l'Amiral Benbow).
7. **Piètres effets :** misérables vêtements.

à l'avant[1] : on l'eût pris plutôt pour un second[2] ou pour un capitaine qui ne souffre pas la désobéissance. L'homme à la brouette
nous raconta que la malle-poste[3] l'avait déposé la veille au Royal
George, et qu'il s'était informé des auberges qu'on trouvait le long
de la côte. On lui avait dit du bien de la nôtre, je suppose, et pour
son isolement il l'avait choisie comme gîte. Et ce fut là tout ce que
nous apprîmes sur notre hôte.

Il était ordinairement très taciturne[4]. Tout le jour il rôdait alentour de la baie, ou sur les falaises, muni d'une lunette d'approche[5]
en cuivre ; toute la soirée il restait dans un coin de la salle, auprès
du feu, à boire des grogs[6] au rhum très forts. La plupart du temps,
il ne répondait pas quand on s'adressait à lui, mais vous regardait
brusquement d'un air féroce, en soufflant par le nez telle une
corne d'alarme[7] ; ainsi, tout comme ceux qui fréquentaient notre
maison, nous apprîmes vite à le laisser tranquille. Chaque jour,
quand il rentrait de sa promenade, il s'informait s'il était passé des
gens de mer quelconques sur la route. Au début, nous crûmes
qu'il nous posait cette question parce que la société de ses pareils
lui manquait ; mais à la longue, nous nous aperçûmes qu'il préférait les éviter. Quand un marin s'arrêtait à l'Amiral Benbow –
comme faisaient parfois ceux qui gagnaient Bristol[8] par la route
de la côte –, il l'examinait à travers le rideau de la porte avant de
pénétrer dans la salle et, tant que le marin était là, il ne manquait
jamais de rester muet comme une carpe. Mais pour moi il n'y avait
pas de mystère dans cette conduite, car je participais en quelque
sorte à ses craintes. Un jour, me prenant à part, il m'avait promis

---

1. **À l'avant :** l'avant est la partie du bateau réservée aux simples marins par opposition à l'arrière où vivent les sous-officiers et les officiers, ceux qui savent manœuvrer le navire.
2. **Un second :** un officier de navire directement inférieur au capitaine.
3. **Malle-poste :** voiture des services postaux.
4. **Taciturne :** d'humeur sombre.
5. **Lunette d'approche :** longue-vue.
6. **Grogs :** le grog est une boisson composée d'eau-de-vie ou de rhum, d'eau chaude
   sucrée et de citron.
7. **Corne d'alarme :** ou corne de brume, instrument émettant des signaux sonores,
   pour signaler la présence du navire par temps de brouillard.
8. **Bristol :** ville située dans le sud-ouest de l'Angleterre.

70 une pièce de dix sous à chaque premier de mois, si je voulais
« veiller au grain[1] » et le prévenir dès l'instant où paraîtrait « un
homme de mer à une jambe ». Le plus souvent, lorsque venait le
premier du mois et que je réclamais mon salaire au capitaine, il
se contentait de souffler par le nez et de me foudroyer du regard ;
75 mais la semaine n'était pas écoulée qu'il se ravisait[2] et me remet-
tait ponctuellement mes dix sous, en me réitérant[3] l'ordre de
veiller à « l'homme de mer à une jambe ».

Si ce personnage hantait mes songes, il est inutile de le dire. Par
les nuits de tempête où le vent secouait la maison par les quatre
80 coins tandis que le ressac[4] mugissait dans la crique et contre les
falaises, il m'apparaissait sous mille formes diverses et avec mille
physionomies diaboliques. Tantôt la jambe lui manquait depuis
le genou, tantôt dès la hanche ; d'autres fois c'était un monstre
qui n'avait jamais possédé qu'une seule jambe, située au milieu
85 de son corps. Le pire de mes cauchemars était de le voir s'élancer
par bonds et me poursuivre à travers champs. Et, somme toute, ces
abominables imaginations me faisaient payer bien cher mes dix
sous mensuels.

Mais, en dépit de la terreur que m'inspirait l'homme de mer à
90 une jambe, j'avais beaucoup moins peur du capitaine en personne
que tous les autres qui le connaissaient. À certains soirs, il buvait
du grog beaucoup plus qu'il n'en pouvait supporter ; et ces jours-
là il s'attardait parfois à chanter ses sinistres et farouches vieilles
complaintes[5] de matelot, sans souci de personne. Mais, d'autres
95 fois, il commandait une tournée générale, et obligeait l'assistance
intimidée à ouïr des récits ou à reprendre en chœur ses refrains.
Souvent j'ai entendu la maison retentir du « Yo-ho-ho ! et une
bouteille de rhum ! », alors que tous ses voisins l'accompagnaient à
qui mieux mieux[6] pour éviter ses observations. Car c'était, durant

---

1. **Veiller au grain :** être prudent, surveiller.
2. **Il se ravisait :** il changeait d'avis.
3. **Réitérant :** répétant.
4. **Ressac :** retour des vagues vers le large après qu'elles ont frappé la plage ou les
rochers.
5. **Complaintes :** chansons populaires formées de nombreux couplets et qui racon-
tent les malheurs d'un personnage.
6. **À qui mieux mieux :** à qui fera mieux que l'autre.

100 ces accès[1], l'homme le plus tyrannique du monde : il claquait de la main sur la table pour exiger le silence, il se mettait en fureur à cause d'une question, ou voire même si l'on n'en posait point, car il jugeait par là que l'on ne suivait pas son récit. Et il n'admettait point que personne quittât l'auberge avant que lui-même, ivre
105 mort, se fût traîné jusqu'à son lit.

Ce qui effrayait surtout le monde, c'étaient ses histoires. Histoires épouvantables, où il n'était question que d'hommes pendus ou jetés à l'eau, de tempêtes en mer, et des îles de la Tortue, et d'affreux exploits aux pays de l'Amérique espagnole. De son
110 propre aveu, il devait avoir vécu parmi les pires sacripants[2] auxquels Dieu permît jamais de naviguer. Et le langage qu'il employait dans ses récits scandalisait nos braves paysans presque à l'égal des forfaits[3] qu'il narrait. Mon père ne cessait de dire qu'il causerait la ruine de l'auberge, car les gens refuseraient bientôt de venir s'y
115 faire tyranniser et humilier, pour aller ensuite trembler dans leurs lits ; mais je croirais plus volontiers que son séjour nous était profitable. Sur le moment, les gens avaient peur, mais à la réflexion ils ne s'en plaignaient pas, car c'était une fameuse distraction dans la morne routine villageoise. Il y eut même une coterie[4] de
120 jeunes gens qui affectèrent[5] de l'admirer, l'appelant « un vrai loup de mer », « un authentique vieux flambart[6] », et autres noms semblables, ajoutant que c'étaient les hommes de cette trempe[7] qui font l'Angleterre redoutable sur mer.

Dans un sens, à la vérité, il nous acheminait vers la ruine, car
125 il ne s'en allait toujours pas : des semaines s'écoulèrent, puis des mois, et l'acompte[8] était depuis longtemps épuisé, sans que mon

---

1. **Accès :** moments particuliers pendant lesquels le capitaine exerce sa tyrannie sur l'assemblée ; sortes de crises.
2. **Sacripants :** vauriens, gredins, canailles.
3. **Forfaits :** mauvaises actions, infamies et crimes.
4. **Coterie :** groupe de personnes unies par un intérêt commun (ici, la fascination qu'exerce le vieux marin sur les jeunes gens).
5. **Affectèrent :** du verbe « affecter », faire semblant, simuler.
6. **Flambart :** pirate.
7. **De cette trempe :** à la forte personnalité.
8. **Acompte :** versement partiel et à l'avance d'une somme due.

père trouvât jamais le courage de lui réclamer le complément. Lorsqu'il y faisait la moindre allusion, le capitaine soufflait par le nez, avec un bruit tel qu'on eût dit un rugissement, et foudroyait du regard mon pauvre père, qui s'empressait de quitter la salle. Je l'ai vu se tordre les mains après l'une de ces rebuffades[1], et je ne doute pas que le souci et l'effroi où il vivait hâtèrent de beaucoup sa fin malheureuse et anticipée[2].

De tout le temps qu'il logea chez nous, à part quelques paires de bas[3] qu'il acheta d'un colporteur[4], le capitaine ne renouvela en rien sa toilette[5]. L'un des coins de son tricorne[6] s'étant cassé, il le laissa pendre depuis lors, bien que ce lui fût d'une grande gêne par temps venteux. Je revois l'aspect de son habit, qu'il rafistolait[7] lui-même dans sa chambre de l'étage et qui, dès avant la fin, n'était plus que pièces[8]. Jamais il n'écrivit ni ne reçut une lettre, et il ne parlait jamais à personne qu'aux gens du voisinage, et cela même presque uniquement lorsqu'il était ivre de rhum. Son grand coffre de marin, nul d'entre nous ne l'avait jamais vu ouvert.

On ne lui résista qu'une seule fois, et ce fut dans les derniers temps, alors que mon pauvre père était déjà gravement atteint de la phtisie[9] qui devait l'emporter. Le docteur Livesey, venu vers la fin de l'après-midi pour visiter son patient, accepta que ma mère lui servît un morceau à manger, puis, en attendant que son cheval fût ramené du hameau[10] – car nous n'avions pas d'écurie au vieux Benbow – il s'en alla fumer une pipe dans la salle. Je l'y suivis, et je me rappelle encore le contraste frappant que faisait le docteur,

---

1. **Rebuffades :** refus accompagnés de paroles dures.
2. **Anticipée :** qui vient plus tôt que prévu.
3. **Paire de bas :** à l'époque, les bas font partie de l'habit des hommes. Ils couvraient la jambe des pieds aux genoux, où ils rejoignaient alors les chausses.
4. **Colporteur :** vendeur ambulant qui transporte avec lui ses marchandises de maison en maison.
5. **Toilette :** tenue.
6. **Tricorne :** chapeau à trois pointes (ou cornes).
7. **Rafistolait :** réparait.
8. **N'était plus que pièces :** était en lambeaux.
9. **Phtisie :** tuberculose pulmonaire.
10. **Hameau :** petit groupe d'habitations à l'écart d'un village.

bien mis et allègre[1], à la perruque poudrée à blanc[2], aux yeux noirs et vifs, au maintien distingué, avec les paysans rustauds[3], et surtout avec notre sale et blême épouvantail de pirate, avachi[4] dans l'ivresse et les coudes sur la table. Soudain, il se mit – je parle du capitaine – à entonner[5] son sempiternel[6] refrain :

> *Nous étions quinze sur le coffre du mort…*
> *Yo-ho-ho ! et une bouteille de rhum !*
> *La boisson et le diable ont expédié les autres,*
> *Yo-ho-ho ! et une bouteille de rhum !*

Au début, j'avais cru que « le coffre du mort » était sa grande cantine de là-haut dans la chambre de devant, et cette imagination s'était amalgamée dans mes cauchemars avec celle de l'homme de mer à une jambe. Mais à cette époque nous avions depuis longtemps cessé de faire aucune attention au refrain ; il n'était nouveau, ce soir-là, que pour le seul docteur Livesey, et je m'aperçus qu'il produisait sur lui un effet rien moins qu'agréable[7], car le docteur leva un instant les yeux avec une véritable irritation avant de continuer à entretenir le vieux Taylor, le jardinier, d'un nouveau traitement pour ses rhumatismes. Cependant, le capitaine s'excitait peu à peu à sa propre musique[8], et il finit par claquer de la main sur sa table, d'une manière que nous connaissions tous et qui exigeait le silence. Aussitôt, chacun se tut, sauf le docteur Livesey qui poursuivit comme devant[9], d'une voix claire et courtoise, en tirant une forte bouffée de sa pipe tous les deux ou trois mots. Le capi-

---

1. **Allègre :** joyeux, plein d'entrain.
2. **Poudrée à blanc :** extrêmement poudrée. À l'époque, les hommes saupoudraient leurs perruques d'amidon pulvérisé afin de leur donner une couleur blanche. La perruque était un signe de distinction.
3. **Rustauds :** qui manquent de délicatesse, grossiers.
4. **Avachi :** affalé, écroulé.
5. **Entonner :** commencer à chanter (pour donner le ton).
6. **Sempiternel :** répété sans fin.
7. **Rien moins qu'agréable :** pas du tout agréable.
8. **S'excitait peu à peu à sa propre musique :** s'enivrait de sa chanson.
9. **Comme devant :** comme précédemment.

taine le dévisagea un instant avec courroux[1], fit claquer de nouveau sa main, puis le toisa[2] d'un air farouche, et enfin lança avec
un vil[3] et grossier juron :

– Silence, là-bas dans l'entrepont[4] !

– Est-ce à moi que ce discours s'adresse, monsieur ? fit le
docteur.

Et quand le butor[5] lui eut déclaré, avec un nouveau juron, qu'il
en était ainsi :

– Je n'ai qu'une chose à vous dire, monsieur, répliqua le docteur,
c'est que si vous continuez à boire du rhum de la sorte, le monde
sera vite débarrassé d'un très ignoble gredin !

La fureur du vieux drôle fut terrible. Il se dressa d'un bond,
tira un coutelas[6] de marin qu'il ouvrit, et le balançant sur la main
ouverte, s'apprêta à clouer au mur le docteur.

Celui-ci ne broncha point[7]. Il continua de lui parler comme
précédemment, par-dessus l'épaule, et du même ton, un peu plus
élevé peut-être, pour que toute la salle entendît, mais parfaitement
calme et posé :

– Si vous ne remettez à l'instant ce couteau dans votre poche, je
vous jure sur mon honneur que vous serez pendu aux prochaines
assises[8].

Ils se mesurèrent du regard ; mais le capitaine céda bientôt,
remisa son arme, et se rassit, en grondant comme un chien battu.

– Et maintenant, monsieur, continua le docteur, sachant désormais qu'il y a un tel personnage dans ma circonscription[9], vous
pouvez compter que j'aurai l'œil sur vous nuit et jour. Je ne suis
pas seulement médecin, je suis aussi magistrat ; et s'il m'arrive la
moindre plainte contre vous, fût-ce pour un esclandre[10] comme

---

1. **Courroux :** colère.
2. **Le toisa :** le regarda avec mépris et insolence.
3. **Vil :** méprisable, bas.
4. **L'entrepont :** étage ou espace qui sépare deux ponts d'un vaisseau.
5. **Butor :** personnage grossier.
6. **Coutelas :** grand couteau.
7. **Ne broncha point :** ne laissa rien paraître, ne réagit pas.
8. **Assises :** juridiction chargée de juger les personnes accusées de crimes.
9. **Circonscription :** territoire sous l'autorité du magistrat.
10. **Esclandre :** scène violente, bruyante.

205 celui de ce soir, je prendrai les mesures efficaces pour vous faire arrêter et expulser du pays. Vous voilà prévenu.

Peu après on amenait à la porte le cheval du docteur Livesey, et celui-ci s'en alla ; mais le capitaine se tint tranquille pour cette soi-rée-là et nombre de suivantes.

2

Chien-Noir fait une brève apparition

Ce fut peu de temps après cette algarade[1] que commença la série des mystérieux événements qui devaient nous délivrer enfin du capitaine, mais non, comme on le verra, des suites de sa présence. Cet hiver-là fut très froid et marqué par des gelées fortes et pro-
5 longées ainsi que par de rudes tempêtes ; et, dès son début, nous comprîmes que mon pauvre père avait peu de chances de voir le printemps. Il baissait[2] chaque jour, et comme nous avions, ma mère et moi, tout le travail de l'auberge sur les bras, nous étions trop occupés pour accorder grande attention à notre fâcheux
10 pensionnaire.

C'était par un jour de janvier, de bon matin. Il faisait un froid glacial. Le givre blanchissait toute la crique, le flot clapotait douce-ment sur les galets, le soleil encore bas illuminait à peine la crête des collines et luisait au loin sur la mer. Le capitaine, levé plus tôt
15 que de coutume, était parti sur la grève[3], son coutelas ballant[4] sous les larges basques[5] de son vieil habit bleu, sa lunette de cuivre sous le bras, son tricorne rejeté sur la nuque. Je vois encore son haleine flotter derrière lui comme une fumée, tandis qu'il s'éloi-gnait à grands pas. Le dernier son que je perçus de lui, comme il

---

1. **Algarade :** dispute.
2. **Il baissait :** son état de santé déclinait.
3. **Grève :** bord de mer, rivage.
4. **Ballant :** se balançant.
5. **Basques :** partie découpée de la veste qui descend au-dessous de la taille.

20 disparaissait derrière le gros rocher, fut un violent reniflement de colère, à faire croire qu'il pensait toujours au docteur Livesey.

Or, ma mère était montée auprès de mon père, et, en attendant le retour du capitaine, je dressais la table pour son déjeuner, lorsque la porte de la salle s'ouvrit, et un homme entra, que je
25 n'avais jamais vu. Son teint avait une pâleur de cire ; il lui manquait deux doigts de la main gauche et, bien qu'il fût armé d'un coutelas, il semblait peu combatif. Je ne cessais de guetter les hommes de mer, à une jambe ou à deux, mais je me souviens que celui-là m'embarrassa. Il n'avait rien d'un matelot, et néanmoins il
30 s'exhalait de son aspect comme un relent maritime[1].

Je lui demandai ce qu'il y avait pour son service, et il me commanda un rhum. Je m'apprêtais à sortir de la salle pour l'aller chercher[2], lorsque mon client s'assit sur une table et me fit signe d'approcher. Je m'arrêtai sur place, ma serviette à la main.
35 – Viens ici, fiston, reprit-il. Plus près.

Je m'avançai d'un pas.

– Est-ce que cette table est pour mon camarade Bill ? interrogea-t-il, en ébauchant un clin d'œil.

Je lui répondis que je ne connaissais pas son camarade Bill, et
40 que la table était pour une personne qui logeait chez nous, et que nous appelions le capitaine.

– Parbleu ! dit-il, mon camarade Bill peut bien se faire appeler le capitaine, si cela lui convient ! Il a une balafre sur la joue, mon camarade Bill, et des manières tout à fait gracieuses, en particulier
45 lorsqu'il a bu. Mettons, pour voir, que ton capitaine a une balafre sur la joue, et mettons, si tu le veux bien, que c'est sur la joue droite. Hein ! qu'est-ce que je te disais ! Et maintenant, je répète : mon camarade Bill est-il dans la maison ?

Je lui répondis qu'il était parti en promenade.
50 – Par où, fiston ? Par où est-il allé ?

Je désignai le rocher, et affirmai que le capitaine ne tarderait sans doute pas à rentrer ; puis je répondis à quelques autres questions.

---

1. **Il s'exhalait [...] relent maritime :** quelque chose dans son aspect faisait penser à la mer.
2. **Pour l'aller chercher :** pour aller le chercher.

– Oh ! dit-il, ça lui fera autant de plaisir de me voir que de boire un coup, à mon camarade Bill.

Il prononça ces mots d'un air dénué de toute bienveillance. Mais après tout ce n'était pas mon affaire, et d'ailleurs je ne savais quel parti prendre. L'étranger demeurait posté tout contre la porte de l'auberge, et surveillait le tournant comme un chat qui guette une souris.

À un moment, je me hasardai sur la route, mais il me rappela aussitôt, et comme je n'obéissais pas assez vite à son gré[1], sa face cireuse prit une expression menaçante, et avec un blasphème[2] qui me fit sursauter, il m'ordonna de revenir. Dès que je lui eus obéi, il revint à ses allures[3] premières, mi-caressantes, mi-railleuses[4], me tapota l'épaule, me déclara que j'étais un brave garçon, et que je lui inspirais la plus vive sympathie.

– J'ai moi-même un fils, ajouta-t-il, qui te ressemble comme deux gouttes d'eau, et il fait toute ma fierté. Mais le grand point pour les enfants est l'obéissance, fiston… l'obéissance. Or, si tu avais navigué avec Bill, tu n'aurais pas attendu que je te rappelle deux fois… certes non. Ce n'était pas l'habitude de Bill, ni de ceux qui naviguaient avec lui. Eh ! ma parole, je ne me trompe pas !… le voici justement, mon camarade Bill, avec sa lunette d'approche sous le bras ! Dieu le bénisse, ma foi. Tu vas te reculer avec moi dans la salle, fiston, et te mettre derrière la porte : nous allons faire une petite surprise à Bill… Que Dieu le bénisse ! je le répète !

Ce disant[5], l'inconnu m'attira dans la salle et me plaça derrière lui dans un coin où la porte ouverte nous cachait tous les deux. J'étais fort ennuyé et inquiet, comme bien on pense[6], et mes craintes s'augmentaient encore de voir l'étranger, lui aussi, visiblement effrayé. Il dégagea la poignée de son coutelas, et en fit jouer

---

1. **À son gré :** selon sa volonté.
2. **Blasphème :** parole irrespectueuse envers Dieu ou la religion ; juron qui fait insulte à Dieu.
3. **Allures :** attitudes.
4. **Railleuses :** moqueuses.
5. **Ce disant :** tout en disant cela.
6. **Comme bien on pense :** comme on s'en doute.

la lame dans sa gaine[1] ; et tout le temps que dura notre attente, il ne cessa de ravaler sa salive comme s'il avait la gorge serrée.

À la fin, le capitaine entra, fit claquer la porte derrière lui sans regarder ni à droite ni à gauche et, traversant la pièce, alla droit vers la table où l'attendait son déjeuner.

– Bill ! lança l'étranger, d'une voix qu'il s'efforçait, me parut-il, de rendre forte et assurée.

Le capitaine pivota sur ses talons et nous fit face : tout hâle[2] avait disparu de son visage, bleu jusqu'au bout du nez ; on eût dit, à son air, qu'il venait de voir apparaître un fantôme, ou le diable, ou pis encore, s'il se peut ; et j'avoue que je le pris en pitié, à le voir tout à coup si vieilli et si défait[3].

– Allons, Bill, tu me reconnais ; tu reconnais un vieux camarade de bord, pas vrai, Bill ?

Le capitaine eut un soupir spasmodique[4] :

– Chien-Noir ! fit-il.

– Et qui serait-ce d'autre ? reprit l'étranger avec plus d'assurance. Chien-Noir plus que jamais, venu voir son vieux camarade de bord, Bill, à l'auberge de l'Amiral Benbow... Ah ! Bill, Bill, nous en avons vu des choses, tous les deux, depuis que j'ai perdu ces deux doigts, ajouta-t-il, en élevant sa main mutilée.

– Eh bien, voyons, fit le capitaine, vous m'avez retrouvé : me voici. Parlez donc. Qu'y a-t-il ?

– C'est bien toi, Bill, répliqua Chien-Noir. Toujours aussi direct, Billy. Je vais me faire servir un verre de rhum par ce cher enfant-ci, qui m'inspire tant de sympathie, et nous allons nous asseoir, s'il te plaît, et causer franc[5] comme deux vieux copains.

Quand je revins avec le rhum, ils étaient déjà installés de chaque côté de la table servie pour le déjeuner du capitaine : Chien-Noir auprès de la porte, et assis de biais comme pour surveiller d'un œil son vieux copain, et de l'autre, à mon idée, sa ligne de retraite.

---

1. **Gaine :** étui.
2. **Hâle :** couleur brune que prend la peau sous l'effet de l'air et du soleil.
3. **Défait :** décontenancé, abattu.
4. **Spasmodique :** convulsif ; caractérisé par des spasmes, des contractions incontrôlées des muscles.
5. **Causer franc :** parler franchement.

L'Île au trésor

Il m'enjoignit[1] de sortir en laissant la porte grande ouverte.

– On ne me la fait pas avec les trous de serrure, fiston, ajouta-t-il.

115 Je les laissai donc ensemble et me réfugiai derrière le comptoir.

J'eus beau prêter l'oreille, comme de juste[2], je ne saisis rien de leur bavardage pendant un bon moment car ils parlaient à voix basse ; mais peu à peu ils élevèrent le ton, et je discernai quelques mots, principalement des jurons, lancés par le capitaine.

120 – Non, non, non, et mille fois non ! Assez ! cria-t-il. Allez tous vous faire pendre !

Et tout à coup il y eut une effroyable explosion de blasphèmes et de bruits : les chaises et les tables furent renversées, un cliquetis d'acier s'ensuivit, puis un hurlement de douleur ; l'instant d'après

125 je vis Chien-Noir fuir éperdu, serré de près par le capitaine, tous deux coutelas au poing, et le premier saignant abondamment de l'épaule gauche. Arrivé à la porte, le capitaine assena[3] au fuyard un dernier coup terrible qui lui aurait sûrement fendu le crâne s'il n'avait été arrêté par l'enseigne imposante de l'Amiral Benbow. On

130 en voit d'ailleurs encore aujourd'hui la trace.

Ce coup mit fin au combat. Aussitôt sur la route, Chien-Noir, en dépit de sa blessure, prit ses jambes à son cou, et avec une agilité merveilleuse, disparut en une demi-minute derrière la crête de la colline. Quant au capitaine, il était resté bouche bée devant l'en-

135 seigne, comme abasourdi. Après quoi, il se passa la main sur les yeux à plusieurs reprises, puis rentra finalement dans la maison.

– Jim, me dit-il, du rhum !

Tout en parlant, il titubait légèrement et s'appuyait d'une main contre le mur.

140 – Êtes-vous blessé ? m'écriai-je.

– Du rhum ! répéta-t-il. Il faut que je m'en aille d'ici. Du rhum ! du rhum !

Je courus lui en chercher ; mais, tout bouleversé par ce qui venait d'arriver, je cassai un verre et faussai[4] le robinet ; alors que

145 je m'affairais dans mon coin, j'entendis le bruit d'une lourde chute

---

1. **Il m'enjoignit :** il m'ordonna.
2. **Comme de juste :** comme on pouvait s'y attendre.
3. **Assena :** donna.
4. **Faussai :** déformai.

venant de la salle. Je m'y précipitai et vis le capitaine étalé de tout
son long sur le carreau. À la même minute, ma mère, alarmée par
les cris et la bagarre, descendait quatre à quatre pour venir à mon
aide. À nous deux, nous lui relevâmes la tête. Il respirait bruyam-
150 ment et avec peine, mais il avait les yeux fermés et son visage avait
une teinte hideuse.

– Mon Dieu, mon Dieu ! s'écria ma mère. Quel malheur s'abat
sur notre maison ! Et ton pauvre père qui est malade !

Cependant nous n'avions aucune idée de ce qu'il convenait de
155 faire pour secourir le capitaine, et nous restions persuadés qu'il
avait reçu un coup mortel dans sa lutte avec l'étranger. À tout
hasard, je pris le verre de rhum et tentai de lui en introduire un
peu dans le gosier ; mais ses dents étaient étroitement serrées et
ses mâchoires aussi dures que du métal. Quel soulagement de voir
160 la porte s'ouvrir et livrer passage au docteur Livesey, venu rendre
visite à mon père !

– Docteur ! criâmes-nous, que faire ? Où est-il blessé ?

– Lui, blessé ? Taratata ! fit le docteur. Pas plus blessé que vous
ni moi. Cet homme vient d'avoir une attaque d'apoplexie[1], comme
165 je le lui avais prédit. Allons, madame Hawkins, remontez vite
auprès de votre mari, et ne lui dites rien de ce qui est arrivé, si
c'est possible. De mon côté, je dois faire de mon mieux pour sauver la vie trois fois indigne de ce misérable, et pour cela Jim ici présent va m'apporter une cuvette.

170 Quand je rentrai avec la cuvette, le docteur avait déjà déchiré la
manche du capitaine et découvert son grand bras musculeux[2]. Il
était couvert de tatouages : on lisait très nettement « Bon vent ! »
et « Billy Bones[3] s'en fiche » sur l'avant-bras ; plus haut, vers
l'épaule, on voyait le dessin d'une potence avec son pendu – des-
175 sin exécuté, à mon sens, avec beaucoup de talent.

---

1. **Attaque d'apoplexie :** perte de connaissance brutale due à une congestion
cérébrale.
2. **Musculeux :** très musclé.
3. **Billy Bones :** ce nom évoque les tibias croisés du drapeau noir des pirates ;
« bones » signifie « les os » en anglais.

– Prophétique[1] ! fit le docteur, en touchant du doigt ce croquis. Et maintenant, maître Billy Bones, si c'est bien là votre nom, voyons voir la couleur de votre sang… Jim, as-tu peur du sang ?

– Non, monsieur.

180 – Bon. Alors, tiens la cuvette. Et là-dessus il prit sa lancette[2] et ouvrit la veine.

Il fallut tirer beaucoup de sang au capitaine avant qu'il soulevât les paupières et promenât autour de lui un regard vague. D'abord il fronça le sourcil en reconnaissant le médecin ; puis son regard

185 s'arrêta sur moi, et il sembla rassuré. Mais il changea soudain de couleur et s'efforça de se lever, en criant :

– Où est Chien-Noir ?

– Il n'y a pas de chien noir ici ! rien que dans votre imagination ! répliqua le docteur. Vous avez bu du rhum ; vous avez eu une

190 attaque, tout comme je vous le prédisais, et je viens, fort à regret, de vous arracher à la tombe où vous piquiez une tête. Et maintenant, monsieur Bones…

– Ce n'est pas mon nom, interrompit-il.

– Peu importe ! C'est celui d'un pirate de ma connaissance, et

195 je vous appelle ainsi pour abréger. Voici ce que j'ai à vous dire : un verre de rhum ne vous tuera pas, mais si vous en prenez un, vous en prendrez un deuxième, puis un troisième, et je gagerais[3] ma perruque que, si vous ne cessez pas net, vous mourrez… vous avez bien entendu ?… vous mourrez, et vous irez à votre place,

200 comme il est dit dans la Bible. Allons, faites un effort. Pour cette fois, je vous aiderai à aller au lit.

Avec beaucoup de mal, nous parvînmes à nous deux à le transporter à l'étage et à l'étendre sur son lit. Sa tête retomba sur l'oreiller, comme s'il allait s'évanouir.

205 – Maintenant, dit le docteur, rappelez-vous bien ce que je vous déclare en conscience[4] : le rhum pour vous c'est la mort.

---

1. **Prophétique :** qui était annoncé.
2. **Lancette :** instrument de chirurgie utilisé pour ouvrir une veine, percer un abcès, vacciner.
3. **Gagerais :** parierais sur.
4. **En conscience :** honnêtement, franchement.

Là-dessus il partit rendre visite à mon père, m'attrapant par le bras.

– Ce n'est rien, dit-il sitôt la porte refermée. Je lui ai pris assez de sang pour qu'il se tienne tranquille un moment. Il faudrait qu'il reste allongé une semaine, c'est ce qu'il y aurait de mieux à faire pour lui comme pour vous ; une autre attaque l'emporterait.

3

La tache noire[1]

Vers midi, chargé de boissons rafraîchissantes et de médicaments, je m'arrêtai devant la porte du capitaine. Il se trouvait à peu près dans le même état, quoique un peu redressé, et il me parut à la fois faible et agité.

– Jim, me dit-il, tu es le seul ici qui vaille quelque chose. Tu le sais, j'ai toujours été bon pour toi : pas un mois ne s'est passé où tu n'aies reçu tes dix sous. Et maintenant, camarade, tu vois comme je suis affaibli et abandonné de tous. Dis, Jim, tu vas bien me porter un petit verre de rhum, n'est-ce pas, camarade ?

– Le docteur… commençai-je.

Mais il m'interrompit en maudissant le docteur, d'une voix lasse quoique chaleureuse : les docteurs sont tous des fauberts[2], fit-il ; et celui-là, hein, qu'est-ce qu'il y connaît, aux gens de mer ? Je suis allé dans des endroits chauds comme la braise, où les copains mouraient les uns après les autres de la fièvre jaune[3], où le sol béni ondulait telle la surface de la mer sous les tremblements de terre !… Qu'est-ce qu'il y connaît, ton docteur, à des pays comme ça ?… et je ne vivais que de rhum, je te dis. C'était ma boisson et ma nourriture, nous étions comme mari et femme. Si je ne dois plus avoir de rhum, alors je ne serai plus qu'une pauvre vieille

---

1. **La tache noire :** avertissement de mort.
2. **Fauberts :** un faubert est un balai en fibres naturelles avec lequel on nettoie le pont des bateaux.
3. **Fièvre jaune :** maladie virale tropicale transmise par un moustique. Elle est mortelle ; de nos jours, une vaccination permet de s'en protéger.

carcasse échouée, et mon sang retombera sur toi, Jim, et sur ce sagouin de docteur. (Il se remit à sacrer[1].) Vois, Jim, comme mes doigts s'agitent, continua-t-il d'un ton suppliant. Je ne peux pas les arrêter, je t'assure. Je n'ai pas bu une goutte de toute cette maudite journée. Ce docteur est un idiot, je te dis. Si je ne bois pas un coup de rhum, Jim, je vais avoir des visions : j'en ai déjà, d'ailleurs. Je vois le vieux Flint dans ce coin-là, derrière toi ; je le vois aussi net qu'en peinture. Et si ces visions me prennent, ma vie fut si rude que ça deviendra épouvantable. Ton docteur lui-même a dit qu'un verre ne me ferait pas de mal. Jim, je te paierai une guinée[2] d'or pour une topette[3].

Son agitation augmentait toujours, et cela m'inquiétait pour mon père, qui, étant au plus bas ce jour-là, avait besoin de repos. D'ailleurs, si la tentative de corruption[4] m'offensait un peu, j'étais rassuré par les paroles du docteur que me rappelait le capitaine.

– Je ne veux pas de votre argent, lui dis-je, sauf celui que vous devez à mon père. Vous aurez un verre, pas plus.

Quand je le lui apportai, il le saisit avidement et l'avala d'un trait.

– Ah ! ah, fit-il, ça va déjà mieux, pour sûr. Et maintenant, camarade, ce docteur a-t-il dit combien de temps je dois rester cloué sur cette vieille paillasse ?

– Au moins une huitaine.

– Tonnerre ! Une huitaine ! Ce n'est pas possible ! D'ici là ils m'auront flanqué la tache noire. En ce moment même, ces ganaches[5] ont déjà eu vent de moi[6] : des fainéants incapables de garder ce qu'ils ont, et qui veulent flibuster[7] la part des autres. Est-ce là une conduite digne d'un marin, je te le demande ? Moi, mon âme est sauve : jamais je n'ai gaspillé, ni jeté mon argent par

---

1. **Sacrer :** proférer des jurons, blasphémer.
2. **Guinée :** ancienne monnaie anglaise.
3. **Topette :** petite fiole (bouteille) d'alcool.
4. **Corruption :** action qui consiste à détourner quelqu'un de son devoir, pour lui faire faire quelque chose de malhonnête.
5. **Ganaches :** imbéciles, incapables.
6. **Ont déjà eu vent de moi :** sont déjà renseignés sur moi.
7. **Flibuster :** voler, s'emparer de.

la fenêtre, et je leur jouerai encore un tour. Ils ne me font pas peur.
50 Je vais larguer un ris[1], camarade, et les distancer à nouveau.

Tout en parlant ainsi, il s'était soulevé sur son lit avec difficulté,
en saisissant mon épaule avec une telle poigne qu'il me fit presque
crier, et en agitant ses jambes comme autant de poids morts. Ses
paroles agessives contrastaient amèrement avec la faiblesse de la
55 voix qui les proférait. Une fois assis au bord du lit, il s'arrêta.

– Ce docteur m'a tué, mumura-t-il. Mes oreilles bourdonnent.
Aide-moi à me recoucher.

Avant même que j'aie pu l'y aider, il retomba dans sa position
initiale et y demeura un moment sans parler.

60 – Jim, dit-il enfin, tu as vu ce marin aujourd'hui ?

– Chien-Noir ?

– Oui ! Chien-Noir !... C'est un sale gars, mais ceux qui l'ont
envoyé sont pires. Si je ne peux pas partir et qu'ils me flanquent
la tache noire, rappelle-toi que c'est parce qu'ils en ont après mon
65 vieux coffre de mer. Prends un cheval... tu sais monter, hein ?
Bon. Donc, enfourche un cheval, et rends-toi chez... eh bien oui,
tant pis pour eux !... chez ce satané docteur. Dis-lui de rassembler
tout son monde, les magistrats et les autres, et de venir à l'Amiral
Benbow pour mettre le grappin sur[2] l'équipage du vieux Flint,
70 petits et grands, tout ce qu'il en reste. J'étais son second, au vieux
Flint, et je suis le seul qui connaisse l'endroit. Il m'a livré le secret
à Savannah[3], sur son lit de mort, dans un état similaire au mien,
vois-tu. Mais tu ne dois moucharder que s'ils me flanquent la
tache noire, ou si tu vois encore ce Chien-Noir, ou bien un homme
75 de mer à une jambe, Jim... celui-là surtout.

– Mais qu'est-ce que cette tache noire, capitaine ?

– C'est un avertissement, camarade. Je t'expliquerai, s'ils en viennent là. Mais continue à ouvrir l'œil, Jim, et je partagerai d'égal à
égal avec toi, parole d'honneur !

---

1. **Larguer un ris :** donner de la voile. Ici, au sens figuré, signifie « mettre les voiles »,
c'est-à-dire partir vite.
2. **Pour mettre le grappin sur :** pour arrêter.
3. **Savannah :** ville située à Anguilla, une île des Caraïbes.

80   Il divagua[1] encore un peu, d'une voix qui s'affaiblissait ; je lui donnai son médicament, qu'il prit aussi docilement qu'un enfant, tout en faisant remarquer que « si jamais un marin avait eu besoin de drogues[2], c'était bien lui » ; après quoi il tomba dans un sommeil lourd, semblable à une syncope[3], où je le laissai.

85   Qu'aurais-je fait si tout s'était normalement passé ? Je l'ignore. Il est probable que j'aurais tout raconté au docteur, car je vivais dans la crainte que le capitaine se repentît de ses aveux et se débarrassât de moi. Mais il advint que mon pauvre père mourut très subitement cette nuit-là, ce qui me fit oublier tout le reste. Notre légi-

90 time[4] chagrin, les visites des voisins, les préparatifs des funérailles et tout le travail à l'auberge, tout cela m'accapara tant que j'eus à peine le loisir de songer au capitaine, et moins encore d'avoir peur de lui.

    Il descendit le lendemain matin, à vrai dire, et prit ses repas

95 comme d'habitude ; il mangea peu, mais but, je le crains, plus de rhum qu'à l'ordinaire, car il se servait lui-même au comptoir, l'air renfrogné et soufflant par le nez, sans que personne osât s'y opposer. Le soir qui précéda l'enterrement, il était plus ivre que jamais ; c'était choquant, dans cette maison en deuil, que de l'entendre

100 chanter sa vilaine chanson de marin. Mais, en dépit de sa faiblesse, il nous inspirait à tous une peur mortelle ; le docteur, appelé subitement auprès d'un malade qui habitait à plusieurs milles[5], ne s'approcha plus de chez nous après le décès de mon père. Je viens de dire que le capitaine était faible ; en réalité, il paraissait

105 s'affaiblir au lieu de reprendre des forces. Il grimpait et descendait l'escalier, allait et venait de l'arrière-salle au comptoir, et mettait parfois le nez dehors pour humer l'air marin ; mais il s'appuyait aux murs pour ne pas tomber, et respirait difficilement et par saccades, comme un homme escaladant une montagne abrupte.

110   Il ne m'adressait jamais la parole, et j'ai la conviction qu'il avait

---

1. **Divagua :** tint des propos incohérents.
2. **Drogues :** médicaments.
3. **Syncope :** évanouissement brutal.
4. **Légitime :** normal, justifié.
5. **Milles :** le mille est une mesure de longueur anglo-saxonne qui équivaut à 1609 mètres.

oublié les confidences qu'il m'avait faites. Mais son humeur était plus instable, et en dépit de sa faiblesse corporelle, plus agressive que jamais. Maintenant, lorsqu'il était ivre, il tirait son coutelas de manière inquiétante et le posait lame nue sur la table à portée de main. Mais tout compte fait, il se souciait moins des autres et semblait plongé dans ses pensées et à demi absent. Une fois, par exemple, à notre grande surprise, il entonna un air nouveau, une sorte de ritournelle pastorale[1] qu'il avait dû apprendre dans sa jeunesse avant de prendre la mer.

Ainsi allèrent les choses jusqu'au lendemain de l'enterrement. Vers trois heures ce jour-là, par un temps glacial, de brume et de gel, je me trouvais sur le seuil de l'auberge, envahi de tristes pensées quant à mon père, lorsque je vis quelqu'un s'approcher lentement sur la route. Il était à coup sûr aveugle, car il tapotait devant lui avec un bâton et portait sur les yeux et le nez une grande visière verte ; il était courbé par les ans ou par la fatigue, et son caban[2] de marin à capuche, tout loqueteux[3] et trop grand pour lui, le rendait vraiment difforme. De ma vie je n'ai vu plus sinistre personnage. Un peu avant l'auberge, il fit halte et, élevant la voix sur un ton de mélopée[4] bizarre, il interpella le vide devant lui :

– Une âme compatissante voudrait-elle indiquer à un pauvre aveugle… qui a perdu le précieux usage de ses yeux en défendant son cher pays natal, l'Angleterre… que Dieu bénisse le roi George ! où et en quel endroit de ce pays il se trouve actuellement ?

– Vous êtes devant l'Amiral Benbow, crique du Mont-Noir, mon brave homme, lui répondis-je.

– J'entends une voix, reprit-il, une voix jeune. Voudriez-vous me donner la main, mon aimable jeune ami, et me faire entrer ?

Je lui tendis la main, et le hideux aveugle aux paroles mielleuses[5] l'agrippa sur-le-champ comme dans un étau. J'étais si effrayé que je luttai pour m'en dégager, mais l'aveugle m'attira tout contre lui d'un simple geste du bras :

---

1. **Ritournelle pastorale :** chanson des campagnes.
2. **Caban :** manteau court en lainage.
3. **Loqueteux :** en loques, très abîmé.
4. **Mélopée :** mélodie obsédante et monotone.
5. **Mielleuses :** faussement gentilles.

— Maintenant, petit, conduis-moi auprès du capitaine.

— Monsieur, répliquai-je, sur ma parole je vous jure que je n'ose
145 pas.

— Ah ! ricana-t-il, c'est comme ça ! conduis-moi tout de suite, ou
je te casse le bras.

Et tout en parlant il me le tordit si fort que je poussai un cri.

— Monsieur, repris-je, c'est pour vous ce que j'en dis. Le capitaine
150 n'est pas comme d'habitude. Il a toujours le coutelas tiré. Un autre
monsieur…

— Allons, en route maintenant ! interrompit-il.

Jamais je n'avais entendu une voix plus cruelle, plus froide et
plus odieuse que celle de cet aveugle. Elle m'intimida plus que la
155 douleur, et je me mis aussitôt en devoir de lui obéir. Je franchis le
seuil et me dirigeai droit vers la salle où se tenait, abruti de rhum,
notre vieux forban[1] malade. L'aveugle me serrait tout contre lui
de sa poigne de fer, et s'appuyait si lourdement sur moi que je ne
pouvais le supporter longtemps.

160 — Conduis-moi directement à lui, et dès que je serai à portée de
vue, crie : « Bill ! voici un ami à vous. » Si tu ne le fais pas ça, voici
ce que je te ferai.

Et il m'infligea une saccade[2] dont je pensai m'évanouir. Entre
ces deux options, l'absolue terreur que m'inspirait le mendiant
165 aveugle me fit oublier la peur que j'avais du capitaine ; j'ouvris la
porte et criai d'une voix tremblante la phrase qui m'était dictée.

Le pauvre capitaine leva les yeux. En un clin d'œil son ivresse
disparut ; il était bouche bée, parfaitement dégrisé[3]. Son visage
exprimait, plus que de l'effroi, un horrible dégoût. Il alla pour se
170 lever, mais je crois qu'il n'en avait plus la force.

— Bill, reste là où tu es, dit le mendiant. Je n'y vois rien mais je
peux entendre un doigt remuer. Les affaires sont les affaires. Tends
ta main gauche. Petit, prends sa main gauche par le poignet et
approche-la de ma droite.

---

1. **Forban :** pirate, corsaire.
2. **Saccade :** brusque secousse donnée à quelqu'un en le tirant.
3. **Dégrisé :** qui n'est plus ivre.

Nous lui obéîmes tous les deux à la lettre[1], et je le vis faire passer quelque chose du creux de la main qui tenait son bâton dans la paume de la main du capitaine, qui se referma dessus instantanément.

– Voilà qui est fait, dit l'aveugle.

À ces mots, il me lâcha soudain et, avec une dextérité[2] et une prestesse[3] incroyables, il déguerpit de la salle et gagna la route. J'étais planté là, stupéfait, quand j'entendis le tapotement de son bâton résonner au loin.

Il nous fallut plusieurs minutes au capitaine et à moi pour recouvrer[4] nos esprits. Finalement, et presque en même temps, je dégageai son poignet que je tenais toujours et il retira la main pour jeter un bref coup d'œil dans sa paume.

– À dix heures ! s'écria-t-il. Ça nous donne six heures. Nous pouvons encore les avoir ! Il se leva d'un bond. Mais au même instant, pris de vertige, il porta la main à sa gorge, vacilla une minute, puis, avec un bruit sourd, s'abattit de tout son long, face contre terre. Je me précipitai vers lui, tout en appelant ma mère. Mais notre empressement fut vain. Frappé par une crise d'apoplexie foudroyante, le capitaine avait succombé. Voilà une chose bien étrange à comprendre, car je n'avais jamais apprécié l'homme, même si, sur la fin, il avait suscité ma pitié, et pourtant, dès que je le vis mort, j'éclatai en sanglots. C'était le second décès auquel j'assistais, et le chagrin dû au premier était encore tout frais dans mon cœur.

---

1. **À la lettre :** scrupuleusement.
2. **Dextérité :** habileté, adresse manuelle.
3. **Prestesse :** agilité, vivacité.
4. **Recouvrer :** retrouver, reprendre.

4

Le coffre du capitaine

Sans perdre un instant, je racontai alors à ma mère tout ce que je savais, comme j'aurais peut-être dû le faire depuis longtemps. Nous vîmes d'emblée[1] le péril et la difficulté de notre situation. L'argent du capitaine (s'il en avait) nous était bien dû en par- tie ; mais quelle apparence[2] y avait-il que les complices de notre homme, et surtout les deux échantillons que j'en connaissais, Chien-Noir et le mendiant aveugle, fussent disposés à lâcher leur butin pour régler les dettes du défunt ? Or, si je suivais les instruc- tions du capitaine et allais aussitôt prévenir le docteur Livesey, je laissais ma mère seule et sans défense : je ne pouvais donc y songer. D'ailleurs, nous nous sentions tous deux incapables de rester beaucoup plus longtemps dans la maison. Les charbons qui s'éboulaient[3] dans le poêle de la cuisine, et jusqu'au tic-tac de l'horloge, nous pénétraient de crainte. Le voisinage s'emplissait pour nous de bruits de pas imaginaires ; et placé entre le cadavre du capitaine gisant sur le carreau de la salle, et la pensée de l'in- fâme mendiant aveugle rôdant aux environs et prêt à reparaître, il y avait des moments où, comme on dit, je tremblais dans mes culottes, de terreur. Il nous fallait prendre une décision immédiate. Finalement, l'idée nous vint de partir tous les deux chercher du secours au hameau voisin. Aussitôt dit, aussitôt fait. Sans même nous couvrir la tête, nous nous élançâmes dans le soir tombant et le brouillard glacé.

Le hameau n'était qu'à quelque cent toises[4], mais caché à la vue, de l'autre côté de la crique voisine ; et, ce qui me rassurait beaucoup, il se trouvait dans la direction opposée à celle par où l'aveugle avait fait son apparition et par où il s'en était apparem- ment retourné. Le trajet nous prit quelques minutes, et cependant

---

1. **D'emblée :** immédiatement.
2. **Apparence :** probabilité, chance.
3. **S'éboulaient :** tombaient en morceaux, comme un éboulis.
4. **Toises :** la toise est une ancienne unité de mesure équivalant à 1,949 m.

nous nous arrêtâmes plusieurs fois pour prêter l'oreille. Mais on n'entendait aucun bruit suspect : rien que le léger clapotis du ressac et le croassement des corbeaux dans le bois.

Les chandelles s'allumaient quand nous atteignîmes le hameau, et jamais je n'oublierai mon soulagement à apercevoir leur lueur jaune aux portes et aux fenêtres. Mais ce fut là, tout compte fait, le meilleur de l'assistance que nous obtînmes de ce côté. Car – et ils auraient dû en rougir de honte – pas une âme ne consentit à nous accompagner jusqu'à l'Amiral Benbow. Plus nous leur racontions nos ennuis, plus ils se cramponnaient – hommes, femmes et enfants – à l'abri de leurs maisons. Le nom du capitaine Flint, inconnu de moi, mais familier à beaucoup d'entre eux, répandait la terreur. Quelques hommes qui avaient travaillé aux champs de l'autre côté de l'Amiral Benbow se rappelaient avoir vu sur la route plusieurs étrangers dont ils s'étaient écartés, les prenant pour des contrebandiers ; l'un d'entre eux avait vu un petit chasse-marée[1] à l'ancre dans ce que nous appelions la cale[2] de Kitt. C'est pourquoi il suffisait d'être une relation du capitaine pour leur causer une frayeur mortelle. Tant et si bien que, si nous trouvâmes plusieurs volontaires tout disposés à se rendre à cheval jusque chez le docteur Livesey, qui habitait dans une autre direction, pas un ne voulut nous aider à défendre l'auberge.

La lâcheté, dit-on, est contagieuse ; mais la discussion, au contraire, donne du courage. Aussi, quand chacun eut dit ce qu'il avait à dire, ma mère prit la parole. Elle ne laisserait pas, déclara-t-elle, s'envoler l'argent qui appartenait à son fils orphelin.

– Si aucun d'entre vous n'ose venir, Jim et moi nous oserons. Nous allons retourner d'où nous sommes venus, et nous nous passerons de vous, bande de gros lourdauds, poules mouillées que vous êtes ! Nous ouvrirons ce coffre, dût-il nous en coûter la vie. Et je vous emprunte ce sac, madame Crossley, pour transporter notre dû.

---

1. **Chasse-marée :** petite embarcation côtière, à deux ou trois mâts.
2. **Cale :** espace incliné vers le rivage sur lequel on entrepose un bateau et d'où on le met à l'eau.

Bien entendu, je me déclarai prêt à accompagner ma mère, et, comme de juste, tous se récrièrent devant notre témérité[1] ; mais là encore, pas un ne se proposa de nous escorter. Tout ce qu'ils firent, ce fut de me donner un pistolet chargé, pour le cas où l'on nous attaquerait, et de nous promettre qu'ils tiendraient des chevaux sellés, pour le cas où l'on nous poursuivrait lors de notre retour, tandis qu'un type se tiendrait prêt à partir au galop jusque chez le docteur afin d'obtenir le secours de la force armée.

Mon cœur battait fort quand, par la nuit glacée, nous nous engageâmes dans cette périlleuse aventure. La pleine lune, rougeâtre et déjà haute, transparaissait vers la limite supérieure du brouillard ; ce qui accrut notre hâte, car il était évident qu'il ferait aussi clair qu'en plein jour avant que nous pussions quitter la maison, et que notre départ serait exposé à tous les regards. Nous nous faufilions rapidement et sans bruit le long des haies ; nous ne vîmes ni n'entendîmes rien qui aurait pu nous terroriser davantage ; et c'est avec un grand soulagement que la porte de l'Amiral Benbow se referma enfin sur nous.

Je poussai aussitôt le verrou, et nous restâmes une minute dans le noir, tout pantelants[2], seuls dans la maison avec le cadavre du capitaine. Puis ma mère prit une chandelle sur le comptoir, et, tout en nous tenant par la main, nous pénétrâmes dans l'arrière-salle. Le corps gisait toujours dans la même position, les yeux grands ouverts et un bras étendu.

– Baisse le store, Jim, chuchota ma mère ; s'ils arrivaient ils nous verraient du dehors… Et maintenant, nous devons trouver la clef sur ce cadavre : je voudrais bien savoir qui de nous va y toucher !

Et elle fut prise d'une sorte de sanglot tout en prononçant ces paroles.

Je m'agenouillai immédiatement auprès du cadavre. Par terre, près de sa main, il y avait un petit rond de papier noirci sur un côté. C'était évidemment la tache noire. Je pris le papier et le retournai. Au verso, correctement tracé d'une main ferme, je lus ce court message : « Tu as jusqu'à dix heures du soir. »

– Mère, dis-je, il avait jusqu'à dix heures !

---

1. **Témérité :** audace, intrépidité.
2. **Pantelants :** haletants de peur.

À cet instant précis, notre vieille horloge se mit à sonner. Ce fracas inattendu nous causa une peur affreuse ; mais la nouvelle était bonne, car il n'était que six heures.

– Allons, Jim, reprit ma mère, cette clef !

Je fouillai ses poches l'une après l'autre. Quelque menue monnaie, un dé, du fil et de grosses aiguilles, un morceau de tabac à chiquer mordu par le bout, son couteau à manche courbe, une boussole de poche et une boîte à amadou[1], voilà tout ce que qu'elles contenaient. Je commençai à désespérer.

– Elle est peut-être à son cou, hasarda ma mère.

Surmontant une vive répugnance, j'arrachai au col la chemise du cadavre, et la clef nous apparut, enfilée à un bout de corde goudronnée, que je tranchai à l'aide de son propre couteau. Ce succès nous remplit d'espoir, et nous grimpâmes en toute hâte à la petite chambre où le capitaine avait dormi si longtemps, et d'où sa malle n'avait pas bougé depuis le jour de son arrivée.

C'était apparemment un coffre de marin comme tous les autres ; sur le couvercle on lisait l'initiale « B », imprimée au fer rouge ; les coins étaient usés pour avoir été malmenés.

– Passe-moi la clef, me dit ma mère.

Bien que la serrure fût très dure, elle l'ouvrit en un clin d'œil et souleva le couvercle.

Un fort relent de tabac et de goudron s'échappa du coffre ; sur le dessus, on ne voyait rien d'autre qu'un très beau costume complet, soigneusement brossé et plié. Il n'avait jamais servi, selon ma mère. En dessous, c'était un véritable fatras : un quart de cercle[2], un gobelet de fer-blanc, plusieurs rouleaux de tabac, deux paires de très beaux pistolets, un lingot d'argent, une vieille montre espagnole et quelques autres bibelots de peu de valeur, presque tous d'origine étrangère, un compas à branches de cuivre et cinq ou

---

1. **Amadou :** mèche noire faite avec de l'amadou, une substance provenant s'un champignon du chêne, l'amadouvier ; une fois traitée, cette substance a le pouvoir de s'enflammer facilement au contact d'une étincelle ; elle est donc utilisée pour allumer le feu.
2. **Quart de cercle :** instruments de repérage de position portant un quart de cercle gradué.

six curieux coquillages des Indes occidentales[1]. Je me suis souvent demandé depuis pourquoi il transportait ces coquillages avec lui, dans sa vie d'errance criminelle et de traque.

130 Pour le moment, seuls le lingot d'argent et les bibelots avaient quelque prix, mais aucun d'eux ne faisait notre affaire. Par en dessous, il y avait un vieux suroît[2] blanchi par le sel des comptoirs de plus d'un port. Ma mère le tira avec impatience et ce qui restait du contenu de la malle nous apparut : un paquet enveloppé de toile cirée, qui semblait renfermer des papiers, et un sac de toile qui,
135 quand je l'effleurai, résonna du tintement de l'or.

– Je ferai voir à ces bandits que je suis une honnête femme, dit ma mère. Je prendrai mon dû, et pas un liard[3] de plus. Donne-moi le sac de Mme Crossley. Et elle se mit à prélever dans le sac de matelot le montant de la dette du capitaine pour le transvaser dans
140 celui que je tenais.

L'opération était longue et ardue car les pièces venaient de tous pays et avaient toutes les tailles : doublons[4], louis d'or, guinées, pièces de huit[5] et d'autres que j'ignore, toutes jetées pêle-mêle au hasard. Les guinées, du reste, étaient les plus rares, mais les seules
145 qui permettaient à ma mère de s'y retrouver dans son compte.

Soudain, comme nous étions presque à moitié de l'opération, je posai ma main sur son bras. Dans l'air silencieux et glacé je venais de percevoir un bruit qui fit cesser mon cœur de battre : c'était le tapotement du bâton de l'aveugle sur la route gelée. Le bruit se
150 rapprochait. Nous retenions notre souffle. Un coup violent heurta la porte de l'auberge ; nous entendîmes tourner la poignée, et le verrou cliqueter sous les efforts du misérable qui essayait de rentrer. Puis il y eut un long intervalle de silence, à l'intérieur comme

---

1. **Indes occidentales :** nom donné à l'Amérique le jour où Christophe Colomb s'imagina qu'il n'avait pas découvert de terres nouvelles et inexplorées mais un prolongement de l'Inde.
2. **Suroît :** veste de grosse toile que portent les marins.
3. **Liard :** ancienne monnaie de cuivre.
4. **Doublons :** le doublon est une ancienne monnaie d'or espagnole.
5. **Pièces de huit :** la « pièce de huit » était une monnaie espagnole souvent découpée en morceaux pour servir de petite monnaie ; butin fréquent des pirates.

à l'extérieur. Le tapotement reprit finalement et, à notre joie indicible[1], s'affaiblit peu à peu au loin pour s'évanouir tout à fait.

– Mère, dis-je, prenons tout et allons-nous-en. J'étais certain, en
effet, que la porte verrouillée avait paru suspecte, et que cela nous
attirerait bientôt de sérieux problèmes. Pourtant je me félicitais de
l'avoir verrouillée. Quiconque n'a jamais rencontré ce vieil aveugle
terrifiant ne peut comprendre.

Aussi effrayée que fût ma mère, elle refusait de prendre plus
que son dû et se montrait obstinément réticente à se contenter
de moins. Il n'était pas encore sept heures, disait-elle, et de loin ;
elle connaissait ses droits et avait décidé d'en jouir. Elle discutait
encore avec moi, lorsqu'un coup de sifflet bref et léger retentit au
loin sur les hauteurs. C'en fut assez, et plus qu'assez, et pour elle
et pour moi.

– J'emporte toujours ce que j'ai, dit-elle en se relevant.

– Et j'emporte ceci pour faire un compte rond, ajoutai-je en
empoignant le paquet de toile cirée.

L'instant d'après, nous descendions l'escalier à tâtons, laissant la
bougie auprès du coffre vide ; au suivant, nous avions ouvert la
porte et prenions la fuite. Il n'y avait pas une minute à perdre. Le
brouillard se dissipait rapidement ; déjà la lune brillait, tout à fait
dégagée, sur les hauteurs voisines ; un mince filet de brume flottait encore au creux du vallon et autour de la porte de l'auberge
pour voiler les premiers pas de notre fuite. Mais à mi-chemin du
hameau, juste au creux de la colline, nous devions franchir une
zone exposée au clair de lune. Et ce n'était pas tout, car déjà nous
percevions le bruit de nombreux pas après nous. Nous tournâmes
la tête dans leur direction : une lumière ballottant à droite et à
gauche et progressant rapidement nous indiqua que l'un de nos
poursuivants portait une lanterne.

– Mon petit, me dit soudain ma mère, prends l'argent et sauve-
toi. Je vais m'évanouir.

Je crus que c'en était fini de nous. Comme je maudissais la
lâcheté de nos voisins ! Comme j'en voulais à ma pauvre mère

---

1. **Indicible :** que l'on ne peut exprimer avec des mots.

pour son honnêteté et son avidité, pour sa témérité passée et sa faiblesse présente !

190   Par bonheur, nous arrivions au petit pont, et je guidai ses pas chancelants jusqu'au talus de la berge, où elle poussa un soupir et retomba sur mon épaule. Je ne sais comment j'en eus la force, et je crains bien de l'avoir fait sans délicatesse, mais je réussis à la traîner le long de la berge sous l'arche du pont. La pousser plus
195 loin me fut impossible, car le pont était trop bas et je ne pouvais que ramper dessous. Il nous fallut donc rester là, ma mère presque entièrement exposée aux regards, et tous deux à portée de voix de l'auberge.

Clefs d'analyse

Action et personnages

1. Quels sont les traits les plus caractéristiques du capitaine ? Quels mystères entourent ce personnage ?

2. Quelle mission le capitaine confie-t-il à Jim ? Comment le jeune garçon s'acquitte-t-il de sa tâche ?

3. Quels sentiments le capitaine inspire-t-il à Jim ? Aux autres personnes qui le fréquentent ? Qui ose lui tenir tête ? Que pouvons-nous en déduire sur le caractère de ce personnage ?

4. Combien de temps le capitaine séjourne-t-il à l'auberge ? Comment se conduit le père de Jim à son égard ?

5. Quelle impression produit sur Jim l'arrivée de « Chien-Noir » ? Sur le capitaine ? Que se passe-t-il entre les deux hommes ?

6. Expliquez le malaise de Billy Bones. Quel avertissement lui donne le docteur Livesey ? Pourquoi n'obéit-il pas aux consignes du médecin ?

7. Que révèle Billy Bones dans son délire ? Comment ses paroles renforcent-elles le suspense ?

8. Montrez que l'arrivée du mendiant aveugle s'accompagne d'une tension dramatique liée à la fois à la personnalité et à la conduite de cet « ami » de Bill.

9. Pourquoi les gens du village refusent-ils leur assistance à Jim et à sa mère ? Commentez la réaction de la mère et du fils.

10. Que révèle le contenu du coffre sur la personnalité et sur le passé du capitaine ? Pourquoi la présence des coquillages peut-elle nous étonner ?

11. Que cherche la mère de Jim dans le coffre du capitaine ? Qui interrompt la fouille ? Finalement, quels objets la mère et le fils emportent-ils ?

Langue

1. À quel univers fait référence la rengaine du capitaine ? Appuyez-vous sur les mots-clés pour répondre.

2. Que suggère le surnom « Chien-Noir » de l'homme au coutelas ?

3. Relevez quelques termes empruntés au champ lexical de la peur et expliquez de quelle manière il influence le lecteur.

Genre ou thèmes

1. Que nous apprend le premier paragraphe sur l'origine de ce récit ? Qui raconte l'histoire ? À quelle époque ? À quand remontent les aventures de l'île au trésor ?

2. Qu'est-ce que la « tache noire » ? Quelles émotions éveille-t-elle chez le capitaine ?

3. Comment expliquez-vous le chagrin de Jim à la mort du capitaine (fin du chap. 3) ?

Écriture

1. Décrivez l'auberge isolée de l'Amiral Benbow : vous prendrez soin d'évoquer « la crique du Mont-Noir » sur laquelle se dresse ce bâtiment du XVIIIe siècle.

2. Le capitaine n'a aucune considération pour la médecine et les médecins. Après avoir expliqué sa réaction en vous fondant sur le caractère de ce personnage, exposez votre point de vue sur la question.

3. La mère de Jim tente de recruter des volontaires pour défendre son auberge. Imaginez le dialogue de cette femme courageuse et des villageois paralysés par la peur.

Pour aller plus loin

1. En quoi consiste le travail d'un capitaine sur un navire ? Aidez-vous d'Internet.

✳ À retenir

Les premiers chapitres d'un roman sont déterminants : ils précisent le cadre du récit et le mode de narration, présentent les principaux personnages et amorcent l'action. Les événements rapportés ont eu lieu au XVIIIe siècle, en Angleterre ; le narrateur est Jim adulte qui raconte un épisode marquant de son adolescence.
Au début de ses aventures, le jeune héros se trouve face à des pirates inquiétants dont il ne comprend pas l'étrange conduite.

5

La fin de l'aveugle

La curiosité, dans un sens, l'emporta sur la peur. Je me sentis incapable de rester dans ma cachette, et, en rampant à reculons, je regagnai la berge. De là, dissimulé derrière un buisson de genêts, j'avais vue sur la route qui passait devant notre porte. À peine étais-je installé que mes ennemis arrivèrent au nombre de sept ou huit, en une course rapide et désordonnée. L'homme à la lanterne les précédait de quelques pas. Trois couraient de front, se tenant par la main, et au milieu de ce trio je devinai, malgré le brouillard, le mendiant aveugle. Un instant plus tard, sa voix me prouvait que je ne me trompais pas.

– Enfoncez la porte ! cria-t-il.

– On y va, monsieur ! répondirent deux ou trois des sacripants qui s'élancèrent à l'assaut de l'Amiral Benbow, bientôt suivis du porteur de lanterne.

Je les vis alors faire halte et les entendis converser à mi-voix, comme s'ils étaient surpris de trouver la porte ouverte. Mais la halte fut brève, car l'aveugle se remit à donner des ordres. Il élevait et enflait le ton, comme s'il brûlait d'impatience et de rage.

– Entrez ! entrez donc ! cria-t-il, en maudissant leur lenteur.

Quatre ou cinq d'entre eux obéirent sur-le-champ, tandis que deux autres restaient sur la route avec le redoutable mendiant. Il y eut un silence et un cri de surprise ; puis une voix, venant de l'intérieur :

– Bill est mort !

Mais l'aveugle maudit à nouveau leur lenteur. Il hurla :

– Que l'un de vous le fouille, tas de fainéants, et que les autres montent chercher le coffre !

Je les entendis se ruer dans notre vieil escalier, avec une violence à ébranler toute la maison. Presque aussitôt de nouveaux cris d'étonnement s'élevèrent ; la fenêtre de la chambre du capitaine s'ouvrit avec fracas dans un cliquetis de carreaux cassés, et un homme s'y pencha au clair de lune ; il interpella l'aveugle sur la route :

– Pew, cria-t-il, on nous a devancés ! Quelqu'un a fouillé le coffre de fond en comble.

35   – Est-ce que la chose y est ? rugit Pew.

– L'argent y est !

Mais l'aveugle envoya l'argent au diable.

– Le paquet de Flint, je veux dire !

– Nous ne le trouvons nulle part, répliqua l'individu.

40   – Hé ! ceux d'en bas, est-il sur Bill ? cria de nouveau l'aveugle.

Là-dessus, un autre personnage, probablement celui qui était resté en bas à fouiller le cadavre du capitaine, parut sur le seuil de l'auberge :

– Bill a déjà été fouillé : ses poches sont vides.

45   – Ce sont ces gens de l'auberge, c'est ce gamin… Que ne lui ai-je arraché les yeux ! cria l'aveugle. Ils étaient ici il n'y a qu'un instant : la porte était verrouillée quand j'ai essayé d'entrer. Cherchez partout, garçons, et trouvez-les-moi.

– Ce qui est sûr, c'est qu'ils ont laissé leur bougie ici, cria 50 l'homme à la fenêtre.

– Grouillez donc ! Chambardez la maison, mais trouvez-les-moi ! réitéra Pew, en battant la route de sa canne.

Ce fut alors un vacarme infernal dans notre vieille auberge : des pas lourds courant dans les chambres, des meubles défoncés, des 55 portes battant de tous côtés, des fenêtres volant en éclats… Puis nos individus reparurent l'un après l'autre sur la route, déclarant que nous étions introuvables. Mais à cet instant le même coup de sifflet qui nous avait inquiétés, ma mère et moi, alors que nous étions à compter l'argent du défunt capitaine, retentit à deux 60 reprises dans la nuit. J'avais cru d'abord que c'était là un signal d'assaut donné par l'aveugle à ses troupes ; mais je compris cette fois que le son provenait des hauteurs, et, à en juger par son effet sur les flibustiers, il les avertissait de l'approche d'un danger.

– C'est encore Dirk, dit l'un. Deux coups ! il va falloir décamper, 65 camarades !

– Décamper, espèce de lâche ! s'écria Pew. Dirk n'a jamais été qu'un imbécile et un froussard ! ne vous occupez pas de lui… Ils doivent être tout près. Impossible qu'ils soient loin. Vous les avez

à portée de la main. Dispersez-vous et retrouvez-les, bande de
chiens ! Le diable ait mon âme ! Ah ! si seulement j'avais des yeux !

Cette harangue[1] ne resta pas sans effet ; deux des coquins
se mirent à chercher çà et là parmi le saccage, mais plutôt à
contrecœur et sans cesser de penser au danger qui les menaçait.
Les autres restèrent sur la route, irrésolus.

– Vous avez sous la main des mille et des cents, tas d'idiots, et
vous hésitez ! Vous serez aussi riches que les rois si vous retrouvez l'objet, et vous savez qu'il est ici, et vous tirez au flanc[2] ! Pas
un de vous n'eût osé affronter Bill, et je l'ai fait, moi un aveugle !
Et je devrais laisser passer ma chance à cause de vous ! Je serais
condamné à rester un pauvre mendiant pleurnichant après un
verre de rhum, alors que je pourrais rouler carrosse[3] ! Si vous aviez
seulement le courage d'un cancrelat[4] qui ronge un biscuit, vous les
auriez déjà attrapés.

– Au diable, Pew ! grommela l'un. Nous tenons les doublons !

– Ils auront caché ce sacré machin, dit un autre. Prends les guinées, Pew, et ne reste pas ici à beugler.

Beugler était le mot approprié. L'agacement de Pew enflait tant
et si bien au vu de ces objections que la colère s'empara finalement de lui ; il se mit à taper dans le tas au hasard, et son bâton
résonna sur plusieurs crânes. De leur côté, les malandrins[5], sans
pouvoir réussir à s'emparer de l'arme et à la lui arracher, agonissaient[6] leur tyran d'injures et d'atroces menaces.

Cette querelle nous sauva. Elle faisait encore rage lorsqu'on
entendit un autre bruit provenant du haut de la colline, du côté
du village ; un bruit de chevaux lancés au galop. Presque au même
moment, l'éclair et la détonation d'un coup de pistolet jaillirent
d'une haie. Ce fut là le signal du sauve-qui-peut[7], car les flibustiers se mirent à courir dans tous les sens, les uns vers le large
le long de la crique, les autres au-delà de la colline, si bien qu'en

---

1. **Harangue :** discours constitué d'arguments puissants destinés à convaincre.
2. **Vous tirez au flanc :** vous restez inactifs comme des fainéants.
3. **Rouler carrosse :** vivre dans le luxe.
4. **Cancrelat :** cafard, insecte qui se nourrit de déchets alimentaires.
5. **Malandrins :** voyous.
6. **Agonissaient :** du verbe « agonir » ; accablaient.
7. **Sauve-qui-peut :** fuite générale et désorganisée.

100 une demi-minute ils avaient tous disparu, sauf Pew. L'avaient-ils abandonné sous le coup de la panique ou bien pour se venger de ses injures et de ses coups ? Je l'ignore. Le fait est qu'il demeura seul, affolé, tapotant au hasard sur la route, cherchant à tâtons et appelant ses camarades. Finalement il prit la mauvaise direction
105 et courut vers le hameau. Il me dépassa de quelques pas, tout en appelant :

– Johnny, Chien-Noir, Dirk (et d'autres noms), vous n'allez pas abandonner votre vieux Pew, camarades… pas votre vieux Pew !

À cet instant, le bruit des chevaux résonnait sur la hauteur, et
110 l'on vit au clair de la lune quatre ou cinq cavaliers dévaler la pente au triple galop.

Pew comprit son erreur. Il se détourna en hurlant et courut droit au fossé, dans lequel il tomba en roulant. Il se remit sur pied en une seconde et se jeta tout droit – il était dans un état d'égarement
115 total cette fois-ci – sous les sabots du cheval le plus proche.

Le cavalier tenta de l'éviter, mais ce fut en vain. Pew s'écroula en poussant un hurlement qui déchira la nuit ; les quatre fers le heurtèrent et le martelèrent au passage. Il tomba sur le côté, puis s'affaissa mollement, face contre terre, et ne bougea plus.

120 Je bondis, en hélant[1] les cavaliers. Ils stoppaient leurs chevaux les uns après les autres, horrifiés par l'accident. Je les reconnus bientôt. L'un d'eux, qui se tenait à distance des autres, était ce gars du hameau qui s'était rendu chez le docteur Livesey ; les autres étaient des officiers de la douane qu'il avait rencontrés en chemin
125 et avec lesquels il avait eu la bonne idée de revenir. Les bruits concernant le chasse-marée de la cale de Kitt étaient parvenus aux oreilles de l'inspecteur Dance, et l'avaient conduit vers nous ce soir-là. C'est à ce hasard que ma mère et moi devions d'avoir échappé au trépas[2].

130 Pew était mort, et bien mort. Quant à ma mère, une fois transportée au village, quelques gouttes d'eau froide et des sels[3] eurent vite fait de la ranimer. Elle se remit assez vite de son effroi, bien

---

1. **Hélant :** appelant de loin.
2. **Au trépas :** à la mort.
3. **Sels :** substances qui, lorsqu'on les respire, peuvent ranimer une personne sur le point de s'évanouir.

qu'elle ne cessait de déplorer la perte des quelques guinées qui manquaient à son compte. Pendant ce temps, l'inspecteur galopait
135 aussi vite qu'il le pouvait jusqu'à la cale de Kitt ; mais ses hommes durent mettre pied à terre et descendre le ravin à tâtons, en guidant et en soutenant leurs chevaux, dans la crainte perpétuelle d'une embuscade. Aussi, quand ils atteignirent la cale, le chasse-marée avait déjà pris la mer. Comme il était encore tout proche,
140 l'inspecteur le héla. Une voix lui répondit de ne pas rester au clair de lune s'il ne voulait recevoir une décharge de plomb. Dans le même temps, une balle lui effleura le bras. Peu après, le chasse-marée dépassa la pointe de la baie et disparut. M. Dance resta là, selon son expression, « comme un poisson hors de l'eau », et il dut
145 se contenter de dépêcher un homme à B… pour signaler le chasse-marée à la douane. Il ajouta : « C'est d'ailleurs bien inutile. Ils ont filé pour de bon, et la chose est réglée. À part cela, je me félicite d'avoir marché sur les cors de M. Pew. » Car alors il avait entendu mon récit.

150 Je m'en retournai avec lui à l'Amiral Benbow. On ne peut imaginer l'état de désolation dans lequel se trouvait la maison. Dans leur chasse frénétique après ma mère et moi, ces gredins avaient jeté bas jusqu'à l'horloge, et bien qu'ils n'eussent rien emporté que la bourse du capitaine et la monnaie du comptoir, je vis d'un coup
155 d'œil que nous étions ruinés. M. Dance, lui, ne comprenait rien au spectacle.

— Ils ont trouvé l'argent, dites-vous, Hawkins ? Mais alors, que cherchaient-ils d'autre ? Plus d'argent, je suppose…

— Non, monsieur, pas de l'argent, répliquai-je. En fait, monsieur,
160 je crois avoir l'objet dans ma poche, et, à vrai dire, j'aimerais le mettre à l'abri.

— Bien entendu, mon petit, c'est ton droit. Je vais le prendre, si vous voulez.

— Je songeais que peut-être le docteur Livesey…
165 — Parfaitement, approuva-t-il. Parfaitement. C'est un gentleman et un magistrat. Et maintenant que j'y pense, je ferais bien d'aller de ce côté moi aussi, pour lui faire mon rapport, à lui ou au che-

valier[1]. Maître Pew est mort, après tout ; non pas que je le regrette, mais il est mort, voyez-vous, et les gens ne demanderaient pas mieux que de se servir de cela contre un officier des douanes de Sa Majesté. Donc, Hawkins, si vous le voulez, je vous emmène.

Je le remerciai cordialement de son offre, et nous regagnâmes le hameau, où se trouvaient les chevaux. Le temps que j'informe ma mère de ma résolution, et tous étaient en selle.

– Dogger, dit M. Dance à l'un de ses compagnons, vous avez un bon cheval ; prenez ce garçon en croupe.

Dès que je fus installé, me tenant au ceinturon de Dogger, l'inspecteur donna le signal du départ, et on se mit en route au grand trot vers la demeure du docteur Livesey.

6

Les papiers du capitaine

Nous allâmes bon train[2] jusqu'à la porte du docteur Livesey, où l'on fit halte. La façade de la maison était plongée dans l'obscurité.

M. Dance m'ordonna de mettre pied à terre et d'aller frapper, et Dogger me prêta son étrier pour descendre. La porte s'ouvrit aussitôt et une servante parut.

– Est-ce que le docteur Livesey est chez lui ? demandai-je.

Elle me répondit négativement. Il était rentré dans l'après-midi, mais était ressorti pour dîner au château et passer la soirée avec le chevalier.

– Eh bien, garçons, allons-y, dit M. Dance. Cette fois, comme la distance était brève, je restai à pied et courus auprès de Dogger, en me tenant à la courroie de son étrier. On passa la grille et on remonta l'avenue aux arbres dépouillés, entre de vastes et vénérables jardins dont le château, tout blanc sous le clair de lune, fermait la perspective.

---

1. **Chevalier :** il s'agit de M. Trelawney (voir l. 1, p. 20).
2. **Bon train :** à vive allure.

Arrivé là M. Dance mit pied à terre ; sur un mot, il fut introduit dans la maison, où je l'accompagnai.

Nous suivîmes le valet au long d'un corridor tapissé de nattes[1], et pénétrâmes enfin dans une bibliothèque spacieuse aux multiples rayons chargés de livres et surmontés de bustes, où le chevalier et le docteur Livesey fumaient leur pipe, assis aux deux côtés d'un feu ronflant.

Je n'avais jamais vu le chevalier d'aussi près. C'était un homme de haute taille, dépassant six pieds[2], et de carrure proportionnée, à la mine fière et brusque, au visage tanné[3], couperosé[4] et ridé par ses longues pérégrinations. Ses sourcils très noirs et très mobiles lui donnaient un air non pas méchant à vrai dire, mais plutôt vif et hautain.

– Entrez, monsieur Dance, dit-il avec une majesté familière.

– Bonsoir, Dance, fit le docteur avec un signe de tête. Et bonsoir aussi, ami Jim. Quel bon vent vous amène ?

L'inspecteur, dans une attitude militaire, débita son histoire comme une leçon ; et il fallait voir les deux messieurs avancer la tête et s'entreregarder, si surpris et attentifs qu'ils en oubliaient de fumer. Lorsque le narrateur leur conta le retour de ma mère à l'auberge, le docteur Livesey se donna une claque sur la cuisse, et le chevalier cria : « Bravo ! » en cassant sa longue pipe contre la grille du foyer[5]. Bien avant la fin du récit, M. Trelawney (tel était, on s'en souviendra, le nom du chevalier) s'était levé de sa chaise et arpentait la pièce. Le docteur, comme pour mieux entendre, avait retiré sa perruque poudrée, ce qui lui donnait, avec son crâne aux cheveux noirs et tondus ras, l'aspect le plus singulier.

Son récit terminé, M. Dance se tut.

– Monsieur Dance, lui dit le chevalier, vous êtes un très digne compagnon. Pour le fait d'avoir passé sur le corps de ce sinistre et infâme gredin, c'est à mon sens une œuvre pie, monsieur, comme

---

1. **Nattes :** tissus de fibres végétales tressées.
2. **Pieds :** mesure de longueur anglo-saxonne qui équivaut à un peu plus de 30 cm.
3. **Tanné :** bronzé, cuit par le soleil.
4. **Couperosé :** rougi.
5. **Foyer :** l'intérieur de la cheminée.

c'en est une d'écraser un cafard. Notre petit Hawkins est un brave, à ce que je vois. Hawkins, voulez-vous sonner ? M. Dance boira bien un verre de bière.

50 – Ainsi donc, Jim, interrogea le docteur, vous avez l'objet qu'ils cherchaient, n'est-ce pas ?

– Le voici, monsieur.

Et je lui remis le paquet de toile cirée.

Le docteur l'examina en tous sens. Visiblement les doigts lui
55 démangeaient de l'ouvrir ; mais il s'en abstint, et le glissa tranquillement dans la poche de son habit.

– Chevalier, dit-il, quand Dance aura bu sa bière il va, comme de juste, reprendre le service de Sa Majesté ; mais j'ai l'intention de garder Jim Hawkins : il passera la nuit chez moi. En attendant,
60 il faut qu'il soupe, et avec votre permission, je propose de lui faire monter un peu de pâté froid.

– Bien volontiers, Livesey, répliqua le chevalier ; mais Hawkins a mérité mieux que du pâté froid.

En conséquence, un copieux ragoût de pigeon me fut servi sur
65 une petite table, et je mangeai avec appétit, car j'avais une faim de loup. M. Dance, comblé de nouvelles félicitations, se retira enfin.

– Et maintenant, chevalier… dit le docteur.

– Et maintenant, Livesey… dit le chevalier, juste en même temps.

– Chacun son tour ! pas tous à la fois ! plaisanta le docteur
70 Livesey. Vous avez entendu parler de ce Flint, je suppose ?

– Si j'ai entendu parler de lui ! s'exclama le chevalier. Vous osez le demander ! C'était le plus atroce forban qui eût jamais navigué. Comparé à Flint, Barbe-Noire[1] n'était qu'un enfant. Les Espagnols avaient de lui une peur si excessive que, je vous le déclare, mon-
75 sieur, il m'arrivait parfois d'être fier qu'il fût anglais. J'ai vu de mes yeux paraître ses huniers[2], au large de l'île de la Trinité[3], et le lâche fils d'ivrognesse qui commandait notre navire s'est enfui… oui, monsieur, s'est enfui et réfugié dans Port-d'Espagne[4].

---

1. **Barbe-Noire :** cruel pirate anglais (1680-1718).
2. **Huniers :** voiles carrées situées au-dessus des basses voiles.
3. **Île de la Trinité :** aujourd'hui appelée Trinidad, île située au large du Venezuela, au sud des Caraïbes.
4. **Port-d'Espagne :** capitale de l'île Trinité.

– Eh bien, moi aussi j'ai entendu parler de lui, en Angleterre,
reprit le docteur. Mais ce n'est pas la question. Dites-moi : possé-
dait-il de l'argent ?

– S'il possédait de l'argent ! Mais n'avez-vous donc pas écouté
l'histoire ? Que cherchaient ces canailles, sinon de l'argent ? De
quoi s'inquiètent-ils, sinon d'argent ? Pourquoi risqueraient-ils
leurs peaux infâmes, sinon pour de l'argent ?

– C'est ce que nous allons voir, repartit le docteur. Mais vous
prenez feu d'une façon déconcertante, et avec vos exclamations,
je n'arrive pas à placer un mot. Laissez-moi vous interroger. En
admettant que j'aie ici dans ma poche un indice capable de nous
guider vers le lieu où Flint a enterré son trésor, croyez-vous que ce
trésor serait considérable ?

– S'il serait considérable, monsieur ! Il le serait tellement que, si
nous possédions l'indice dont vous parlez, je nolise un bâtiment[1]
dans le port de Bristol, je vous emmène avec Hawkins, et j'aurai ce
trésor, dût sa recherche me prendre un an.

– Parfait ! Alors donc, si Jim y consent, nous ouvrirons le paquet.
Et il le déposa devant lui sur la table.

Le paquet était cousu, ce qui força le docteur à prendre dans
sa trousse ses ciseaux chirurgicaux pour faire sauter les points et
dégager son contenu, à savoir : un cahier et un pli scellé[2].

– Voyons d'abord le cahier, dit le docteur.

Celui-ci m'avait appelé auprès de lui, mon repas terminé, pour
me faire participer au plaisir des recherches. Nous nous pen-
châmes donc, le chevalier et moi, par-dessus son épaule tandis
qu'il ouvrait le document. On ne voyait sur sa première page que
quelques spécimens d'écriture, comme on en trace la plume à la
main, par désœuvrement ou pour s'exercer. J'y retrouvai le texte
du tatouage : « Billy Bones s'en fiche » ; et aussi : « M. W. Bones,
premier officier », « Il l'a eu au large de Palm Key », et d'autres
bribes[3], principalement des mots isolés et dépourvus de signification. Je me demandai qui l'avait « eu », et ce qu'il avait « eu ». Un
coup de poignard dans le dos, apparemment.

---

1. **Je nolise un bâtiment :** j'affrète un bateau (je l'achète ou je le loue, et l'équipe).
2. **Pli scellé :** lettre hermétiquement fermée, à cette époque à l'aide de cire.
3. **Bribes :** fragments.

– Cela ne nous apprend pas grand-chose, dit le docteur Livesey, en tournant le feuillet.

Les dix ou douze pages suivantes étaient remplies par une singulière liste de recettes. Une date figurait à un bout de la ligne, et à l'autre bout la mention d'une somme d'argent, comme dans tous les livres de comptabilité ; mais entre les deux mentions il n'y avait, en guise de texte explicatif, que des croix, en nombre variable. Ainsi, le 12 juin 1745, une somme de soixante-dix livres était nettement portée au crédit de quelqu'un, et six croix remplaçaient la désignation du motif. Par endroits un nom de lieu s'y ajoutait, comme : « Au large de Caracas[1] », ou bien une simple citation de latitude[2] et longitude[3], par exemple : « 62° 17′ 20» – 19° 2′ 40». »

Les relevés s'étendaient sur une vingtaine d'années ; les chiffres des recettes successives s'accroissaient à mesure que le temps s'écoulait, et à la fin, après cinq ou six additions fautives, on avait fait le total général, avec ces mots en regard : « Pour Bones, sa pelote. »

– Je n'y comprends rien : cela n'a ni queue ni tête, dit le docteur.

– C'est pourtant clair comme le jour, s'écria le chevalier. Nous avons ici le livre de comptes de ce noir scélérat. Ces croix représentent des vaisseaux coulés ou des villes pillées. Les sommes sont la part du bandit, et pour éviter toute équivoque, il ajoutait au besoin quelque chose de plus précis. Tenez : « Au large de Caracas… » Il s'agit d'un infortuné navire, capturé dans ces parages. Dieu ait pitié des pauvres gens qui le montaient… ils sont réduits en corail depuis longtemps !

– Exact ! s'écria le docteur. Voilà ce que c'est d'être un voyageur. Exact ! Et tenez, plus il monte en grade, plus les sommes s'élèvent.

En dehors de cela, le cahier ne contenait plus guère que les positions de quelques lieux, notées sur les pages libres de la fin, et une table d'équivalences pour les monnaies françaises, anglaises et espagnoles.

---

1. **Caracas :** capitale du Venezuela.
2. **Latitude :** distance d'un endroit par rapport à l'équateur, exprimée par une mesure d'angle.
3. **Longitude :** distance d'un endroit par rapport au méridien d'origine, exprimée par une mesure d'angle.

145   – Quel homme soigneux ! s'écria le docteur. Ce n'est pas lui qu'on aurait roulé !

    – Et maintenant, reprit le chevalier, à l'autre !

    Le papier avait été scellé en divers endroits avec un dé en guise de cachet[1] ; le dé même, qui sait, trouvé par moi dans la poche du
150 capitaine. Le docteur brisa avec précaution les sceaux de l'enveloppe, et il s'en échappa la carte d'une île, où figuraient latitude et longitude, profondeurs, noms des montagnes, baies et passes[2], bref, tous les détails nécessaires à un navigateur pour trouver sur ses côtes un mouillage[3] sûr. D'environ neuf milles de long sur cinq
155 de large, et figurant à peu près un lourd dragon dressé, elle offrait deux havres[4] bien abrités, et, vers son centre, un mont dénommé la Longue-Vue. Il y avait quelques annotations d'une date postérieure, en particulier trois croix à l'encre rouge, dont deux sur la partie nord de l'île, et une au sud-ouest, plus, à côté de cette der-
160 nière, de la même encre rouge et d'une petite écriture soignée sans nul rapport avec les caractères hésitants du capitaine, ces mots : « Ici le principal du trésor. »

    Au verso, la même main avait tracé ces instructions complémentaires :

65   Grand arbre, contrefort de la Longue-Vue ; point de direction
N.-N.-E. quart N.
Île du Squelette, E.-S.-E. quart E.
Dix pieds.
Les lingots d'argent sont dans la cache nord. Elle se trouve dans
70 la direction du mamelon est, à dix brasses[5] au sud du rocher noir qui lui fait face.
On trouvera sans peine les armes, dans la dune de sable, à l'extrémité N. du cap de la baie nord, direction E. quart N.

J-F.

---

1. **Cachet :** petit instrument gravé avec lequel on faisait une empreinte dans la cire après avoir fermé une lettre ou un document.
2. **Passes :** passages étroits ouverts à la navigation.
3. **Mouillage :** endroit favorable pour jeter l'ancre.
4. **Havres :** ports.
5. **Brasses :** une brasse est une ancienne mesure de longueur correspondant à l'envergure des bras (1,60 m environ).

¹⁷⁵ Rien d'autre ; mais tout laconique[1] qu'il était, et pour moi incompréhensible, ce document remplit de joie le chevalier et le docteur Livesey.

– Livesey, dit le chevalier, vous allez nous lâcher tout de suite votre stupide clientèle. Demain je pars pour Bristol. En trois
¹⁸⁰ semaines… que dis-je, trois semaines ! quinze jours, huit jours… nous aurons, monsieur, le meilleur bateau d'Angleterre et la fleur des équipages. Hawkins nous accompagnera comme garçon de cabine[2]. Vous ferez un excellent garçon de cabine, Hawkins. Vous, Livesey, vous êtes le médecin du bord. Moi, je suis l'amiral. Nous
¹⁸⁵ emmènerons Redruth, Joyce et Hunter. Nous aurons de bons vents, une traversée rapide, pas la moindre difficulté à trouver l'endroit, et de l'argent à gogo… à remuer à la pelle… à faire des ricochets[3] avec, pour le restant de nos jours.

– Trelawney, répliqua le docteur, j'irai avec vous, et je vous
¹⁹⁰ garantis que Jim en fera autant et ne rechignera pas à la besogne. Il n'y a qu'un seul homme qui m'inspire des craintes.

– Qui donc, monsieur ? Nommez-moi ce coquin.

– C'est vous, riposta le docteur, car vous ne savez pas vous taire. Nous ne sommes pas les seuls à connaître l'existence de ce
¹⁹⁵ document. Ces individus qui ont attaqué l'auberge cette nuit, des gredins audacieux et sans scrupules, et leurs compagnons restés à bord du chasse-marée, et d'autres encore, je suppose, pas bien loin d'ici, du premier au dernier sont décidés à tout pour obtenir cet argent. Aucun de nous ne doit demeurer seul jusqu'au moment de
²⁰⁰ l'appareillage[4]. En attendant, Jim et moi nous restons ensemble, et vous emmenez Joyce et Hunter pour aller à Bristol. Mais avant et par-dessus tout, pas un mot ne doit transpirer de notre découverte.

– Livesey, vous êtes la raison même. Je serai muet comme la tombe.

---

1. **Laconique :** bref.
2. **Garçon de cabine :** sur un bateau, garçon qui s'occupe des passagers, qui les sert.
3. **Faire des ricochets :** s'amuser à lancer une pièce de monnaie sur l'eau de façon à ce qu'elle rebondisse.
4. **De l'appareillage :** du départ.

II. Le maître coq[1]

7

Je me rends à Bristol

Les préparatifs de notre appareillage furent plus longs que ne l'avait prévu le chevalier, et pas un de nos projets primitifs – pas même celui du docteur Livesey, de me garder avec lui – ne se réalisa selon nos intentions. Le docteur fut obligé d'aller à Londres pour trouver un médecin à qui confier sa clientèle, le chevalier était fort occupé à Bristol, et je restais au château, sous la surveillance du vieux Redruth, le garde-chasse. J'étais quasi prisonnier, mais la mer hantait mes songes, avec les plus séduisantes perspectives d'aventures en des îles inconnues. Des heures entières, je rêvais à la carte, dont je me rappelais nettement tous les détails. Assis au coin du feu dans la chambre de l'intendant, j'abordais cette île, en imagination, par tous les côtés possible ; je l'explorais dans toute sa superficie ; j'escaladais à mille reprises la montagne dite Longue-Vue, et découvrais de son sommet des paysages aussi merveilleux que divers. Tantôt l'île était peuplée de sauvages qu'il nous fallait combattre, tantôt pleine d'animaux féroces qui nous pourchassaient ; mais aucune de mes aventures imaginaires ne fut aussi étrange et dramatique que devait l'être pour nous la réalité.

Plusieurs semaines s'écoulèrent de la sorte. Un beau jour arriva une lettre adressée au docteur Livesey, avec cette mention : « À son défaut, Tom Redruth ou le jeune Hawkins en prendront connaissance. » Suivant cet avis, nous lûmes – ou plutôt je lus, car le garde-chasse n'était guère familiarisé qu'avec l'imprimé – les importantes nouvelles qui suivent :

---

1. **Maître coq :** chef cuisinier.

L'Île au trésor

« Auberge de la Vieille Ancre,

Bristol, ce 1er mars 17…

Mon cher Livesey,

Ignorant si vous êtes de retour au château ou encore à Londres,
30 je vous écris de part et d'autre en double expédition.

J'ai acheté et équipé le navire. Il est à l'ancre[1], prêt à appareiller[2].
Vous ne pouvez imaginer goélette[3] plus exquise… un enfant la
manœuvrerait… deux cents tonneaux[4] ; nom : *Hispaniola*[5].

Je l'ai eue par l'intermédiaire de mon vieil ami Blandly, qui s'est
35 conduit là comme le plus étonnant des bons bougres. Ce merveilleux gars s'est dévoué littéralement à mon service, et je dois
dire que tout le monde dans Bristol en a fait autant, dès qu'on a eu
vent du port vers lequel nous cinglons… c'est-à-dire le trésor. »

— Redruth, dis-je, interrompant ma lecture, voilà qui ne plaira
40 guère au docteur Livesey. M. le chevalier a parlé, pour finir.

— Hé mais ! n'en a-t-il pas bien le droit ? grommela le garde-
chasse. Ce serait un peu fort que M. le chevalier doive se taire à
cause du docteur Livesey, il me semble.

Sur quoi je renonçai à tout commentaire, et lus sans plus
45 m'interrompre :

« C'est lui, Blandly, qui dénicha l'*Hispaniola*, et il manœuvra si
admirablement qu'il réussit à l'avoir pour un morceau de pain. Il
y a dans Bristol une catégorie de gens excessivement prévenus
contre Blandly. Ils vont jusqu'à déclarer que cette honnête créature
50 ferait n'importe quoi pour de l'argent, que l'*Hispaniola* lui appar-

---

1. **À l'ancre :** immobilisé par l'ancre.
2. **Appareiller :** prendre la mer.
3. **Goélette :** voilier à deux mâts.
4. **Tonneaux :** un tonneau était une unité de volume représentant 2,81m³.
5. ***Hispaniola :*** le bateau porte le premier nom de l'île de Saint-Domingue-Haïti, qui lui fut donné par Christophe Colomb.

tenait et qu'il me l'a vendue ridiculement cher… calomnies trop évidentes. Nul, d'ailleurs, n'ose contester les mérites du navire.

Jusque-là, pas une anicroche[1]. Les ouvriers, gréeurs[2] et autres, étaient, il est vrai, d'une lenteur assommante ; mais le temps y a porté remède. Mon vrai souci concernait l'équipage.

Je voulais une bonne vingtaine d'hommes en cas de rencontre avec des indigènes, des forbans ou ces maudits Français[3], et j'avais eu une peine du diable à en recruter une pauvre demi-douzaine, lorsqu'un coup de chance des plus remarquables me mit en présence de l'homme qu'il me fallait.

Je liai conversation avec lui par un pur hasard, comme je me trouvais sur le quai. J'appris que c'était un vieux marin qui tenait un cabaret, et connaissait tous les navigateurs de Bristol. Il en devenait malade, de rester à terre, et n'attendait qu'un bon engagement de maître coq pour reprendre la mer. C'était, me conta-t-il, pour aspirer un peu l'air salin qu'il s'était traîné jusque-là ce matin.

Je fus excessivement touché (vous l'auriez été vous-même) et, par pure compassion[4], je l'enrôlai sur-le-champ comme maître coq du navire. Il s'appelle Long John Silver et il lui manque une jambe ; mais c'est à mes yeux un mérite, car il l'a perdue en défendant son pays sous les ordres de l'immortel Hawke[5]. Et il n'a pas de pension, Livesey ! Songez en quelle abominable époque nous vivons !

Eh bien, monsieur, je croyais avoir simplement trouvé un cuisinier, mais c'est tout un équipage que j'avais rencontré. À nous deux, Silver et moi, nous recrutâmes en peu de jours une bande de vieux loups de mer[6] endurcis… pas jolis, jolis, mais, à en juger par leur mine, des gars d'un courage à toute épreuve. Je vous garantis que nous pourrions résister à une frégate[7].

---

1. **Anicroche :** difficulté, incident.
2. **Gréeurs :** ceux qui équipent un bateau de tout le nécessaire pour naviguer (voiles, cordages, poulies).
3. **Maudits Français :** les Français sont présents dans les Caraïbes où ils consolident leur pouvoir, en concurrence avec les Anglais et les Espagnols.
4. **Compassion :** pitié.
5. **Hawke :** célèbre amiral anglais (1705-1781).
6. **Loups de mer :** vieux marins qui ont beaucoup navigué.
7. **Frégate :** voilier de guerre à trois mâts, très rapide et armé.

Même, Long John se débarrassa de deux hommes sur les six ou sept que j'avais déjà retenus. Il me démontra sans peine que c'étaient là de ces marins d'eau douce qu'il nous fallait précisément craindre dans une sérieuse occurrence[1].

Je suis d'une humeur et d'une santé admirables ; je mange comme un ogre, je dors comme une souche[2], et malgré cela je n'aurai pas un moment de répit avant de voir mes vieux mathurins[3] virer au cabestan[4]. Au large ! Qu'importe le trésor ! C'est la splendeur de la mer qui m'a tourné la tête. Ainsi donc, Livesey, faites diligence[5], et venez sans perdre une heure si vous êtes mon ami.

Que le jeune Hawkins aille tout de suite voir sa mère, sous la garde de Redruth, et puis que tous deux gagnent Bristol au plus vite.

John Trelawney.

Post-scriptum. – J'oubliais. Blandly (entre parenthèses, si nous ne sommes pas rentrés à la fin d'août, il doit envoyer une conserve[6] à notre recherche) Blandly, dis-je, nous a trouvé un chef navigateur excellent... un type dur, ce que je regrette, mais sous tous autres rapports une vraie perle[7]. Long John Silver a déniché comme second un homme très capable, un nommé Arrow. J'ai un maître d'équipage[8] qui sait jouer du sifflet[9] ; ainsi, Livesey, tout ira comme sur un vaisseau de guerre à bord de notre excellente *Hispaniola*.

Encore un détail. Silver est un personnage d'importance ; je sais de source certaine qu'il a un compte en banque et qu'il n'a jamais dépassé son crédit ; il laisse son cabaret aux soins de sa femme, et celle-ci étant une négresse, deux vieux célibataires comme vous et

---

1. **Occurrence :** circonstance.
2. **Comme une souche :** très profondément.
3. **Mathurins :** matelots, dans l'argot des marins.
4. **Virer au cabestan :** faire tourner le cabestan (treuil vertical) sur son axe à l'aide de ses barres, pour lever l'ancre, c'est-à-dire partir.
5. **Faites diligence :** dépêchez-vous.
6. **Conserve :** navire qui ordinairement fait route avec un autre, pour le secourir.
7. **Une vraie perle :** quelqu'un de vraiment remarquable.
8. **Maître d'équipage :** matelot qualifié, sous-officier qui a autorité sur tout l'équipage. Il est sous les ordres du second.
9. **Qui sait jouer du sifflet :** qui sait se faire respecter.

moi sont autorisés à croire que c'est à cause de sa femme et non seulement pour sa santé qu'il désire à nouveau courir le monde.

J.T.

P.-P.-S. – Hawkins peut passer vingt-quatre heures chez sa mère.

J.T. »

On peut imaginer l'enthousiasme où me jeta cette lettre. Je ne me connaissais plus de joie ; je voyais avec un mépris souverain le vieux Tom Redruth, qui ne savait que geindre et récriminer[1]. Tous les gardes-chasse[2] en second, sans exception, auraient volontiers pris sa place ; mais tel n'était pas le bon plaisir du chevalier, lequel bon plaisir faisait la loi parmi eux. Même, nul autre que le vieux Redruth ne se fût hasardé à murmurer.

Le lendemain matin, nous fîmes la route à pied, lui et moi, jusqu'à l'Amiral Benbow, où je trouvai ma mère bien portante et gaie. Le capitaine, qui nous avait tant et si longtemps persécutés, s'en était allé là où les méchants ne peuvent plus nuire. Le chevalier avait tout fait réparer dans l'auberge, et repeindre l'enseigne et le débit, où il avait ajouté quelques meubles... entre autres un bon fauteuil pour ma mère à son comptoir. Il lui avait aussi trouvé un gamin comme apprenti, si bien qu'elle ne resterait pas seule durant mon absence.

C'est à la vue de ce garçon que je commençai à comprendre ma situation. Jusque-là j'avais pensé uniquement aux aventures qui m'attendaient, et non à la demeure que je quittais ; aussi, en voyant ce gauche étranger destiné à tenir ma place auprès de ma mère, j'eus ma première crise de larmes. J'ai bien peur d'avoir fait une vie de chien à ce garçon, car, étant neuf au travail, il m'offrit mille occasions de le réprimander et de l'humilier, et je ne manquai pas d'en profiter.

La nuit passa, et le lendemain, après dîner, Redruth et moi nous remîmes en route. Je dis adieu à ma mère, à la crique où j'avais vécu depuis ma naissance, et au cher vieil Amiral Benbow... un peu moins cher toutefois depuis qu'il était repeint. L'une de mes

---

1. **Récriminer :** se plaindre, critiquer.
2. **Gardes-chasse :** un garde-chasse est un garde particulier chargé de veiller à la conservation du gibier et de surveiller une propriété.

dernières pensées fut pour le capitaine, qui avait si souvent rôdé
sur la grève avec son tricorne, sa balafre et sa vieille lunette de
cuivre. Un instant plus tard, nous prenions le tournant, et ma
demeure disparaissait à mes yeux.

Vers le soir, la malle-poste nous prit au Royal George, sur la
lande. J'y fus encaqué[1] entre Redruth et un gros vieux monsieur,
mais, en dépit de notre course rapide et du froid de la nuit, je ne
tardai point à m'assoupir, et dormis comme une souche par monts
et par vaux et de relais en relais. Une bourrade[2] dans les côtes
me réveilla enfin, et je m'aperçus en ouvrant les yeux qu'il faisait
grand jour et que nous étions arrêtés en face d'un grand bâtiment,
dans une rue de ville.

– Où sommes-nous ? demandai-je.

– À Bristol, répondit Tom. Descendez.

M. Trelawney avait pris pension à une auberge située au bout
des bassins[3], pour mieux surveiller le travail à bord de la goélette. Il nous fallut marcher jusque-là, et j'eus le grand plaisir
de longer les quais où s'alignaient une multitude de bateaux de
toutes tailles, formes et nationalités. Sur l'un, des matelots accompagnaient leur besogne en chantant ; sur un autre, il y avait des
hommes en l'air, très haut, suspendus à des cordages minces
en apparence comme des fils d'araignée. Bien que j'eusse passé
toute ma vie sur la côte, il me semblait n'avoir jamais connu la
mer jusqu'à présent. L'odeur du goudron et du sel était pour
moi une nouveauté. Je vis des figures de proue[4] étonnantes, qui
avaient toutes parcouru les océans lointains. Je vis aussi beaucoup de vieux marins avec des anneaux aux oreilles, des favoris[5]

1. **Encaqué :** entassé.
2. **Bourrade :** tape.
3. **Bassins :** un bassin est une structure construite le long d'une voie navigable de
   sorte que les navires puissent y stationner afin de charger et de décharger des
   marchandises.
4. **Figures de proue :** la figure de proue est une sculpture représentant généralement
   un être humain ou un animal qui ornait l'avant des navires en bois. La proue
   désigne l'avant du navire (par opposition à la poupe, l'arrière).
5. **Favoris :** touffes de barbe qui entourent les joues.

bouclés, des catogans[1] goudronneux[2], et à la démarche lourde et importante. J'aurais eu moins de plaisir à voir autant de rois et d'archevêques.

Et j'allais moi aussi naviguer ; naviguer sur une goélette, avec un
170 maître d'équipage qui jouerait du sifflet, et des marins à catogans, qui chanteraient ; naviguer vers une île inconnue, à la recherche de trésors enfouis !

J'étais encore plongé dans ce songe, lorsque nous nous trou-vâmes soudain en face d'une grande auberge, et nous en vîmes
175 sortir M. le chevalier Trelawney, vêtu comme un officier de marine, en habit gros bleu[3], qui vint à notre rencontre d'un air épanoui et imitant à la perfection l'allure d'un marin.

– Vous voici, s'écria-t-il, et le docteur est arrivé de Londres hier soir. Bravo ! l'équipage est au complet.
180 – Oh ! monsieur, m'exclamai-je, quand partons-nous ?

– Quand nous partons ?... Nous partons demain !

---

1. **Catogans :** le catogan est une queue de cheval basse tombant sur la nuque. Coiffure mise à la mode par le général anglais Cadogan.
2. **Goudronneux :** collant et noir comme le goudron.
3. **Gros bleu :** bleu foncé, bleu marine.

Clefs d'analyse

Action et personnages

1. Que recherchent les hommes lancés à la poursuite de Jim ? Qui est leur chef ?

2. Expliquez la conduite de Pew : sa colère, les insultes proférées. Comment finit-il et que deviennent ses complices ?

3. Qui arrive à la rescousse de Jim et de sa mère ? Dans quel état la mère et le fils retrouvent-ils l'auberge ? Que s'est-il passé ?

4. En présence du chevalier Trelawney et du Dr Livesey qui analysent les événements, Jim reste silencieux. Pour quelle raison à votre avis ?

5. Qui est le fameux Flint ? Que fait ressortir son portrait ?

6. Quelles informations recueillons-nous sur la personnalité et le passé de Billy Jones ? Quels étaient ses liens avec Flint ?

7. Que contient exactement le paquet arraché au coffre de Billy Jones ? Expliquez l'expression « plaisir des recherches » (chap. 6, l. 103) en vous appuyant sur certains détails de la scène où est évoquée l'ouverture du paquet.

8. Quelles précisions donne la carte de l'île ? Commentez la joie du chevalier et du Dr Livesey.

9. Qui décide de tenter l'aventure de l'île au trésor ? À quels motifs les futurs aventuriers obéissent-ils ? Quel rôle sera réservé aux adultes ? À Jim ? Qu'en pensez-vous ?

10. Que s'est-il passé pendant la longue absence du chevalier ? Quelles nouvelles importantes donne la lettre au Dr Livesey ?

11. Quelles fonctions occuperont John Silver et Arrow sur l'*Hispaniola* ? Tout vous semble-t-il prêt pour le départ ?

Langue

1. Expliquez le sens de l'expression « s'en était allé là où les méchants ne peuvent plus nuire » (chap. 7, l. 121).

2. Relevez quelques termes expressifs évoquant les flibustiers : dans quel univers transportent-ils le lecteur ?

Genre ou thèmes

1. Par quelles petites attentions s'exprime la considération du Dr Livesey pour le jeune Jim ? Quelles qualités le médecin affiche-t-il ainsi ?

2. Comment se traduit le caractère imaginatif de Jim pendant les préparatifs du départ ?

3. Quels traits rattachent John Silver au personnage type de l'aventurier ? Appuyez-vous sur le portrait qu'en dressent le chevalier et le docteur.

Écriture

1. Jim va faire ses adieux à sa mère. Racontez la scène sur un registre pathétique qui mettra en évidence les sentiments et les émotions des deux personnages.

2. C'est avec bonheur que Jim, se promenant le long des quais, a l'impression de découvrir la mer pour la première fois alors qu'il a passé toute sa vie sur la côte. Racontez, à votre tour, une promenade qui vous a fait voir d'un œil nouveau un lieu déjà connu de vous : vous associerez à la description une analyse de vos émotions.

Pour aller plus loin

1. Le chevalier dit que « comparé à Flint, Barbe-Noire n'était qu'un enfant ». Qui est ce personnage cité en référence et que cherche à faire ressortir la comparaison ?

> ## ✳ À retenir
>
> Le roman d'aventures est fondé sur un défi que se lancent des personnages engagés avec exaltation dans une action pleine de risques et d'incertitude. Le voyage qu'entreprennent le chevalier, le docteur et Jim en direction de l'île au trésor répond à ce modèle : munis d'une précieuse carte, les trois aventuriers vont s'embarquer pour un long voyage plein d'imprévu, avec un équipage composé d'« une bande de vieux loups de mer endurcis ».

8

À l'enseigne de la Longue-Vue

Après m'avoir laissé déjeuner, le chevalier me remit un billet adressé à John Silver, à l'enseigne de la Longue-Vue. Pour la trouver, il me suffisait de longer les bassins et de faire attention ; je verrais une petite taverne ayant pour enseigne un grand télescope
5 de cuivre. C'était là. Je me mis en route, ravi de cette occasion de mieux voir navires et matelots, et, me faufilant parmi une foule épaisse de gens, de camions et de ballots – car l'affairement[1] battait son plein sur le quai –, je trouvai la taverne en question.

C'était un petit débit[2] d'allure assez prospère. L'enseigne était
10 peinte de frais, on voyait aux fenêtres de jolis rideaux rouges, et le carreau était proprement sablé. Situé entre deux rues, il avait sur chacune d'elles une porte ouverte, ce qui donnait assez de jour dans la salle grande et basse, malgré des nuages de fumée de tabac.

15 La plupart des clients étaient des navigateurs, et ils parlaient si fort que je m'arrêtai sur le seuil, intimidé.

Durant mon hésitation, un homme surgit d'une pièce intérieure, et un coup d'œil suffit à me persuader que c'était Long John. Il avait la jambe gauche coupée au niveau de la hanche, et il portait
20 sous l'aisselle gauche une béquille, dont il usait avec une merveilleuse prestesse, en sautillant dessus comme un oiseau. Il était très grand et robuste, avec une figure aussi grosse qu'un jambon – une vilaine figure blême, mais spirituelle et souriante. Il semblait même fort en gaieté, sifflait tout en circulant parmi les tables et
25 distribuait des plaisanteries ou des tapes sur l'épaule à ses clients favoris.

À vrai dire, dès la première nouvelle de Long John contenue dans la lettre du chevalier Trelawney, j'avais appréhendé que ce ne fût lui le matelot à une jambe que j'avais si longtemps guetté au
30 vieux Benbow. Mais un regard suffit à me renseigner sur l'homme

---

1. **Affairement :** activité, agitation.
2. **Débit :** débit de boisson, lieu où l'on sert à boire.

que j'avais devant moi. Connaissant le capitaine, Chien-Noir et Pew l'aveugle, je croyais savoir ce qu'était un flibustier : un individu tout autre, à mon sens, que ce tavernier de bonne mine et d'humeur affable.

35 Je repris courage aussitôt, franchis le seuil et marchai droit à notre homme, qui, étayé sur sa béquille, causait avec un consommateur.

– Monsieur Silver, n'est-ce pas, monsieur ? fis-je, en lui tendant le pli.

40 – Oui, mon garçon, c'est bien moi, répliqua-t-il. Et toi-même, qui es-tu ?

Mais en voyant la lettre du chevalier, il réprima[1] un haut-le-corps[2].

– Ah ! reprit-il, en élevant la voix, je comprends, tu es notre nou-
45 veau garçon de cabine. Charmé de faire ta connaissance.

Et il m'étreignit la main dans sa vaste poigne.

Tout aussitôt, à l'autre bout de la salle, un consommateur se leva brusquement et prit la porte. Il en était proche, et un instant lui suffit à gagner la rue. Mais sa hâte avait attiré mon attention, et je
50 le reconnus d'un coup d'œil. C'était l'homme au visage de cire et privé de deux doigts qui était venu le premier à l'Amiral Benbow.

– Ah ! m'écriai-je, arrêtez-le ! C'est Chien-Noir !

– Je ne donnerais pas deux liards pour savoir qui c'est, proclama Silver ; mais il part sans payer. Harry, cours après et ramène-le.

55 Harry, qui était tout voisin de la porte, bondit à la poursuite du fugitif.

– Quand ce serait l'amiral Hawke en personne, il paiera son écot[3] ! reprit Silver.

Puis, lâchant ma main :
60 – Qui disais-tu que c'était ? Noir quoi ?

– Chien-Noir, monsieur, répondis-je. M. Trelawney a dû vous parler des flibustiers ? C'en est un.

---

1. **Réprima :** empêcha, maîtrisa.
2. **Haut-le-corps :** raidissement spontané du corps, provoqué par un sentiment vif ou une émotion (surprise, colère, indignation, vif intérêt).
3. **Écot :** note à payer, dette.

– Hein ? Dans ma maison ! Ben, cours prêter main-forte à Harry. Lui, un de ces sagouins[1] ?... Morgan, c'est vous qui buviez avec lui ? Venez ici.

Le nommé Morgan – un vieux matelot à cheveux gris et au teint d'acajou[2] – s'avança tout piteux, en roulant sa chique[3].

– Dites, Morgan, interrogea très sévèrement Long John, vous n'avez jamais rencontré ce Chien-Noir auparavant, hein ?

– Non, monsieur, répondit Morgan, avec un salut.

– Vous ne saviez pas son nom, dites ?

– Non, monsieur.

– Par tous les diables ! Tom Morgan, cela vaut mieux pour vous ! s'exclama le patron. Si vous aviez été en rapport avec des gens comme ça, vous n'auriez plus jamais remis le pied chez moi, je vous le garantis. Et qu'est-ce qu'il vous racontait ?

– Je ne sais pas au juste, monsieur.

– Crédié[4] ! C'est donc une tête de mouton que vous avez sur les épaules ? Vous ne savez pas au juste ! Vous ne saviez peut-être pas que vous parliez à quelqu'un, hein ? Allons, vite, de quoi jasait-il ?... de voyages, de capitaines, de bateaux ? Accouchez ! qu'est-ce que c'était ?

– Nous parlions de carénage[5], répondit Morgan.

– De carénage, vraiment ? C'est un sujet très édifiant[6], il n'y a pas de doute. Allez vous rasseoir, marin d'eau douce[7].

Et tandis que Morgan regagnait sa place, Silver me dit tout bas, sur un ton confidentiel, très flatteur à mon avis :

– C'est un très brave homme, ce Tom Morgan, quoique bête. Mais, voyons, continua-t-il tout haut... Chien-Noir ? Non, je ne connais pas ce nom-là. Et pourtant, j'ai comme une idée... oui, j'ai déjà vu le sagouin. Il venait parfois ici accompagné d'un mendiant aveugle, oui, parfois.

---

1. **Sagouins :** personnes grossières.
2. **Teint d'acajou :** teint bronzé ; l'acajou est un bois de couleur brun rougeâtre.
3. **Chique :** morceau de tabac que l'on mâche et que l'on recrache.
4. **Crédié :** exclamation qui exprime l'impatience.
5. **Carénage :** réparation et nettoyage de la carène (partie immergée de la coque d'un navire).
6. **Édifiant :** riche d'enseignement.
7. **Marin d'eau douce :** mauvais marin.

– Vous pouvez en être sûr, dis-je. Et j'ai connu aussi cet aveugle. Il se nommait Pew.

95 – C'est ça, s'écria Silver, maintenant très excité. Pew ! pas de doute, c'était bien son nom. Et quelle tête de canaille il avait ! Si nous attrapons ce Chien-Noir, c'est le capitaine Trelawney qui sera heureux de l'apprendre ! Ben est bon à la course ; peu de marins courent comme lui. Il doit le rattraper haut la main, par tous les

00 diables !... Il parlait de carénage, pas vrai ? Je vais te le caréner, moi !

Tout en lançant ces phrases, il béquillait[1] de long en large parmi la taverne, claquant de la main sur les tables, et affectant une telle chaleur qu'il eût convaincu un juge de cour d'assises ou un limier

05 de la police. Mes soupçons s'étaient réveillés en trouvant Chien-Noir à la Longue-Vue, et j'observais attentivement le maître coq. Mais il était trop fort, trop prompt et trop rusé pour moi. Quand les deux hommes rentrèrent tout hors d'haleine, avouant qu'ils avaient perdu la piste dans la foule, et qu'on les avait pris pour des

10 voleurs et houspillés, je me serais porté garant de l'innocence de Long John.

– Dis donc, Hawkins, fit-il, voilà une chose fichtrement désagréable pour un homme comme moi, hein ! Le capitaine Trelawney, que va-t-il penser ? Voici que j'ai ce maudit fils de

15 Hollandais installé dans ma maison, à boire mon rhum ; voici que tu arrives et me dis son fait[2], et voici, crénom[3] ! que je le laisse nous jouer la fille de l'air[4], sous mes yeux ! Dis, Hawkins, tu me justifieras auprès du capitaine ? Tu es un gamin, pas vrai, mais tu es sage comme une image. Je l'ai vu dès ton entrée. Eh bien,

20 réponds, que pouvais-je faire, moi, clopinant[5] sur cette vieille bûche ? Quand j'étais maître marinier de première classe, je l'aurais rejoint haut la main et empoigné en deux temps trois mouvements ; mais à cette heure...

---

1. **Béquillait :** marchait avec sa béquille.
2. **Me dis son fait :** me dis ses quatre vérités.
3. **Crénom :** juron qui exprime la colère, l'impatience.
4. **Nous jouer la fille de l'air :** s'évaporer, disparaître.
5. **Clopinant :** boitant.

Soudain, il s'interrompit, et resta bouche bée, comme s'il se rappelait quelque chose.

– L'écot ! lança-t-il. Trois tournées de rhum ! Tonnerre ! J'avais
oublié l'écot !

Et s'affalant sur un escabeau, il se mit à rire, littéralement aux
larmes. Je ne pus m'empêcher de l'imiter, et les éclats réitérés de
nos rires associés firent retentir la taverne.

– Vrai ! il faut que je sois un fameux veau marin ! fit-il à la fin
en s'essuyant le visage. Nous faisons bien la paire, Hawkins, car
on pourrait, ma foi, me cataloguer moussaillon[1]. Mais maintenant,
allons, pare à virer. Ce n'est pas tout ça. Le devoir avant tout,
camarade. Je mets mon vieux tricorne et file avec toi chez le capitaine Trelawney, lui conter l'affaire. Car, note bien, jeune Hawkins,
c'est grave, cette histoire, et j'oserai dire que ni toi ni moi n'en
sortons guère à notre avantage. Non, ni toi non plus, dis ; nous
n'avons pas été fins, pas plus l'un que l'autre. Mais, mort de mes
os, c'est une bonne blague, celle de l'écot !

Et il se remit à rire, de si bon cœur que, tout en ne voyant pas la
plaisanterie comme lui, je fus à nouveau contraint de partager son
hilarité.

Durant notre courte promenade au long des quais, mon compagnon m'intéressa fort en me parlant des navires que nous passions
en revue, de leurs différents types, de leur tonnage[2], de leur natio-
nalité ; il m'expliquait la besogne qui s'y faisait : on déchargeait
la cargaison de l'un, on embarquait celle de l'autre ; un troisième
allait appareiller ; et à tout propos il me sortait de petites anecdotes
sur les navires ou les marins et me serinait des expressions nau-
tiques pour me le faire bien entrer dans la tête. Je le voyais de plus
en plus, ce serait là pour moi un compagnon de bord inestimable.

En arrivant à l'auberge, nous trouvâmes le chevalier et le docteur Livesey attablés devant une pinte[3] de bière et des rôties[4] ; ils
s'apprêtaient à aller faire une tournée d'inspection sur la goélette.

---

1. **Moussaillon :** petit mousse (jeune garçon qui apprend le métier de marin sur un
   bateau).
2. **Tonnage :** capacité de transport des navires de commerce.
3. **Pinte :** chope contenant 0,568 l de bière.
4. **Rôties :** tranches de pain rôties sur le gril ou devant le feu.

Long John raconta l'histoire depuis A jusqu'à Z, avec beaucoup
de verve et la plus exacte franchise.
– C'est bien ça, n'est-ce pas, Hawkins ? disait-il de temps à autre.
Et chaque fois je ne pouvais que confirmer son récit.

160 Les deux messieurs regrettèrent que Chien-Noir eût échappé ;
mais nous convînmes tous qu'il n'y avait rien à faire, et après avoir
reçu des félicitations, Long John reprit sa béquille et se retira.
– Tout le monde à bord pour cet après-midi à quatre heures ! lui
cria de loin le chevalier.

165 – Bien, monsieur, répondit le coq[1], du corridor.
– Ma foi, chevalier, dit le docteur Livesey, je n'ai en général
pas grande confiance dans vos trouvailles, mais j'avouerai quand
même que ce John Silver me botte.
– C'est un parfait brave homme, déclara le chevalier.

170 – Et maintenant, conclut le docteur, Jim va venir à bord avec
nous, n'est-ce pas ?
– Bien entendu. Mettez votre chapeau, Hawkins, et allons visiter
le navire.

9

La poudre et les armes

Comme l'*Hispaniola* n'était pas à quai, il nous fallut, pour nous
y rendre, passer sous les figures de proue et devant les arrières de
plusieurs autres navires dont les amarres tantôt raclaient la quille[2]
de notre canot et tantôt se balançaient au-dessus de nos têtes. À
5 la fin, cependant, nous accostâmes et prîmes pied à bord. Nous
fûmes reçus et salués par le second, M. Arrow, un vieux marin
basané, à boucles d'oreilles et qui louchait.
Le chevalier semblait au mieux avec lui. Je m'aperçus vite que
M. Trelawney s'entendait moins bien avec le capitaine.

---

1. **Coq :** maître coq. Voir note 1, p. 63.
2. **Quille :** longue pièce de bois qui va de la poupe à la proue d'un vaisseau, et sur
laquelle s'appuie toute la charpente.

10   Ce dernier était un homme à l'air sévère, qu'on eût dit mécontent de toute chose à bord. Et il ne tarda pas à nous en dire la raison, car à peine étions-nous descendus dans la cabine qu'un matelot nous y rejoignit et annonça :

– Le capitaine Smollett, monsieur, qui demande à vous parler.

15   – Je suis toujours aux ordres du capitaine, répondit le chevalier. Introduisez-le.

Le capitaine, qui suivait de près son messager, entra aussitôt et ferma la porte derrière lui.

– Eh bien, capitaine Smollett, quelle nouvelle ? Tout va bien, j'espère ; tout est en bon ordre de navigation ?

20   – Eh bien, monsieur, répondit le capitaine, mieux vaut, je crois, parler franc, même au risque de vous déplaire. Je n'aime pas cette croisière, je n'aime pas l'équipage et je n'aime pas mon second. Voilà qui est clair et net.

25   – Et peut-être, monsieur, n'aimez-vous pas le navire ? interrogea le chevalier, très irrité à ce que je pus voir.

– Quant à lui, monsieur, je ne puis rien en dire avant de l'avoir vu à l'œuvre. Il m'a l'air d'un fin bâtiment ; c'est tout ce que j'en sais.

30   – Peut-être encore, monsieur, n'aimez-vous pas non plus votre armateur ?

Mais le docteur Livesey intervint :

– Un instant ! un instant ! Des questions de ce genre ne sont bonnes qu'à provoquer des malentendus. Le capitaine en a dit 35 trop, ou trop peu, et je dois dire que j'exige une explication de ses paroles. Vous n'aimez pas, dites-vous, cette croisière. Pourquoi ?

– Je me suis engagé, monsieur, suivant le système dit des instructions scellées, à mener le navire où m'ordonnera ce monsieur. C'est parfait. Tout va bien jusque-là. Mais je constate que chacun 40 des simples matelots en sait plus que moi. Trouvez-vous cela bien, voyons, dites ?

– Non, fit le docteur Livesey, ce n'est pas bien, je l'admets.

– Ensuite j'apprends que nous allons à la recherche d'un trésor… c'est mon équipage qui me l'apprend, remarquez. Or, les trésors, 45 c'est de la besogne délicate ; je n'aime pas du tout les voyages au trésor ; et je les aime encore moins quand ils sont secrets et que (sauf votre respect, monsieur Trelawney) le secret a été raconté au perroquet.

— Quel perroquet ? demanda le chevalier. Celui de Silver ?

— Façon de parler. Quand il a été divulgué[1], je veux dire. Je crois bien qu'aucun de vous deux, messieurs, ne sait ce qui l'attend ; mais je vais vous dire ce que j'en pense : c'est une question de vie ou de mort, et où il faut jouer serré[2].

— Voilà qui est bien clair et, je dois le dire, assez juste, répliqua le docteur Livesey. Nous acceptons le risque ; mais nous ne sommes pas aussi naïfs que vous croyez... En second lieu, dites-vous, vous n'aimez pas l'équipage. N'avons-nous pas de bons marins ?

— Je ne les aime pas, monsieur, repartit le capitaine Smollett. Et puisque vous en parlez, j'estime qu'on aurait dû me laisser choisir mon équipage moi-même.

— Possible, reprit le docteur, mon ami eût peut-être dû vous consulter ; mais s'il l'a négligé, c'est sans mauvaise intention. Et vous n'aimez pas non plus M. Arrow ?

— Non, monsieur, je ne l'aime pas. Je le crois bon marin ; mais il est trop familier avec l'équipage pour faire un bon officier. Un second doit rester sur son quant-à-soi et ne pas trinquer avec les hommes de l'avant.

— Voulez-vous dire qu'il s'enivre ? lança le chevalier.

— Non, monsieur : simplement qu'il est trop familier.

— Et maintenant, le résumé de tout cela, capitaine ? émit le docteur. Exposez votre désir.

— Messieurs, êtes-vous résolus à poursuivre cette croisière ?

— Dur comme fer, affirma le chevalier.

— Très bien, reprit le capitaine. Alors, puisque vous m'avez écouté fort patiemment vous dire des choses que je ne puis prouver, écoutez quelques mots de plus. On est en train de loger la poudre et les armes dans la cale avant[3]. Or, vous avez sous la cabine une place excellente : pourquoi pas là ?... premier point. Puis, vous emmenez avec vous quatre de vos gens, et il paraît que

---

1. **Divulgué :** dévoilé, rendu public.
2. **Jouer serré :** agir avec prudence et rester attentif aux événements.
3. **Cale avant :** la partie la plus basse dans l'intérieur d'un navire.

80 plusieurs d'entre eux vont coucher à l'avant. Pourquoi ne pas leur donner ces cadres[1]-là, à côté de la cabine ?... second point.

– C'est tout ? demanda M. Trelawney.

– Encore ceci : on n'a déjà que trop bavardé.

– Beaucoup trop, acquiesça le docteur.

85 – Je vais vous répéter ce que j'ai entendu moi-même, poursuivit le capitaine Smollett. On dit que vous avez une carte de l'île, qu'il y a sur cette carte trois croix pour désigner l'emplacement du trésor, et que cette île est située par... Et il énonça la longitude et la latitude exactes.

90 – Je n'ai jamais dit cela, se récria le chevalier, jamais, à personne !

– Les matelots le savent pourtant, monsieur, riposta le capitaine.

– Livesey, s'écria le chevalier, ce ne peut être que vous ou Hawkins.

– Peu importe de savoir qui, répliqua le docteur.

95 Pas plus que le capitaine, je le voyais bien, il ne tenait grand compte des protestations de M. Trelawney. Moi non plus, du reste, car le chevalier était un bavard incorrigible ; mais en l'espèce je crois qu'il disait vrai, et que personne n'avait révélé la position de l'île.

100 – Eh bien, messieurs, reprit le capitaine, je ne sais pas qui de vous détient cette carte ; mais je pose en principe qu'on me le laissera ignorer, aussi bien qu'à M. Arrow. Sinon je me verrais forcé de vous présenter ma démission.

– Je vois, dit le docteur. Il faut, à votre avis, nous tenir sur la
105 défensive, et faire de la partie arrière du navire une citadelle équipée avec les serviteurs personnels de mon ami et pourvue de toutes les armes et munitions du bord. En d'autres termes, vous redoutez une mutinerie[2].

– Monsieur, riposta le capitaine Smollett, sans vouloir vous
110 chercher noise, je vous conteste le droit de m'attribuer indûment ces paroles. Nul capitaine, monsieur, ne serait excusable même d'appareiller, s'il avait un motif suffisant de les prononcer. Quant à M. Arrow, il est, je le crois, foncièrement honnête ; quelques-uns des hommes aussi ; tous peut-être, je ne sais. Mais je suis responsable

---

1. **Cadres :** sortes de lits.
2. **Mutinerie :** révolte collective contre l'autorité.

115 de la sécurité du navire et de l'existence de tous ceux qu'il transporte. Je vois que les choses ne vont pas tout à fait droit, à mon
idée. Et je désire que vous preniez certaines précautions, ou que
vous me laissiez démissionner. Voilà tout.

— Capitaine Smollett, commença le docteur avec un sourire,
120 connaissez-vous la fable de la montagne qui accouche d'une souris ? Vous m'excuserez, j'espère, mais vous m'en faites souvenir.
Quand vous êtes entré ici, j'aurais gagé ma perruque que vous
attendiez de nous autre chose que cela.

— Docteur, vous voyez clair. Quand je suis entré ici, je m'atten-
125 dais à recevoir mon congé. Je ne pensais pas que M. Trelawney
m'écouterait au-delà du premier mot.

— Et je n'en écouterai pas davantage, s'écria le chevalier. Sans
Livesey, je vous aurais envoyé au diable. N'importe, grâce à lui, je
vous ai écouté. J'agirai selon votre désir ; mais j'ai de vous la plus
130 triste opinion.

— Comme il vous plaira, monsieur, dit le capitaine. Vous reconnaîtrez que je fais mon devoir.

Et là-dessus il prit congé de nous.

— Trelawney, émit le docteur, contrairement à toutes mes idées,
135 je crois que vous avez réussi à nous amener à bord deux honnêtes
gens : cet homme-là et John Silver.

— Silver, soit ; mais quant à ce fumiste insupportable, sachez
que j'estime sa conduite indigne d'un homme, d'un marin et plus
encore d'un Anglais.

140 — Bien, dit le docteur, nous verrons.

Quand nous montâmes sur le pont[1], les hommes étaient déjà
occupés au transfert des armes et de la poudre, et travaillaient en
cadence, sous la direction du capitaine et de M. Arrow.

J'approuvai tout à fait le nouvel arrangement qui modifiait tout
145 sur la goélette. Nous avions à l'arrière six cabines, prises sur la partie postérieure de la grande cale, et cette série de chambrettes ne
communiquait avec le gaillard d'avant[2] que par une étroite cour-

---

1. **Pont :** sur un bateau, plateforme sur laquelle on marche comme sur le plancher
d'un bâtiment.
2. **Gaillard d'avant :** pont surélevé à l'avant du navire.

sive[1] à bâbord[2], donnant sur la cuisine. Suivant les dispositions primitives, le capitaine, M. Arrow, Hunter, Joyce, le docteur et le chevalier devaient occuper ces six pièces. À présent, deux étaient destinées à Redruth et à moi, tandis que M. Arrow et le capitaine logeraient sur le pont, dans le capot[3] qu'on avait élargi des deux côtés, en sorte qu'il méritait presque le nom de dunette[4]. C'était toujours, bien entendu, fort bas de plafond, mais il y avait place pour suspendre deux hamacs, et le second lui-même parut satisfait de cet arrangement. Il se méfiait peut-être aussi de l'équipage ; mais ce n'est là qu'une supposition, car, comme on va le voir, il n'eut guère le loisir de nous donner son avis.

Nous étions en pleine activité, transportant munitions et couchettes, quand un ou deux retardataires, accompagnés de Long John, arrivèrent dans un canot du port.

Le cuisinier, agile comme un singe, escalada le bord, et vit aussitôt de quoi il s'agissait. Il s'écria :

– Holà, camarades ! qu'est-ce que vous faites ?

– Nous déménageons la poudre, répondit l'un.

– Mais, par tous les diables ! lança Long John, si on fait ça, on va manquer la marée du matin !

– Mes ordres, dit sèchement le capitaine. Vous pouvez aller à vos fourneaux, mon garçon. L'équipage va réclamer son souper.

– Bien, monsieur, répondit le coq en saluant.

Et il se dirigea vers sa cuisine.

– Voilà un brave homme, capitaine, dit le docteur.

– C'en a tout l'air, monsieur… répliqua le capitaine. Doucement avec ça, les hommes, doucement, continua-t-il, en s'adressant aux gars qui maniaient la poudre.

Puis soudain, me surprenant à examiner la caronade[5] que portait le bateau par son milieu, une longue pièce de neuf[6], en bronze :

---

1. **Coursive :** couloir étroit à l'intérieur d'un navire.
2. **Bâbord :** côté gauche d'un navire en regardant vers l'avant.
3. **Capot :** sur les grands voiliers, ouverture pour la descente dans les logements ou dans les cales.
4. **Dunette :** construction légère située au-dessus du pont supérieur d'un navire, qui constitue un poste d'observation et sert de logement.
5. **Caronade :** gros canon court.
6. **Pièce de neuf :** canon anglais, en bronze.

– Dites donc, le mousse[1], cria-t-il, filez-moi de là. Allez demander au cuisinier qu'il vous donne de l'ouvrage.

180 Je m'esquivai au plus vite, mais je l'entendis qui disait au docteur, très haut :

– Je ne veux pas de privilégiés sur mon navire.

Je vous garantis que j'étais bien de l'avis du chevalier, et que je détestais cordialement le capitaine.

10

Le voyage

Toute la nuit se passa dans un grand affairement, à mettre les choses en place, et à recevoir des canots remplis d'amis du chevalier, et entre autres M. Blandly, qui vinrent lui souhaiter bon voyage et prompt retour. Il n'y eut jamais de nuit, à l'Amiral

5 Benbow, où je travaillai moitié autant, et lorsque, un peu avant le jour, le sifflet du maître d'équipage retentit et que l'équipage se disposa aux barres de cabestan, j'étais exténué. Mais même deux fois plus las, je n'aurais pas quitté le pont.

Tout y était trop nouveau pour ma curiosité : les brefs comman-

10 dements, le son aigu du sifflet, les hommes courant à leurs postes dans la faible clarté des falots[2] du bord.

– Allons, John, donne-nous un refrain, lança quelqu'un.

– Celui de jadis, cria un autre.

– Bien, camarades, répondit Long John, qui se tenait auprès

15 d'eux, reposant sur sa béquille.

Et aussitôt il attaqua l'air et les paroles que je connaissais trop :

Nous étions quinze sur le coffre du mort...

Et tout l'équipage reprit en chœur :

Yo-ho-ho ! et une bouteille de rhum !

20 Et au troisième ho ! tous poussèrent avec ensemble sur les barres de cabestan.

---

1. **Mousse :** jeune garçon qui apprend le métier de marin sur un bateau.
2. **Falots :** grandes lanternes.

Malgré la minute palpitante, je fus reporté sur l'instant à l'Amiral Benbow, et je crus entendre se mêler au chœur la voix du capitaine. Mais coup sur coup l'ancre sortit de l'eau, ruisselante, et s'accrocha aux bossoirs[1] ; puis les voiles prirent le vent, la terre et les navires défilèrent à droite et à gauche. Avant que je me fusse couché pour prendre une heure de repos, le voyage de l'*Hispaniola* était commencé, et elle voguait vers l'île au trésor.

Je ne relaterai pas en détail ce voyage. Il fut des plus favorisés. Le navire se montra excellent, les gens de l'équipage étaient de bons matelots, et le capitaine connaissait à fond son métier. Toutefois, avant d'atteindre l'île au trésor, il se produisit deux ou trois incidents que je dois rapporter.

Pour commencer, M. Arrow se révéla pire encore que ne le craignait le capitaine. Il n'avait pas d'autorité sur les hommes, et avec lui on ne se gênait pas. Mais ce n'était pas le plus grave ; car, après deux ou trois jours de navigation, il ne monta plus sur le pont qu'avec des yeux troubles, des joues enflammées, une langue balbutiante ; bref, avec tous les symptômes d'ivresse. À plusieurs reprises, il fut mis aux arrêts[2]. Parfois il tombait et se blessait, ou bien il passait toute la journée étendu dans son hamac de la dunette ; d'autres fois, pour un jour ou deux, il était presque de sang-froid et remplissait à peu près ses fonctions.

Cependant, nous n'arrivions pas à découvrir d'où il tenait son alcool. C'était l'énigme du bord. Malgré toutes nos recherches, nous ne pûmes la résoudre. L'interrogeait-on directement, il vous riait au nez quand il était ivre, et s'il était de sang-froid, il jurait ses grands dieux qu'il ne prenait jamais autre chose que de l'eau.

Non seulement il était mauvais officier et d'un fâcheux exemple pour les hommes, mais de ce train[3] il allait directement à la mort. On fut peu surpris, et guère plus chagriné, quand par une nuit noire, où la mer était forte et le vent debout, il disparut définitivement.

---

1. **Bossoirs :** les deux grosses pièces de bois qui servent à suspendre et à hisser les ancres.
2. **Mis aux arrêts :** en termes militaires, la mise aux arrêts est une punition obligeant à rester dans un lieu déterminé, sans plus servir.
3. **De ce train :** à ce rythme, à cette vitesse.

– Un homme à la mer ! prononça le capitaine. Ma foi, messieurs,
cela nous épargne l'ennui de le mettre aux fers[1].

Mais cela nous laissait dépourvus de second ; il fallut donc donner de l'avancement à l'un des hommes. Job Anderson, le maître
d'équipage, était à bord le plus qualifié, et tout en gardant son
ancien titre, il joua le rôle de second. M. Trelawney avait navigué,
et ses connaissances nous servirent beaucoup, car il lui arrivait
de prendre lui aussi son quart, par temps maniable. Et le quartier-maître[2], Israël Hands, était un vieux marin d'expérience, prudent et avisé[3], en qui on pouvait avoir pleine confiance en cas de
nécessité.

C'était le grand confident de Long John Silver ; et puisque je
viens de le nommer, je parlerai de notre maître coq, Cochon-Rôti,
comme l'appelait l'équipage.

À bord, pour avoir les deux mains le plus libres possible, il portait sa béquille suspendue à une courroie passée autour du cou.
C'était plaisir de le voir caler contre une cloison le pied de cette
béquille et, arc-bouté[4] dessus, suivant toutes les oscillations du
navire, faire sa cuisine comme sur le plancher des vaches. Il était
encore plus curieux de le voir circuler sur le pont au plus fort
d'une bourrasque. Pour l'aider à franchir les intervalles trop larges,
on avait disposé quelques aussières[5], qu'on appelait les boucles
d'oreilles de Long John ; et il se transportait d'un lieu à l'autre, soit
en usant de sa béquille, soit en la traînant par la courroie, aussi
vite que n'importe qui. Mais ceux des hommes qui avaient jadis
navigué avec lui s'apitoyaient de l'en voir réduit là.

– Ce n'est pas un homme ordinaire, Cochon-Rôti, me disait
le quartier-maître. Il a reçu de l'instruction dans sa jeunesse, et
quand ça lui chante il parle comme un livre. Et d'une bravoure !…
un lion n'est rien comparé à Long John ! Je l'ai vu, seul et sans
armes, empoigner quatre adversaires et fracasser leurs têtes les
unes contre les autres !

---

1. **Le mettre aux fers :** lui mettre des fers aux pieds, l'enchaîner.
2. **Quartier-maître :** marin du premier grade au-dessus de matelot.
3. **Avisé :** plein de sagesse et de bon sens.
4. **Arc-bouté :** fermement appuyé (sur la béquille).
5. **Aussières :** câbles d'amarrage, cordages.

L'Île au trésor

Tout l'équipage l'aimait, et voire lui obéissait. Il avait la manière de leur parler à tous et de rendre service à chacun. Envers moi, il était d'une obligeance[1] inlassable, et toujours heureux de m'accueillir dans sa cuisine, qu'il tenait propre comme un sou neuf, et où l'on voyait des casseroles reluisantes pendues au mur, et dans un coin une cage avec son perroquet.

– Allons, Hawkins, me disait-il, viens faire la causette avec John. Tu es le bienvenu entre tous, mon fils. Assieds-toi pour entendre les nouvelles. Voici capitaine Flint – j'appelle mon perroquet ainsi, en souvenir du fameux flibustier –, voici capitaine Flint qui prédit la réussite à notre voyage. Pas vrai, capitaine ?

Et le perroquet de prononcer avec volubilité[2] : « Pièces de huit ! pièces de huit ! pièces de huit ! » jusqu'au moment où John couvrait la cage de son mouchoir.

– Vois-tu, Hawkins, me disait-il, cet oiseau est peut-être âgé de deux cents ans. Ils vivent parfois plus que cela, et le diable seul a vu plus de crimes que lui. Il a navigué avec England[3], le grand capitaine England, le pirate. Il a été à Madagascar, au Malabar[4], au Surinam[5], à Providence[6], à Portobello[7]. Il assistait au renflouage[8] des galions[9] de la Plata. C'est là qu'il apprit : « Pièces de huit » ; et rien d'étonnant, il y en avait trois cent cinquante mille, Hawkins ! Il se trouvait à l'abordage[10] du *Vice-Roi-des-Indes*[11], au large de Goa[12],

---

1. **Obligeance :** amabilité, politesse.
2. **Volubilité :** éloquence de celui qui aime bavarder.
3. **England :** pirate anglais qui ravagea les côtes de Madagascar vers 1720.
4. **Malabar :** partie de la côte sud-ouest de l'Inde.
5. **Surinam :** État du nord de l'Amérique du Sud, ancienne Guyane hollandaise.
6. **Providence :** Ville des États Unis, capitale du Rhode Island.
7. **Portobello :** port d'Amérique, d'où partaient les galions espagnols, et où mourut le célèbre corsaire anglais Francis Drake.
8. **Renflouage :** remise d'un bateau à flot alors qu'il est échoué.
9. **Galions :** grands navires de charge que l'Espagne employait autrefois pour porter en Amérique les choses nécessaires aux colons et en Europe les produits des mines du Pérou, du Mexique.
10. **Abordage :** 1) assaut donné à un navire ennemi ; 2) arrivée d'un navire contre un quai.
11. ***Vice-Roi-des-Indes :*** nom d'un navire.
12. **Goa :** ancienne ville de l'Inde, sur la côte sud-ouest. (Aujourd'hui, Goa est le nom d'un des États de l'Inde.)

oui, lui-même. À le voir on croirait un innocent ; mais tu as flairé la poudre, hein, capitaine ?

110   – Garde à vous ! pare à virer[1] ! glapissait le perroquet.

    – Ah ! c'est un fin matois[2], disait le coq en lui donnant du sucre tiré de sa poche. (Et l'oiseau becquetait aux barreaux et lançait une bordée de[3] blasphèmes d'une abomination à faire frémir.) C'est ainsi, mon gars ! ajoutait John, tel qui touche à la poix[4] s'embar-

115 bouille. Témoin ce pauvre vieil innocent d'oiseau, qui jure feu et flammes, et n'en sait rien, bien sûr. Il jurerait tout pareil, si j'ose dire, devant un curé.

    Et John portait la main à son front avec une gravité particulière que je jugeais des plus édifiantes.

120   Cependant, le chevalier et le capitaine Smollett se tenaient toujours sur une défensive réciproque. Le chevalier n'y allait pas par quatre chemins : il détestait le capitaine. Le capitaine, de son côté, ne parlait que pour répondre aux questions, et encore, de façon nette, brève et sèche, sans un mot de trop. Il reconnaissait, une

125 fois mis au pied du mur, qu'il s'était apparemment trompé sur le compte des hommes, que certains étaient actifs à souhait, et que tous s'étaient fort bien comporté jusqu'ici. Quant au navire, il avait conçu pour lui un goût extrême.

    – Il navigue au plus près, mieux qu'on n'est en droit de l'at-

130 tendre de sa propre épouse, monsieur… Mais, ajoutait-il, tout ce que je puis dire est que nous ne sommes pas encore rentrés chez nous, et que je n'aime pas cette croisière.

    Le chevalier, là-dessus, se détournait et arpentait le tillac[5] d'un bout à l'autre, le menton relevé.

135   – Cet homme m'exaspère, disait-il ; pour un rien j'éclaterais.

    Nous rencontrâmes un peu de gros temps[6], et l'*Hispaniola* n'en montra que mieux ses qualités. Tout le monde à bord paraissait enchanté, et il n'en pouvait guère aller autrement, car jamais équi-

---

1. **Pare à virer :** prépare-toi à virer de bord (changer de direction).
2. **Matois :** rusé.
3. **Une bordée de :** un flot de, beaucoup de.
4. **Poix :** matière collante, visqueuse et inflammable à base de résines et de goudrons végétaux utilisée pour rendre les assemblages étanches.
5. **Tillac :** pont supérieur du navire.
6. **Gros temps :** mauvais temps.

page ne fut plus gâté, je crois, depuis que Noé[1] mit son arche à la mer. On doublait la ration de grog au moindre prétexte ; certains jours on servait du pudding[2], par exemple quand le chevalier apprenait que c'était l'anniversaire de quelqu'un de l'équipage ; et il y avait en permanence sur le pont une barrique de pommes où puisait qui voulait.

– Ces manières-là, disait le capitaine au docteur Livesey, n'ont jamais profité à personne, que je sache. Gâtez les matelots, vous en faites des diables. Voilà ma conviction.

Mais la barrique de pommes nous profita, comme on va le lire, car sans elle rien ne nous eût avertis, et nous périssions tous par trahison.

Voici comment la chose arriva.

Nous avions remonté les alizés[3] pour aller chercher le vent de l'île que nous voulions atteindre – je ne suis pas autorisé à être plus précis –, et nous courions vers elle, en faisant bonne veille jour et nuit. C'était à peu près le dernier jour de notre voyage d'aller. Dans la nuit, ou au plus tard le lendemain dans la matinée, l'île au trésor serait en vue. Nous avions le cap au S.-S.-O.[4], avec une brise bien établie par le travers et une mer belle. L'*Hispaniola* se balançait régulièrement, et son beaupré[5] soulevait par intervalles une gerbe d'embruns[6]. Toutes les voiles portaient[7], hautes et basses ; et comme la première partie de notre expédition tirait à sa fin, chacun manifestait la plus vaillante humeur. Le soleil venait de se coucher. J'avais terminé ma besogne, et je regagnais mon hamac, lorsque je m'avisai de manger une pomme. Je courus sur le pont. Les gens de quart[8] étaient tous à l'avant, à guetter l'appa-

---

1. **Noé :** allusion à l'arche de Noé et au déluge dans la Bible.
2. **Pudding :** entremets anglais à la graisse de bœuf avec des œufs, du sucre et des fruits.
3. **Remonté les alizés :** à la surface de l'océan, les alizés (vents) circulent d'est en ouest.
4. **S.-S.-O. :** sud-sud-ouest.
5. **Beaupré :** mât à l'avant d'un voilier.
6. **Embruns :** pluie fine formée par le vent qui balaie la crête des vagues.
7. **Portaient :** étaient gonflées par le vent.
8. **Quart :** période de service de garde à bord du navire.

rition de l'île. L'homme de barre surveillait le lof[1] de la voilure et sifflait tranquillement un air. À part ce son, on n'entendait que le bruissement des flots contre le taille-mer[2] et les flancs du navire.

170 J'entrai tout entier dans la barrique de pommes, qui était presque vide, et m'y accroupis dans le noir. Le bruit des vagues et le bercement du navire étaient sur le point de m'assoupir, lorsqu'un homme s'assit bruyamment tout contre. La barrique oscilla sous le choc de son dos, et je m'apprêtais à sauter dehors,

175 quand l'homme se mit à parler. Je reconnus la voix de Silver, et il n'avait pas prononcé dix mots, que je ne me serais plus montré pour tout au monde. Je restai là, tremblant et aux écoutes, dévoré de peur et de curiosité : par ces dix mots je devenais désormais responsable de l'existence de tous les honnêtes gens du bord.

11

Ce que j'entendis dans la barrique de pommes

– Non pas, dit Silver. Flint était capitaine ; moi, quartier-maître, à cause de ma jambe de bois. J'ai perdu ma jambe dans la même bordée[3] qui a coûté la vue à ce vieux Pew. Celui qui m'amputa était docteur en chirurgie... avec tous ses grades universitaires...

5 du latin à revendre et je ne sais quoi encore ; mais n'empêche qu'il fut pendu comme un chien et sécha au soleil avec les autres, à Corso Castle[4]. C'étaient des hommes de Roberts, ceux-là, et tout leur malheur vint de ce qu'ils avaient changé les noms de leurs navires... la *Royal Fortune*, et cætera. Or, quand un navire est bap-

10 tisé d'une façon, je dis qu'il doit rester de même. C'est ainsi qu'on a fait avec la *Cassandra*, qui nous ramena tous sains et saufs du

---

1. **Lof :** celui des coins inférieurs d'une basse voile qui est du côté du vent.
2. **Taille-mer :** partie inférieure de la proue d'un navire.
3. **Bordée :** décharge simultanée de tous les canons rangés sur un des bords d'un vaisseau.
4. **Corso Castle :** fort côtier, sur la côte du Ghana actuel (Afrique).

Malabar, après qu'England eut capturé le *Vice-Roi-des-Indes* ; de même pour le vieux *Walrus*[1], le navire de Flint, que j'ai vu ruisselant de carnage et chargé d'or à couler.

15   – Ah ! s'écria une autre voix (celle du plus jeune marin du bord, évidemment plein d'admiration), c'était la fleur du troupeau[2], que Flint !

    – Davis aussi était un gaillard, sous tous rapports, reprit Silver. Mais je n'ai jamais navigué avec lui : d'abord avec England, puis 20 avec Flint, voilà tout ; et cette fois-ci pour mon propre compte, en quelque sorte. Du temps d'England, j'ai mis de côté neuf cents livres[3], et deux mille après Flint. Ce n'est pas mal pour un homme de l'avant[4]. Le tout déposé en banque. Gagner n'est rien ; c'est conserver qui importe, croyez-moi. Que sont devenus tous les 25 hommes d'England, à présent ? Je l'ignore. Et ceux de Flint ? Hé ! hé ! la plupart ici à bord, et bien aises d'avoir du pudding... avant cela, ils mendiaient, certains. Le vieux Pew, après avoir perdu la vue, n'eut pas honte de dépenser douze cents livres en un an, comme un grand seigneur. Où est-il maintenant ? Eh bien, main-30 tenant il est mort, et à fond de cale[5] ; mais les deux années précédentes, misère ! il crevait la faim. Il mendiait, il volait, il égorgeait, et avec ça il crevait la faim, par tous les diables !

    – Ça ne vaut vraiment pas le coup, en somme, dit le jeune matelot.

35   – Pour les imbéciles, non, ça ne vaut pas le coup, ni ça ni autre chose ! s'écria Silver. Mais tiens, écoute : tu es jeune, c'est vrai, mais tu es sage comme une image. J'ai vu cela du premier coup d'œil, et je te parle comme à un homme.

On peut se figurer ce que j'éprouvai en entendant cet infâme 40 vieux fourbe employer avec un autre les mêmes termes flatteurs dont il avait usé avec moi. Si j'en avais eu le pouvoir, je l'aurais volontiers tué à travers la barrique. Cependant, il poursuivit, sans guère soupçonner que je l'écoutais :

---

1. **Walrus :** en anglais ce mot signifie « morse ».
2. **La fleur du troupeau :** le meilleur du troupeau.
3. **Livres :** monnaie anglaise.
4. **L'avant :** voir note 1, p. 22.
5. **À fond de cale :** dans la bouche du marin, signifie « enterré ».

– Tel est le sort des gentilshommes de fortune[1]. Ils ont la vie
dure et risquent la corde, mais ils mangent et boivent comme des
coqs en pâte[2], et quand vient la fin d'une croisière, ce sont des centaines de livres qu'ils ont en poche, au lieu de centaines de liards[3].
Alors, presque tous se mettent à boire et à se donner du bon
temps, et on reprend la mer avec sa chemise sur le dos. Mais moi,
ce n'est pas mon genre. Je place tout, un peu ici, un peu là, et nulle
part de trop, crainte des soupçons. J'ai cinquante ans, remarque ;
une fois de retour de cette croisière, je m'établis rentier[4] pour de
bon. Et ce n'est pas trop tôt, diras-tu. Oui, mais j'ai vécu à l'aise
dans l'intervalle ; jamais je ne me suis rien refusé, j'ai dormi sur la
plume[5] et mangé du bon, tout le temps, sauf en mer. Et comment
ai-je commencé ? À l'avant, comme toi.

– Soit, dit l'autre ; mais tout l'argent que tu avais est perdu maintenant, pas vrai ? Tu n'oseras plus te montrer dans Bristol après ce
coup-ci.

– Et où crois-tu donc qu'est mon argent ? demanda Silver,
ironique.

– À Bristol, dans les banques et ailleurs, répondit son
compagnon.

– Il y était, il y était encore quand nous avons levé l'ancre. Mais
la vieille l'a retiré, à présent. Elle a vendu la Longue-Vue[6], bail,
clientèle et tout le gréement[7], et la brave fille est en route pour
venir me rejoindre. Je te dirais bien où, car j'ai confiance en toi,
mais ça rendrait les copains jaloux.

– Et tu peux te fier à ta bourgeoise[8] ?

---

1. **Gentilshommes de fortune :** aventuriers (ici pirates) qui aiment la grande vie ;
   nom par lequel les pirates se désignent entre eux.
2. **Comme des coqs en pâte :** avec abondance.
3. **Liards :** petite monnaie de peu de valeur.
4. **Rentier :** personne qui vit de ses rentes (revenus réguliers provenant de biens que
   l'on fait fructifier).
5. **J'ai dormi sur la plume :** j'ai dormi sur un lit de plumes, c'est-à-dire très
   douillettement.
6. **La Longue-Vue :** il s'agit de l'auberge de John Silver.
7. **Gréement :** équipement.
8. **Ta bourgeoise :** ta femme.

70   – Les gentilshommes de fortune se fient généralement peu les uns aux autres, et ils ont raison, sois-en sûr. Mais j'ai ma méthode à moi. Quand un camarade me joue un tour de cochon – quelqu'un qui me connaît, je veux dire –, il ne reste pas longtemps dans le même monde que le vieux John. Certains avaient peur de
75 Pew, d'autres de Flint ; mais Flint lui-même avait peur de moi. Il avait peur, malgré son arrogance. Ah ! ce n'était pas un équipage commode, que celui de Flint ; le diable lui-même aurait hésité à s'embarquer avec eux. Eh bien, tiens, je te le dis, je ne suis pas vantard, mais quand j'étais quartier-maître, ils n'avaient rien de
80 l'agneau, les vieux flibustiers de Flint. Oh ! tu peux être sûr de ton affaire sur le navire du vieux John.

     – Eh bien, maintenant je peux te l'avouer, reprit le gars, la combinaison ne me plaisait pas à la moitié du quart ; mais maintenant que j'ai causé avec toi, John, j'en suis. Tope là !

85   – Tu es un brave garçon, et fin, avec ça, répliqua Silver, en lui secouant la main si chaleureusement que la barrique en trembla. Je n'ai jamais vu personne mieux désigné pour faire un gentilhomme de fortune.

     Je commençais à saisir le sens de leurs expressions. Un « gentil-
90 homme de fortune », pour eux, ce n'était ni plus ni moins qu'un vulgaire pirate, et le dialogue que je venais de surprendre parachevait la corruption[1] de l'un des matelots restés honnêtes – peut-être le dernier qui fût à bord. Mais sur ce point je devais être bientôt fixé. Silver lança un léger coup de sifflet, et un troisième individu
95 survint, qui s'assit auprès des deux autres.

     – Dick marche, lui dit Silver.

     – Oh ! je savais bien que Dick marcherait, prononça la voix du quartier-maître, Israël Hands. Ce n'est pas un imbécile que Dick… (Il roula sa chique et cracha.) Mais dis, Cochon-Rôti, je voudrais
100 bien savoir combien de temps nous allons rester à bouliner[2] sur ce fichu canot d'approvisionnement ! Crénom ! j'en ai plein le dos du capitaine Smollett. Il y a assez longtemps qu'il m'embête. Tonnerre ! Je veux aller dans la cabine, moi aussi ! Je veux goûter leurs cornichons, leurs vins et le reste !

---

1. **Corruption :** incitation à agir contre le devoir et la morale.
2. **Bouliner :** naviguer.

105 – Israël, dit Silver, tu n'as pas beaucoup de jugeotte, et ce n'est pas nouveau. Mais tu es capable d'écouter, je pense ; du moins, tes oreilles sont assez grandes. Or, voici ce que je dis : vous coucherez à l'avant, et vous aurez la vie dure, et vous filerez doux, et vous resterez sobres[1], jusqu'à ce que je donne l'ordre d'agir ; et tu peux
110 m'en croire, mon gars.

– Eh ! est-ce que je te dis le contraire ? grommela le quartier-maître. Je demande seulement : pour quand est-ce ? Voilà tout ce que je dis.

– Pour quand ? par tous les diables ! s'écria Silver. Eh bien donc,
115 si tu veux le savoir, je vais te le dire, pour quand. Le plus tard possible, voilà ! Nous avons un navigateur de première classe, le capitaine Smollett, qui dirige pour nous ce sacré navire. Il y a ce chevalier et ce docteur qui ont une carte et le reste… Je ne sais pas où elle est, cette carte, moi. Toi non plus, n'est-ce pas ? Alors
120 donc, je veux que ce chevalier et ce docteur trouvent la marchandise et nous aident à l'embarquer, par tous les diables ! Alors nous verrons. Si j'étais sûr de vous tous, doubles fils de Hollandais que vous êtes, j'attendrais pour faire le coup que le capitaine Smollett nous ait ramenés à mi-course.

125 – Mais quoi, nous sommes tous des navigateurs ici à bord, je pense, répliqua le jeune Dick.

– Dis plutôt que nous sommes tous des matelots de gaillard d'avant, riposta Silver. Nous pouvons tenir un cap, mais qui saura l'établir ? Vous en seriez bien empêchés, tous tant que vous êtes,
130 vous les gentilshommes de fortune. Si on me laissait faire, j'attendrais que le capitaine Smollett nous ait ramenés jusqu'aux vents alizés, au moins ; comme ça, ni sacrés faux calculs, ni rationnement à une cuillerée d'eau par jour. Mais je vous connais. J'en finirai avec eux sur l'île même, sitôt la marchandise à bord, et tant
135 pis pour nous!… C'est dommage. Mais vous n'êtes jamais contents qu'après avoir bu. Malheur ! ce n'est vraiment pas drôle d'avoir à compter avec des idiots comme vous !…

– Tout doux, Long John, protesta Israël. Qui donc te contredit ?

---

1. **Sobres :** qui n'ont pas absorbé de boissons alcoolisées.

— Hein, songez combien de grands navires j'ai vu amariner[1], et combien de vaillants gars sécher au soleil sur le quai des Potences ! et tout ça pour avoir été aussi pressés, pressés, pressés. Vous m'entendez ? J'ai vu quelques petites choses, en mer, moi. Si vous vouliez simplement tenir votre route, et au plus près du vent, bientôt vous rouleriez carrosse, oui ! Mais à d'autres ! Je vous connais. Soit ! vous aurez votre lampée[2] de rhum demain, et allez vous faire pendre !

— Tu prêches[3] comme un curé, John, c'est connu, rétorqua Israël ; mais d'autres ont su manœuvrer et gouverner aussi bien que toi. Ils admettaient la plaisanterie, eux. En tout cas, ils étaient moins hautains et moins cassants. Ils acceptaient les observations en gais compagnons, tous ceux-là.

— Ouais ! reprit Silver. Et où sont-ils maintenant ? Pew était de ce calibre, et il a fini mendiant. Flint aussi, et il est mort, tué par le rhum, à Savannah. Ah ! quelle belle équipe ! Seulement, où sont-ils ?

— Mais enfin, intervint Dick, quand nous les aurons à notre merci, qu'est-ce que nous ferons d'eux ?

— Voilà un garçon qui me botte ! s'écria le cuisinier, avec admiration. C'est ce que j'appelle parler affaires. Eh bien, à votre avis ? Les abandonner à terre ? C'eût été la manière d'England. Ou bien les égorger comme des porcs ? C'est ce qu'auraient fait Flint ou Billy Bones.

— Billy était homme à ça, convint Israël. Les morts ne mordent pas, qu'il disait. Bah, il est mort lui-même, à présent, et connaît la chose parfaitement désormais ; mais quel homme à poigne !

— Tu dis bien, reprit Silver. Rude et prompt. Remarquez : je suis un homme doux... je suis tout à fait galant homme, pas vrai ? mais cette fois, c'est sérieux. Les affaires avant tout, camarades. Je vote : la mort. Quand je serai au Parlement[4] et roulant dans mon car-

---

1. **Amariner :** envoyer des gens pour remplacer l'équipage d'un navire pris à l'ennemi.
2. **Lampée :** grande gorgée.
3. **Tu prêches :** tu fais la morale.
4. **Parlement :** l'ensemble des deux assemblées chargées de voter les lois en Angleterre (Chambre des lords et Chambre des communes).

70 rosse, je ne veux pas qu'un de ces « avocats de mer » de la cabine s'amène au pays, à l'improviste, comme le diable à la prière. Mon principe est d'attendre, mais l'occasion venue, d'y aller ferme !

– John, s'écria le quartier-maître, tu es un homme.

75 – Tu le diras, Israël, quand tu m'auras vu à l'œuvre... Je ne réclame qu'une chose : Trelawney. De mes propres mains, je dévisserai de son corps sa tête de veau... Dick, en gentil garçon, lève-toi et donne-moi une pomme, pour m'humecter un peu le gosier.

Imaginez ma terreur. J'aurais sauté dehors et pris la fuite, si j'en avais trouvé la force ; mais le cœur me manquait, aussi bien 80 que les muscles. Au bruit, je compris que Dick se levait ; mais quelqu'un l'arrêta.

Et j'entendis la voix de Hands :

– Bah ! laisse donc ce fond de tonneau, John. Buvons un coup de rhum, ça vaudra mieux !

85 – Dick, acquiesça Silver, je me fie à toi. Il y a une jauge sur le baril de rhum. Voici la clef : tu rempliras une topette[1] et tu nous l'apporteras.

Ce devait être ainsi, j'y songeai malgré ma terreur, que M. Arrow se procurait les spiritueux[2] qui l'avaient tué.

90 Dick parti, Israël profita de son absence pour parler à l'oreille du coq. Je ne pus saisir que peu de mots, mais parmi eux, ceux-ci, qui étaient d'importance :

« Pas un seul des autres ne se joindra à nous. » Donc, il y avait encore des hommes fidèles à bord.

95 Dick revenu, la topette passa de main en main. Tous trois burent. L'un dit :

– À notre réussite !

L'autre :

– À la santé du vieux Flint.

100 Et Silver prononça, sur un ton de mélopée[3] :

---

1. **Topette :** petite fiole (bouteille) d'alcool.
2. **Spiritueux :** alcools forts.
3. **Mélopée :** musique monotone et triste.

L'Île au trésor

– À nous ! Tenez le guindant[1] ! À nous les butins et les galettes[2] !

À ce moment, une vague clarté m'atteignit au fond de ma barrique. Je levai les yeux, et vis que la lune s'était levée, argentant le mât de misaine[3] et répandant un éclat blanc sur le guindant de la grand-voile. Presque au même instant, la vigie[4] cria « Terre ! ».

---

1. **Tenez le guindant :** manœuvre destinée à maintenir la vergue (pièce de bois fixée au mât et qui porte une voile) pointée vers le haut quand on hisse la voile. Le guindant d'une voile est sa hauteur le long du mât.
2. **Galette :** argent (argot).
3. **Mât de misaine :** mât le plus à l'avant.
4. **Vigie :** matelot posté en sentinelle, en haut du mât.

Clefs d'analyse

Action et personnages

1. En vous appuyant sur l'image que John Silver donne de lui-même, justifiez l'expression « ce tavernier de bonne mine et d'humeur affable » qu'emploie Jim après sa première rencontre avec le cuisinier.

2. Montrez l'habileté de John Silver au moment où Jim reconnaît Chien-Noir à l'auberge de la Longue-Vue. Par quelles paroles et actions arrive-t-il à faire taire les soupçons du jeune garçon ?

3. À la suite de cet épisode, par quelle ruse gagne-t-il la confiance du docteur et du chevalier ?

4. Expliquez les relations du chevalier Trelawney avec Arrow le second et le capitaine Smollett.

5. Quels sentiments exprime le capitaine Smollett à l'égard de l'équipage et plus globalement de l'expédition ? Que reproche-t-il au docteur Livesey et au chevalier Trelawney ? Finalement sur quels points se fait-il entendre ?

6. Qui a révélé le but secret du voyage de l'*Hispaniola* ? Quel danger ces indiscrétions font-elles courir aux organisateurs de l'expédition ?

7. Quels problèmes pose Arrow le second pendant le voyage ? Par qui est-il remplacé ?

8. Quel est le vrai visage de Silver ? Comment a-t-il vécu jusque-là ? Pourquoi a-t-il repris la mer ?

9. Dick, « l'un des matelots restés honnêtes – peut-être le dernier qui fût à bord », se rallie à John Silver : comment se laisse-t-il corrompre ?

10. Expliquez la stratégie de John Silver. Pourquoi n'attaque-t-il pas tout de suite ? Quels traits de caractère affiche-t-il ainsi ?

11. Que ressent Jim caché dans la barrique de pommes ? Relevez quelques mots-clés.

Langue

1. Citez quelques termes de vocabulaire maritime très spécialisé. Qu'apporte au récit l'abondance de ce vocabulaire ?

2. Quel est le niveau de langage de John Silver ? Relevez quelques termes caractéristiques.

Genre ou thèmes

1. « Je ne relaterai pas en détail ce voyage » (chap. 10, l. 29) : pourquoi le narrateur juge-t-il inutile de faire le récit détaillé du voyage ?

2. « Comme on va le voir » (chap. 9, l. 157) : à quel moment du récit fait référence cette phrase ? De quelle manière renforce-t-elle le suspense ?

3. Que révèle Silver sur l'existence des pirates ? Quelle fascination peuvent-ils exercer sur le lecteur ?

4. Le chapitre 11 se termine par l'exclamation de la vigie : « Terre ! » Montrez l'habileté de Stevenson romancier.

Écriture

1. Le quartier-maître estime que « ce n'est pas un homme ordinaire, Cochon-Rôti ». Êtes-vous de son avis ? Développez votre point de vue en faisant référence au caractère, aux actions et aux paroles du maître coq.

2. Soudain, John Silver découvre Jim au fond du tonneau. Imaginez la scène en adoptant un registre dramatique qui tiendra en haleine le lecteur.

Pour aller plus loin

1. Les soupçons du capitaine Smollett font sourire le Dr Livesey qui, trouvant ses précautions inutiles (chap. 9), fait référence à « la fable de la montagne qui accouche d'une souris ». Retrouvez ce texte de La Fontaine en vous aidant d'Internet.

✳ À retenir

Dans le cours du récit, Jim le narrateur s'adresse fréquemment à ses lecteurs désignés par le pronom personnel « vous ». En les prenant à témoin, il établit une complicité amicale, un lien fort avec eux. Fréquemment aussi, il anticipe sur la suite du récit en annonçant discrètement une péripétie : par cette technique d'écriture, il pique la curiosité du public et le pousse à avancer dans sa lecture.

12

Conseil de guerre

Des pas précipités se ruèrent sur le pont : on sortait en toute hâte de la cabine et du gaillard d'avant. Me glissant à la seconde hors de ma barrique, je me faufilai par-derrière la voile de misaine[1], fis un crochet vers la poupe[2], et débouchai sur le pont
5 supérieur, juste à temps pour rejoindre Hunter et le docteur Livesey qui couraient vers le bossoir[3] au vent.

Tout l'équipage s'y trouvait déjà rassemblé. Le brouillard qui nous entourait s'était levé peu après l'apparition de la lune. Là-bas, dans le sud-ouest, on voyait deux montagnes basses, distantes
10 de deux milles environ ; derrière l'une d'elles en apparaissait une troisième, plus élevée, dont le sommet était encore plongé dans la brume. Toutes trois semblaient abruptes et de forme conique.

Je vis tout cela comme dans un rêve, car je n'étais pas encore remis de la peur atroce que je venais de vivre. Puis j'entendis la
15 voix du capitaine Smollett qui lançait des ordres. L'*Hispaniola* fut orientée de deux quarts plus près du vent, et mit le cap de façon à éviter l'île par son côté est.

— Et maintenant, garçons, dit le capitaine quand la voilure fut bordée[4], quelqu'un de vous a-t-il jamais vu cette terre-là ?

20 — Moi, monsieur, répondit Silver. Nous y avons fait de l'eau[5] avec un navire marchand sur lequel j'étais cuisinier.

— Le mouillage est au sud, derrière un îlot, je suppose ? interrogea le capitaine.

— Oui, monsieur ; on l'appelle l'îlot du Squelette. Cette île était
25 autrefois un refuge de pirates, et nous avions à bord un matelot qui en connaissait tous les noms. Cette montagne au nord, ils l'appelaient le mont de Misaine ; il y a trois sommets alignés du nord

---

1. **Voile de misaine :** ou misaine, voile basse du mât de misaine.
2. **Poupe :** arrière du navire (par opposition à la proue).
3. **Bossoir :** appareil de levage qui, sur un bateau, permet de hisser ou de mettre à l'eau une embarcation.
4. **Bordée :** arrêtée, tendue par en bas.
5. **Fait de l'eau :** faire de l'eau signifie s'approvisionner en eau douce.

au sud, monsieur : misaine, grand mât et artimon[1]. Mais le grand
mât – c'est-à-dire le plus haut, avec un nuage dessus –, ils l'appe-
30 laient d'ordinaire la Longue-Vue, à cause d'une vigie qu'ils y pos-
taient lorsqu'ils venaient se réparer au mouillage ; car c'est là qu'ils
réparaient leurs navires, monsieur, sauf votre respect.

– J'ai ici une carte, dit le capitaine Smollett. Voyez si c'est bien
l'endroit.

35 Les yeux de Long John flamboyèrent quand il prit la carte ; mais
à l'aspect neuf du papier, je compris qu'il serait déçu. Ce n'était
pas la carte trouvée dans le coffre de Billy Bones, mais une copie
exacte, complète en tous points – noms, altitudes et profondeurs
–, à la seule exception des croix rouges et des notes manuscrites. Si
40 vif que fût son dépit[2], Silver eut la force de le dissimuler.

– Oui, monsieur, dit-il, c'est bien l'endroit, pour sûr, et très
joliment dessiné. Qui peut avoir fait cela, je me le demande. Les
pirates étaient trop ignorants, je suppose… Oui, voici : « Mouillage
du capitaine Kidd. » Juste le nom que lui donnait mon camarade
45 de bord. Il y a un fort courant qui longe la côte sud, puis remonte
vers le nord sur la côte ouest. Vous avez eu bien raison, capitaine,
d'appuyer sur le vent et de laisser l'île à bâbord, au moins si votre
intention est d'y mouiller pour caréner[3], il n'y a pas de meilleur
endroit dans ces parages.

50 – Merci, lui dit le capitaine Smollett. Je vous demanderai plus
tard de nous donner un coup de main. Vous pouvez aller.

J'étais surpris du cynisme avec lequel John avouait sa connaissance de l'île, et ce ne fut pas sans quelque appréhension que je le
vis s'approcher de moi. Évidemment il ne savait pas que, dissimulé
55 dans ma barrique de pommes, j'avais surpris son conciliabule[4],
mais j'avais à ce moment conçu une telle horreur de sa cruauté, de
sa duplicité[5] et de sa tyrannie, que j'eus peine à réprimer un frisson quand il posa la main sur mon bras.

---

1. **Artimon :** mât le plus à l'arrière.
2. **Dépit :** déception.
3. **Caréner :** nettoyer le bateau et remettre la coque en état.
4. **Conciliabule :** conversation privée.
5. **Duplicité :** hypocrisie.

60 – Hé ! hé ! me dit-il, c'est un gentil endroit, cette île… un gentil
endroit pour un garçon qui veut aller à terre. Tu te baigneras, tu
grimperas aux arbres, tu feras la chasse aux chèvres, et tu gamba-
deras sur ces montagnes comme une chèvre toi aussi. Vrai ! cela
me rajeunit. J'allais en oublier ma jambe de bois. C'est une chose
agréable, sois-en sûr, que d'être jeune et d'avoir ses dix orteils…
65 Quand l'envie te prendra de faire une petite exploration, tu n'auras
qu'à prévenir le vieux John, et il te préparera un en-cas[1], à emporter avec toi.

Et m'ayant tapé sur l'épaule de la façon la plus affectueuse, il
s'en alla clopinant et disparut dans le poste.

70 Le capitaine Smollett, le chevalier et le docteur Livesey s'entretenaient sur le tillac, et pour impatient que je fusse de leur conter
mon histoire, je n'osais les interrompre ouvertement. J'en étais toujours à chercher un prétexte plausible, quand le docteur Livesey
m'appela auprès de lui. Il avait laissé sa pipe en bas, et, fumeur
75 enragé, il voulait m'envoyer la chercher ; mais dès que je fus assez
près de lui pour parler sans risque d'être entendu, je lâchai tout à
trac[2] :

– Docteur, laissez-moi dire. Emmenez le capitaine et le chevalier en bas, dans la cabine, et trouvez un prétexte pour m'y faire
80 demander. J'ai de terribles nouvelles à vous apprendre.

Le docteur changea un peu de visage, mais un instant lui suffit
pour se dominer.

– Merci, Jim, dit-il très haut, comme s'il m'eût posé une question.
C'est tout ce que je voulais savoir.

85 Sur quoi il tourna les talons et rejoignit ses deux interlocuteurs.
Ils conversèrent un instant, et, bien qu'aucun d'eux n'eût tressailli,
ni même élevé la voix, il était clair que le docteur Livesey leur
avait transmis ma requête, car au bout d'une minute j'entendis
le capitaine donner à Job Anderson l'ordre de rassembler tout le
90 monde sur le pont.

– Mes gars, prononça le capitaine Smollett, j'ai un mot à vous
dire. Cette terre que vous voyez est le but de notre voyage. M.
Trelawney, qui est un gentilhomme très généreux, comme nous

---

1. **Un en-cas :** un petit repas, de quoi se restaurer.
2. **Tout à trac :** brusquement.

le savons tous, vient de me poser quelques questions sur vous, et comme j'ai pu lui affirmer que tout le monde à bord a fait son devoir, du premier au dernier, et à ma pleine satisfaction, eh bien ! lui et moi, avec le docteur, nous allons descendre dans la cabine pour boire à votre santé et à votre succès à vous, tandis qu'on vous servira le grog dehors et que vous boirez à notre santé et à notre succès à nous. Je vous le déclare, cela me paraît noble et généreux. Et si vous êtes du même avis, vous allez pousser un bon vivat[1] marin en l'honneur du gentilhomme qui vous régale.

Naturellement, le vivat retentit ; mais il était si chaleureux que, je l'avoue, j'avais peine à croire que ces mêmes hommes étaient en train de comploter notre mort.

– Encore un vivat pour le capitaine Smollett ! cria Long John, quand le premier se fut apaisé.

Et celui-là aussi fut poussé avec enthousiasme.

Là-dessus les trois messieurs descendirent, et peu après on vint dire à l'avant que Jim Hawkins était demandé dans la cabine.

Je les trouvai tous trois attablés devant une bouteille de vin d'Espagne et une assiette de raisins secs. Sa perruque sur les genoux, ce qui était chez lui un signe d'agitation, le docteur fumait. La fenêtre de poupe était ouverte sur la nuit chaude, et on voyait la lune se jouer dans le sillage du navire.

– Allons, Hawkins, prononça le chevalier, vous avez quelque chose à dire. Parlez.

Je m'exécutai, et, aussi brièvement que possible, je rapportai dans tous ses détails le conciliabule de Silver. On me laissa finir mon récit sans m'interrompre, et mes trois auditeurs, complètement immobiles, ne quittèrent pas mon visage des yeux, du début à la fin.

– Jim, dit le docteur Livesey, prends un siège.

Et ils me firent asseoir à leur table, me versèrent un verre de vin, me donnèrent une poignée de raisins. Puis tous trois, avec un grand salut, burent gravement à ma santé, pour le service que je venais de leur rendre, pour l'heureux hasard qui m'avait favorisé, et pour le courage dont j'avais fait preuve.

---

1. **Vivat :** acclamation en l'honneur de quelqu'un.

– Capitaine, dit le chevalier, vous aviez raison, et j'avais tort. Je ne suis qu'un sot, je l'avoue, et j'attends vos instructions.

– Pas plus sot que moi, monsieur, répondit le capitaine. Je n'ai jamais entendu parler d'un équipage qui, préparant une mutinerie, n'en manifeste au préalable quelques signes, permettant à quiconque a des yeux de prévoir le coup et de prendre ses mesures en conséquence.

– Capitaine, dit le docteur, c'est le fait de Silver. Un homme des plus remarquables.

– Il ferait remarquablement bien au bout d'une grand-vergue[1], monsieur, riposta le capitaine. Mais nous bavardons : cela ne mène à rien. Je vois trois ou quatre points, et avec la permission de M. Trelawney, je vais les énumérer.

– Vous êtes le capitaine, monsieur, dit avec noblesse M. Trelawney. C'est à vous de parler.

– Premier point, commença M. Smollett : il nous faut aller de l'avant, parce que nous ne pouvons reculer. Si je donne l'ordre de virer de bord, ils se révolteront aussitôt. Second point : nous avons du temps devant nous… au moins jusqu'à la découverte de ce trésor. Troisième point : il y a des matelots fidèles. Or, monsieur, comme il faudra en venir aux mains tôt ou tard, je propose de saisir l'occasion aux cheveux[2], comme on dit, et d'attaquer les premiers, le jour où ils s'y attendront le moins. Nous pouvons compter, je suppose, sur vos domestiques, monsieur Trelawney ?

– Comme sur moi-même.

– Cela fait trois. Avec nous, sept, en comptant Hawkins. Et quant aux matelots honnêtes ?…

– Apparemment les seuls hommes de Trelawney, dit le docteur ; ceux qu'il a choisis lui-même, avant de s'en remettre à Silver.

– Non pas, répliqua le chevalier ; Hands était un des miens.

– Je me serais pourtant fié à lui ! ajouta le capitaine.

– Et dire que ce sont tous des Anglais ! s'écria le chevalier. Pour un peu, monsieur, je ferais sauter le navire !

---

1. **Grand-vergue :** pièce de bois fixée au mât et qui porte une voile.
2. **Saisir l'occasion aux cheveux :** faire face à la situation au bon moment, avec fermeté et esprit de décision.

    – Eh bien, messieurs, reprit le capitaine, je n'ai pas grand-chose à ajouter. Nous devons nous mettre à la cape[1], si vous voulez bien, et faire bonne veille. C'est irritant, je le sais. Il serait plus agréable d'en venir aux mains. Mais il n'y a rien à faire tant que nous ne connaîtrons pas nos hommes. Mettre en panne[2], et attendre le vent, tel est mon avis.

    – Jim que voici, dit le docteur, peut nous aider mieux que personne. Les hommes ne se méfient pas de lui, et Jim est un garçon observateur.

    – Hawkins, ajouta le chevalier, je mets en vous une confiance énorme.

    Si flatteuse qu'elle fût, cette confiance me semblait bien peu justifiée, à moi qui me sentais si inexpérimenté ; et pourtant, grâce à un concours singulier de circonstances, ce fut en effet de moi que vint le salut[3]. En attendant, nous avions beau dire, sur vingt-six hommes, il n'y en avait que sept sur qui nous pouvions compter ; et de ces sept l'un était un enfant, si bien que nous étions six hommes faits d'un côté contre dix-neuf de l'autre.

---

1. **Nous mettre à la cape :** interrompre notre route, nous mettre face au vent, réduire la voilure pour parer au mauvais temps.
2. **Mettre en panne :** arrêter la marche du navire par l'orientation contrariée de sa voilure.
3. **Ce fut en effet de moi que vint le salut :** c'est moi qui sauvai la situation.

III. Mon aventure à terre

13

Comment je débarquai

Quand je montai sur le pont, le lendemain matin, l'île se présentait sous un aspect tout nouveau. La brise était complètement tombée, mais nous avions fait beaucoup de chemin durant la nuit, et à cette heure le calme plat nous retenait à un demi-mille envi-
5 ron dans le sud-est de la basse côte orientale. Sur presque toute sa superficie s'étendaient des bois aux tons grisâtres. Cette teinte uniforme était interrompue par des bandes de sable jaune garnissant les creux du terrain, et par quantité d'arbres élevés, de la famille des pins, qui dominaient les autres, soit isolément soit par
10 bouquets ; mais le coloris général était terne et mélancolique. Les montagnes dressaient par-dessus cette végétation leurs pitons de roc dénudé. Toutes étaient de forme bizarre, et la Longue-Vue, de trois ou quatre cents pieds la plus haute de l'île, offrait également l'aspect le plus bizarre, s'élançant à pic de tous côtés, et tronquée[1]
15 net au sommet comme un piédestal[2] qui attend sa statue.

L'*Hispaniola* roulait bord sur bord[3] dans la houle de l'océan. Les poulies grinçaient, le gouvernail battait, et le navire entier craquait, grondait et frémissait comme une usine. Je devais me tenir ferme au galhauban[4], et tout tournait vertigineusement sous mes
20 yeux, car, si j'étais assez bon marin lorsqu'on faisait route, rester

---

1. **Tronquée :** cassée, coupée.
2. **Piédestal :** socle.
3. **Roulait bord sur bord :** éprouvait un roulis violent et continu.
4. **Galhauban :** nom de plusieurs longues cordes qui, descendant du haut des mâts, aux deux côtés du vaisseau, servent à soutenir ces mâts.

ainsi à danser sur place comme une bouteille vide est une chose
que je n'ai jamais pu supporter sans quelque nausée, en particulier
le matin, et à jeun.

Cela en fut-il cause, ou bien l'aspect mélancolique de l'île, avec
ses bois grisâtres, ses farouches arêtes de pierre, et le ressac qui
devant nous rejaillissait avec un bruit de tonnerre contre le rivage
abrupt ? En tout cas, malgré le soleil éclatant et chaud, malgré les
cris des oiseaux de mer qui pêchaient alentour de nous, et bien
qu'on dût être fort aise d'aller à terre après une aussi longue navigation, j'avais, comme on dit, le cœur retourné, et dès ce premier
coup d'œil je pris en grippe à tout jamais l'île au trésor.

Nous avions en perspective une matinée de travail ardu, car il
n'y avait pas trace de vent, il fallait mettre à la mer les canots et
remorquer le navire à la rame, l'espace de trois ou quatre milles,
pour doubler la pointe de l'île et l'amener par un étroit chenal[1] au
mouillage situé derrière l'îlot du Squelette. Je pris passage dans
l'une des embarcations, où je n'avais d'ailleurs rien à faire. La chaleur était étouffante et les hommes pestaient furieusement contre
leur besogne. Anderson commandait mon canot, et au lieu de rappeler à l'ordre ses rameurs, il protestait plus fort que les autres.

– Bah ! lança-t-il avec un juron, ce n'est pas pour toujours.

Je vis là un très mauvais signe ; jusqu'à ce jour, les hommes
avaient accompli leur travail avec entrain et bonne humeur, mais il
avait suffi de la vue de l'île pour relâcher les liens de la discipline.

Durant tout le trajet, Long John, debout dans le canot de tête,
servit de pilote. Il connaissait la passe comme sa poche, et bien que
le timonier[2], en sondant, trouvât partout plus d'eau que n'en indiquait la carte, John n'hésita pas une seule fois.

– Il y a une chasse[3] violente lors du reflux, dit-il, c'est comme si
cette passe avait été creusée à la bêche.

Nous mouillâmes juste à l'endroit indiqué sur la carte, à environ un tiers de mille de chaque rive, la terre d'un côté et l'îlot
du Squelette de l'autre. Le fond était de sable fin. Le plongeon de

---

1. **Chenal :** passage entre des rochers, des bancs, des terres.
2. **Timonier :** marin chargé de la barre qui oriente le gouvernail.
3. **Chasse :** dérapage. Une ancre chasse lorsqu'elle ne tient pas suffisamment sur le
   fond et qu'elle dérape. Le navire dérive alors.

notre ancre fit s'élever du bois une nuée tourbillonnante d'oiseaux
55 criards ; mais en moins d'une minute ils se posèrent de nouveau et
tout redevint silencieux.

La rade[1] était entièrement abritée par les terres et entourée de
bois dont les arbres descendaient jusqu'à la limite des hautes
eaux ; les côtes en général étaient plates, et les cimes des mon-
60 tagnes formaient à la ronde une sorte d'amphithéâtre[2] lointain.
Deux petites rivières, ou plutôt deux marigots[3], se déversaient
dans ce qu'on pourrait appeler un étang ; et le feuillage sur cette
partie de la côte avait une sorte d'éclat vénéneux[4]. Du navire,
impossible de voir le fortin[5] ni son enclos, car ils étaient complète-
65 ment enfouis dans la verdure ; et sans la carte étalée sur le capot,
nous aurions pu nous croire les premiers à jeter l'ancre en ce lieu
depuis que l'île était sortie des flots.

Il n'y avait pas un souffle d'air, ni d'autres bruits que celui du
ressac tonnant à un demi-mille de là, le long des plages et contre
70 les récifs. Un relent caractéristique de végétaux détrempés et de
troncs d'arbres pourrissants stagnait sur le mouillage. Je vis le docteur renifler longuement, comme on flaire un œuf gâté.

– Je ne sais rien du trésor, dit-il, mais je gagerais ma perruque[6]
qu'il y a de la fièvre[7] par ici.

75 Si la conduite des hommes avait été alarmante dans le canot, elle
devint réellement menaçante quand ils furent remontés à bord.
Ils se tenaient groupés sur le pont, à murmurer entre eux. Les
moindres ordres étaient accueillis par un regard noir, et exécutés à
regret et avec négligence. Les matelots honnêtes eux-mêmes sem-
80 blaient subir la contagion, car il n'y avait pas un homme à bord
qui réprimandât les autres. La mutinerie, c'était clair, nous menaçait comme une nuée d'orage.

---

1. **Rade :** plan d'eau ayant une ouverture vers la mer.
2. **Amphithéâtre :** espace ayant la forme d'un demi-cercle.
3. **Marigots :** bras de fleuves.
4. **Vénéneux :** toxique et redoutable.
5. **Fortin :** petit fort servant d'abri.
6. **Je gagerais bien ma perruque :** je suis prêt à parier ma perruque.
7. **Fièvre :** le docteur fait allusion à des maladies tropicales comme le paludisme.

Et nous n'étions pas les seuls, nous autres du parti de la cabine, à comprendre le danger. Long John s'évertuait[1], allant de groupe en groupe, et se répandait en bons avis. Personne n'eût pu donner meilleur exemple. Il se surpassait en obligeance et en politesse ; il prodiguait[2] des sourires à chacun. Donnait-on un ordre, John arrivait à l'instant sur sa béquille, avec le plus jovial[3] « Bien, monsieur ! », et quand il n'y avait rien d'autre à faire, il entonnait chanson sur chanson, comme pour dissimuler le mécontentement général.

De tous les fâcheux détails de cette fâcheuse après-midi, l'évidente anxiété de Long John apparaissait le pire.

On tint conseil[4] dans la cabine.

— Monsieur, dit le capitaine au chevalier, si je risque encore un ordre, tout l'équipage nous saute dessus, du coup. Oui, monsieur, nous en sommes là. Supposez qu'on me réponde grossièrement. Si je relève la chose, les anspects entrent en danse aussitôt ; si je ne dis rien, Silver sentira qu'il y a anguille sous roche[5], et la partie est perdue. Pour l'heure, nous n'avons qu'un seul homme à qui nous fier.

— Et qui donc ? interrogea le chevalier.

— Silver, monsieur : il est aussi désireux que vous et moi d'apaiser les choses. Ceci n'est qu'un accès d'humeur ; il le leur ferait vite passer s'il en avait l'occasion, et ce que je propose est de la lui fournir. Accordons aux hommes une après-midi à terre. S'ils y vont tous, eh bien ! le navire est à nous. Si personne n'y va, alors nous tenons la cabine, et Dieu défendra le bon droit. Si quelques-uns seulement y vont, notez mes paroles, monsieur, Silver les ramènera à bord, doux comme des agneaux.

Il en fut décidé ainsi ; on distribua des pistolets chargés à tous les hommes sûrs ; on mit dans la confidence Humer, Joyce et Redruth, et ils accueillirent les nouvelles avec moins de surprise et

---

1. **S'évertuait :** s'acharnait.
2. **Prodiguait :** distribuait.
3. **Jovial :** enthousiaste.
4. **On tint conseil :** on se réunit pour échanger des avis et prendre une décision.
5. **Il y a anguille sous roche :** quelque chose est en train de se tramer.

avec plus de confiance que nous ne l'avions attendu ; après quoi le capitaine monta sur le pont et harangua[1] l'équipage.

– Garçons, dit-il, la journée a été chaude, nous sommes tous fatigués et de méchante humeur. Une promenade à terre ne fera de mal à personne. Les yoles[2] sont encore à l'eau : prenez-les, et que tous ceux qui le désirent s'en aillent à terre pour l'après-midi. Je ferai tirer un coup de canon une demi-heure avant le coucher du soleil.

Ces imbéciles se figuraient sans doute qu'ils allaient se casser le nez sur le trésor aussitôt débarqués. Leur air maussade se dissipa en un instant, et ils poussèrent un vivat qu'une montagne éloignée renvoya en écho, ce qui provoqua à nouveau l'envol d'une nuée d'oiseaux criards tout autour du mouillage.

Le capitaine était trop fin pour rester auprès d'eux. Laissant à Silver le soin d'arranger l'expédition, il sortit précipitamment, et je crois que cela valait mieux. Fût-il demeuré sur le pont, il ne pouvait prétendre davantage ignorer la situation. Elle était claire comme le jour. Silver était le vrai capitaine, et son équipage était particulièrement insoumis. Les matelots honnêtes – et nous acquîmes bientôt la preuve qu'il en restait à bord – étaient à coup sûr des êtres bien stupides. Ou plutôt, voici, je crois, la vérité : l'exemple des meneurs avait convaincu tous les hommes, mais à des degrés divers, et quelques-uns, de braves gens au fond, refusaient de se laisser entraîner plus loin. C'est une chose que d'être fainéant et poltron, c'en est une autre que de s'emparer d'un navire et de massacrer un tas d'innocents.

L'expédition fut cependant organisée. Six matelots devaient rester à bord, et les treize autres, Silver inclus, commencèrent à embarquer.

C'est alors que la première des idées folles qui contribuèrent tant à nous sauver la vie me passa par la tête. Puisque Silver laissait six hommes, il était clair que nous ne pourrions nous emparer du navire ; et puisqu'il n'en restait que six, il était également clair que mes compagnons n'avaient pas besoin de moi. Il me prit tout

---

1. **Harangua :** fit un discours solennel.
2. **Yoles :** embarcations légères, étroites et allongées, qu'on fait avancer à l'aviron ; canots.

à coup la fantaisie d'aller à terre. En un clin d'œil, je m'esquivai
par-dessus bord et me blottis à l'avant du canot le plus proche, qui
150 démarra presque aussitôt.

Personne ne fit attention à moi, sauf le rameur de proue, qui me
dit :

– C'est toi Jim ? Baisse la tête.

Mais Silver, dans l'autre canot, tourna vivement la tête et nous
155 héla pour savoir si c'était moi. À cet instant je commençai à regret-
ter ce que j'avais fait.

Les équipes luttèrent de vitesse pour gagner le rivage ; mais
l'embarcation qui me portait avait une petite avance ; à la fois plus
légère et mieux manœuvrée, elle dépassa de loin sa concurrente.
160 Une fois l'avant du canot amarré sur les arbres de la grève, je saisis
une branche et m'y hissai pour sortir de l'embarcation ; puis je me
précipitai dans le bosquet le plus proche, tandis que Silver et les
autres étaient encore à cinquante toises[1] derrière moi.

– Jim ! Jim ! l'entendis-je appeler.

165 Mais vous pensez bien que je ne m'en souciais pas. Sautant, me
baissant et me frayant un passage dans la broussaille, je courais
droit devant moi à en perdre haleine.

14

Le premier coup

J'étais si content d'avoir planté là Long John que je commençai
à profiter de la situation et à considérer avec intérêt l'étrange pays
où je venais d'aborder.

J'avais franchi un espace marécageux, encombré de saules, de
5 joncs et de singuliers arbres paludéens[2] à l'aspect exotique, et
j'étais arrivé sur les limites d'un terrain découvert, aux ondulations sablonneuses, long d'un mille environ, parsemé de quelques
pins et d'un grand nombre d'arbustes rabougris ressemblant à des

---

1. **Toises :** la toise est une ancienne mesure de longueur valant 1,949 m.
2. **Arbres paludéens :** arbres qui poussent dans les marécages.

chênes, mais dont le feuillage argenté rappelait celui des saules.
10 À l'extrémité de cet espace à ciel ouvert s'élevait l'une des montagnes, dont le soleil éclatant illuminait les deux sommets, aux
escarpements bizarres.

Je connus alors pour la première fois les joies de l'explorateur.
L'île était inhabitée ; mes compagnons, je les avais laissés en
15 arrière, et rien ne vivait devant moi que des bêtes. Je rôdais au
hasard parmi les arbres. Çà et là fleurissaient des plantes inconnues de moi ; çà et là je vis des serpents, dont l'un darda[1] la tête
hors d'une crevasse de rocher, en sifflant avec un bruit assez
analogue au ronflement d'une toupie. Je ne me doutais guère que
20 j'avais là devant moi un ennemi mortel, et que ce bruit était celui
de la fameuse « sonnette ».

J'arrivai ensuite à un long fourré de ces espèces de chênes – des
chênes verts, comme j'appris plus tard à les nommer – qui buis-
sonnaient au ras du sable, telles des ronces, et entrelaçaient bizar-
25 rement leurs ramures, serrées dru[2] comme du chaume[3]. Le fourré
partait du haut d'un monticule de sable et s'étendait, toujours
en s'élargissant et augmentant de taille, jusqu'à la limite du vaste
marais plein de roseaux, parmi lequel se traînait la plus proche des
petites rivières qui débouchent dans le mouillage. Sous l'ardeur
30 du soleil, une exhalaison montait du marais, et les contours de la
Longue-Vue tremblotaient dans la buée.

Tout d'un coup, il se fit entre les joncs une sorte d'émeute : avec
un cri rauque, un canard sauvage s'envola, puis un autre, et bientôt, sur toute la superficie du marais, une énorme nuée d'oiseaux
35 criards tournoya dans l'air. Je jugeai par là que plusieurs de mes
compagnons de bord s'approchaient du marigot[4]. Et je ne me trompais pas, car je perçus bientôt les lointains et faibles accents d'une
voix humaine, qui se renforça et se rapprocha peu à peu, tandis
que je continuais à prêter l'oreille.

---

1. **Darda :** verbe « darder », dresser (quelque chose de pointu, ici la tête du serpent).
2. **Dru :** épais.
3. **Chaume :** paille longue utilisée pour couvrir les maisons.
4. **Marigot :** ici, marécage, marais.

40   Cela me jeta dans une grande frayeur. Je me glissai sous le feuillage du chêne vert le plus proche, et m'y accroupis, aux aguets, sans faire plus de bruit qu'une souris.

    Une autre voix répondit à la première ; puis une autre, que je reconnus pour celle de Silver, reprit et continua pendant assez
45 longtemps, interrompue par l'autre à deux ou trois reprises seulement. D'après le ton, les interlocuteurs causaient avec vivacité et se disputaient presque ; mais il ne me parvenait aucun mot distinct.

    À la fin, les deux hommes firent halte, et ils s'assirent proba-
50 blement, car non seulement ils cessèrent de se rapprocher, mais les oiseaux mêmes s'apaisèrent peu à peu et retournèrent à leurs places dans le marais.

    Et alors, je m'aperçus que je négligeais mon rôle. Puisque j'avais eu la folle témérité de venir à terre avec ces coquins, le moins
55 que je pusse faire était de les espionner dans leurs conciliabules, et mon devoir clair et évident était de m'approcher d'eux autant que possible ; les feuillages rampants des arbres me servirent d'embuscade[1].

    Je pouvais déterminer fort exactement la direction dans laquelle
60 se trouvaient les voix, non seulement par le bruit qu'elles faisaient, mais aussi par le comportement de quelques oiseaux qui planaient encore au-dessus des intrus[2].

    M'avançant à quatre pattes, je me dirigeai vers eux, sans dévier, mais avec lenteur. Enfin, par une trouée du feuillage, ma vue plon-
65 gea dans un petit creux de verdure, voisin du marais et entouré d'arbres, où Long John Silver et un autre membre de l'équipage s'entretenaient.

    Le soleil tombait en plein sur eux. Silver avait jeté son chapeau près de lui sur le sol, et il levait vers son compagnon, avec l'air de
70 le supplier, son grand visage lisse et blond, tout luisant de chaleur.

    – Mon gars, disait-il, c'est parce que je t'estime au poids de l'or... oui, au poids de l'or, sois-en sûr ! Si je ne tenais pas à toi comme

---

1. **Embuscade :** lieu caché où l'on attend les ennemis pour les attaquer à l'improviste.
2. **Intrus :** personnes entrées sur un territoire où elles sont indésirables (ici, les bandits).

de la glu, crois-tu que j'aurais pris la peine de te mettre en garde ?
La chose est faite : tu ne peux l'empêcher ; c'est pour sauver ta tête
que je te parle, et si l'une de ces brutes le savait, que deviendrais-
je, Tom ?... hein, dis, que deviendrais-je ?

– Silver, répliqua l'autre (non seulement son visage était rouge
mais il parlait d'une voix rauque comme celle d'un corbeau et fré-
missante comme une corde tendue), Silver, tu es vieux et honnête,
ou tu en as du moins la réputation ; tu as de l'argent, ce qui n'est
pas le cas de bon nombre de pauvres marins ; et tu es brave, si je
ne me trompe. Et tu vas venir me raconter que tu t'es laissé entraîner par ce ramassis de sagouins[1] ? Non ! ce n'est pas possible !
Aussi vrai que Dieu me voit, j'en mettrais ma main au feu. Quant à
moi, si je renie mon devoir...

Un bruit soudain l'interrompit. Je venais de découvrir en lui l'un
des matelots honnêtes, et voici qu'en cet instant un autre me révé-
lait son existence. Au loin sur le marigot avait éclaté un brusque
cri de colère, aussitôt suivi d'un second ; et puis vint un hurlement
affreux et prolongé. Les rochers de la Longue-Vue le répercutèrent en échos multipliés ; toute la troupe des oiseaux de marais
prit une fois de plus son essor et assombrit le ciel dans un bruit
d'ailes tumultueux ; et ce cri d'agonie me résonnait toujours dans
le crâne, alors que le silence régnait à nouveau depuis longtemps
et que la rumeur des oiseaux redescendants et le tonnerre lointain
du ressac troublaient seuls la touffeur de l'après-midi.

Tom avait bondi au bruit, comme un cheval sous l'éperon ; mais
Silver ne sourcilla pas. Il restait en place, appuyé légèrement sur
sa béquille, surveillant son interlocuteur, comme un reptile prêt à
s'élancer.

– John, fit le matelot en avançant la main.

– Bas les pattes ! ordonna Silver, qui sauta d'une demi-toise en
arrière avec l'agilité et la précision d'un gymnaste exercé.

– Bas les pattes, si tu veux, John Silver... C'est ta mauvaise
conscience seule qui te fait avoir peur de moi. Mais au nom du
ciel, qu'est-ce que c'était que ça ?

---

1. **Ce ramassis de sagouins :** cette bande de cochons, de gredins malpropres.

Silver sourit, mais sans se départir de son attention : dans sa grosse figure, son œil, réduit à une simple tête d'épingle, étincelait comme un éclat de verre.

110   – Ça ? répondit-il. Eh ! il me semble que ce devait être Alan.

À ces mots, l'infortuné Tom se redressa, héroïque :

– Alan ! Alors, que son âme repose en paix : c'était un vrai marin ! Quant à toi, John Silver, tu as été longtemps mon copain, mais tu ne l'es plus. Si je meurs comme un chien, je mourrai

115 quand même dans mon devoir. Tu as fait tuer Alan, n'est-ce pas ? Tue-moi donc aussi, si tu en es capable, mais je te mets au défi.

Là-dessus, le brave garçon tourna le dos au coq[1] et se dirigea vers le rivage. Mais il n'alla pas loin. Avec un hurlement, John saisit une branche d'un arbre, dégagea sa béquille de dessous

120 son bras et la lança à toute volée, la pointe en avant. Ce singulier projectile atteignit Tom en plein milieu du dos, avec une violence foudroyante. Le malheureux leva les bras, poussa un cri étouffé et s'abattit.

Était-il grièvement blessé ou non ? personne ne pourrait le dire.

125 Je crois bien, à en juger par le bruit, qu'il eut les reins brisés. Mais Silver ne lui donna pas le loisir de se relever. Agile comme un singe, même privé de sa béquille, le coq était déjà sur lui et plantait à deux reprises son coutelas jusqu'au manche dans ce corps sans défense. De ma cachette, je l'entendis ahaner[2] en frappant.

130 J'ignore ce qu'est un véritable évanouissement, mais je sais que pendant l'instant qui s'ensuivit, tout ce qui m'entourait se confondit dans un brouillard tournoyant : Silver, les oiseaux et la montagne ondulaient en tous sens devant mes yeux, et un tintamarre confus de cloches et de voix lointaines m'emplissait les oreilles.

135 Quand je revins à moi, l'infâme, béquille sous le bras, chapeau sur la tête, s'était ressaisi. À ses pieds, Tom gisait inerte sur le gazon ; mais le meurtrier n'en avait que faire, et il essuyait son couteau ensanglanté sur une touffe d'herbe. Rien d'autre n'avait changé, le même soleil implacable brillait toujours sur le marais

140 vaporeux et sur les cimes de la montagne. J'avais peine à me per-

---

1. **Coq :** cuisinier.
2. **Ahaner :** haleter comme quelqu'un qui fait un gros effort.

suader qu'un meurtre venait d'être commis là et une vie humaine cruellement tranchée un moment plus tôt, sous mes yeux.

John porta la main à sa poche, et y prit un sifflet dont il tira des modulations qui se propagèrent au loin dans l'air chaud. J'ignorais, bien entendu, la signification de ce signal ; mais il m'angoissa. On allait venir. On me découvrirait peut-être. Ils avaient déjà tué deux matelots fidèles : après Tom et Alan, ne serait-ce pas mon tour ?

À l'instant j'entrepris de me dégager, et rampai en arrière vers la partie moins touffue du bois, aussi vite et silencieusement que possible. J'entendais les appels qu'échangeaient le vieux flibustier et ses camarades, et la proximité du danger me donnait des ailes. Sitôt sorti du fourré, je courus comme je n'avais jamais couru. Peu m'importait la direction, pourvu que ma fuite m'éloignât des meurtriers. Et durant cette course la peur ne cessa de croître en moi et tourna à la folie.

En effet, quelqu'un pouvait-il être plus irrémédiablement perdu que moi ? Au coup du canon, comment oserais-je regagner les embarcations et prendre place parmi ces bandits, encore tout fumants de leur crime ? Le premier qui m'apercevrait ne me tordrait-il pas le cou comme à une bécasse[1] ? Mon absence à elle seule ne me condamnait-elle pas à leurs yeux ? Tout était fini, pensais-je. Adieu *Hispaniola*, adieu chevalier, docteur, capitaine ! Il ne me restait plus qu'à mourir, de faim ou sous les coups des mutins.

Cependant, comme je l'ai dit, je courais toujours, et, sans m'en apercevoir, j'étais arrivé au pied de la petite montagne à deux sommets, dans une partie de l'île où les chênes verts croissaient moins dru et ressemblaient davantage à des arbres de forêt, de par leur allure et leurs dimensions. Il s'y entremêlait quelques pins solitaires qui atteignaient en moyenne cinquante pieds et quelques-uns jusqu'à soixante-dix. L'air, en outre, semblait plus pur que dans les bas-fonds voisins du marigot.

C'est là qu'une nouvelle alerte m'arrêta court, le cœur palpitant.

---

1. **Bécasse :** oiseau des marais.

15

L'homme de l'île

Du flanc de la montagne abrupte et rocheuse une pluie de cailloux se détacha et tomba en crépitant et ricochant parmi les arbres. D'instinct, mes yeux se tournèrent dans cette direction, et j'entrevis une forme qui, d'un bond rapide, s'abritait par-derrière le tronc d'un pin. Était-ce un ours, un homme ou un singe ? il m'était impossible de le déterminer. Il semblait noir et velu : je n'en savais pas davantage. Mais l'effroi que provoqua cette nouvelle apparition me paralysa.

Je me voyais à ce moment cerné de toutes parts : derrière moi, les meurtriers ; devant moi, ce je-ne-sais-quoi embusqué. Sans hésiter, je préférai les dangers connus aux inconnus. Comparé à cette créature des bois, Silver lui-même m'apparut moins redoutable. Je fis donc volte-face, et tout en regardant derrière moi avec inquiétude, je retournai sur mes pas dans la direction des canots.

Aussitôt la forme reparut et, faisant un grand détour, s'appliqua à se mettre en travers de ma route. J'étais las, certes, mais eussé-je été aussi frais qu'à mon lever, je vis bien qu'il m'était impossible de lutter de vitesse avec un tel adversaire. Passant d'un tronc à l'autre, la mystérieuse créature filait comme un daim. Elle se tenait sur ses deux jambes, comme un homme, mais elle courait presque pliée en deux, ce qu'aucun homme n'était capable de faire. Et malgré cela, je ne pouvais plus en douter, c'était un homme.

Je me rappelai ce que je savais des cannibales[1], et fus sur le point d'appeler au secours. Mais le simple fait que c'était un homme, même sauvage, suffisait à me rassurer, et ma crainte de Silver se raviva en comparaison. Je m'arrêtai donc, cherchant un moyen de m'en sortir, puis le souvenir de mon pistolet me revint. Je n'étais donc pas sans défense ; le courage revint dans mon cœur : je fis face à cet homme de l'île et marchai vers lui d'un pas décidé.

Il venait de se dissimuler derrière un tronc d'arbre ; mais il me surveillait attentivement, car, au premier geste que je risquai dans sa direction, il reparut et fit un pas vers moi. Puis il se ravisa, recula,

---

1. **Cannibales :** humains qui mangent de la chair humaine.

s'avança, derechef[1], et enfin, à ma grande surprise mêlée de confusion, il se jeta à genoux et tendit vers moi des mains suppliantes.

Je m'arrêtai de nouveau et lui demandai :

35   – Qui êtes-vous ?

  – Ben Gunn, me répondit-il, d'une voix rauque et embarrassée comme le grincement d'une serrure rouillée. Je suis le pauvre Ben Gunn, oui, et je n'ai pas parlé à un chrétien depuis trois ans.

Je m'aperçus alors que c'était un Blanc comme moi, et qu'il avait

40 des traits assez agréables. Sa peau, partout où on la voyait, était brûlée par le soleil ; ses lèvres mêmes étaient noires, et ses yeux clairs faisaient le plus singulier effet sur un si sombre visage. De tous les mendiants que j'avais vus ou imaginés, c'était le plus loqueteux[2]. Il était revêtu de lambeaux de vieille toile à voile et de

45 vieux cirés[3], et ce patchwork[4] singulier tenait ensemble par un système d'attaches des plus variées et des plus incongrues : boutons de métal, liens d'osier, nœuds de filin[5] goudronné. Autour de sa taille, il portait un vieux ceinturon de cuir à boucle de cuivre, qui était la seule partie solide de son accoutrement[6].

50   – Trois ans ! m'écriai-je. Vous avez fait naufrage ?

  – Non, camarade, répondit-il, j'étais marronné[7].

Je connaissais le terme, et savais qu'il désignait un de ces horribles châtiments usités[8] chez les boucaniers[9], qui consiste à déposer le coupable, avec un peu de poudre[10] et quelques balles, sur

55 une île déserte et lointaine.

  – Marronné depuis trois ans, continua-t-il, et pendant tout ce temps j'ai vécu de chair de chèvre, de baies[11] et de coquillages. À

---

1. **Derechef :** encore une fois.
2. **Loqueteux :** se dit d'une personne qui porte des loques, des haillons, c'est-à-dire des vêtements misérables.
3. **Cirés :** toiles imperméables.
4. **Patchwork :** pièce de tissu constituée de morceaux de tissus variés assemblés par des coutures ; par extension, assemblage d'éléments hétéroclites.
5. **Filin :** cordage.
6. **Accoutrement :** tenue extravagante.
7. **Marronné :** voir les lignes qui suivent.
8. **Usités :** en usage.
9. **Boucaniers :** pirates qui infestaient les Antilles.
10. **Poudre :** poudre à fusil.
11. **Baies :** petits fruits.

mon avis, quel que soit l'endroit où il se trouve, un homme peut toujours se tirer d'affaire. Mais, camarade, mon cœur aspire à une
60 nourriture de chrétien. Dis, n'aurais-tu pas sur toi, par hasard, un morceau de fromage ? Non ? Ah ! c'est qu'il y a des nuits et des nuits que je rêve de fromage... grillé, surtout... et puis je me réveille, et je me retrouve ici.

— Si jamais je peux retourner à bord, répliquai-je, vous aurez des
65 livres de fromage.

Durant tout ce temps, il avait tâté l'étoffe de ma vareuse[1], caressé mes mains, examiné mes bottes, et manifesté un plaisir d'enfant à se trouver en présence d'un congénère[2]. Mais à mes derniers mots, il releva la tête avec une sorte d'étonnement sournois.

70 — Si jamais tu peux retourner à bord, dis-tu ? répéta-t-il. Mais, voyons, qui est-ce qui t'en empêcherait ?

— Ce n'est pas vous, je le sais.

— Sûrement pas ! s'écria-t-il. Mais tiens... Comment t'appelles-tu, camarade ?

75 — Jim.

— Jim, Jim..., fit-il avec un plaisir évident. Eh bien, tiens, Jim, j'ai mené une vie si rude que tu te désolerais de m'entendre la raconter. Mais par exemple, tu ne croirais pas que j'ai eu une mère pieuse... à me voir ?

80 — Ma foi non, pas précisément.

— Tu vois ! fit-il. Eh bien, j'en ai eu une, remarquablement pieuse. J'étais un garçon poli et pieux, et je pouvais réciter mon catéchisme si vite qu'on ne distinguait pas un mot d'un autre. Et voici à quoi cela a abouti, Jim, et cela a commencé en jouant aux
85 osselets[3] sur les pierres tombales sacrées ! C'est ainsi que cela a commencé, mais ça ne s'est pas arrêté là : et ma mère m'avait dit

---

1. **Vareuse :** large blouse de toile ou de laine que portent les marins.
2. **Congénère :** du même genre, de la même espèce.
3. **Osselets :** issu de la patte arrière du moutons, l'astragale, un petit os biscornu, servait déjà dans l'Antiquité pour jouer aux osselets. Les enfants comme les adultes aimaient à s'y exercer. On en a retrouvés dans des tombes d'enfants, datant de 2000 avant J.-C., près de Delphes. De nombreux textes y font référence. Certains pouvaient être luxueux, faits d'or, d'argent, d'ivoire ou en faïence et pouvaient être offerts en cadeau ou en récompense.

et prédit le tout, hélas ! la pieuse femme ! Mais c'est la Providence[1] qui m'a placé ici. J'ai bien médité à tout cela sur cette île isolée, et je suis revenu à la piété. On ne m'y prendra plus à boire autant de rhum : juste un dé à coudre, histoire de porter bonheur, bien sûr, dès que l'occasion se présentera. Je me suis juré d'être un homme bon, et je sais comment m'y prendre. Et puis, Jim...

Il regarda tout autour de lui, et, baissant la voix, il chuchota :

– Je suis riche.

Je ne doutai plus que le pauvre garçon fût devenu fou dans son isolement. Il est probable que mon visage exprima cette pensée, car il répéta son assertion[2] avec véhémence[3] :

– Riche ! oui, riche ! te dis-je. Et si tu veux savoir, je ferai quelqu'un de toi, Jim. Ah ! oui, tu béniras ton étoile ! car tu es le premier à m'avoir trouvé !

Mais à ces mots une ombre soucieuse envahit tout à coup son visage. Il serra plus fort ma main et leva devant mes yeux un index menaçant :

– Maintenant, Jim, tu vas me dire la vérité : ce n'est pas le navire de Flint ?

J'eus une heureuse inspiration. Je commençais à croire que j'avais trouvé un allié, et je lui répondis aussitôt :

– Ce n'est pas le navire de Flint, et Flint est mort ; mais je vais vous dire la vérité comme vous me la demandez... nous avons à bord plusieurs matelots de Flint ; et c'est tant pis pour nous autres.

– Pas un homme... à une... jambe ? haleta-t-il.

– Silver ?

– Oui, Silver, c'était son nom.

– C'est le coq, et c'est aussi le meneur.

Il me tenait toujours par le poignet qu'il me tordit presque en prononçant ces mots :

– Si c'est John Silver qui t'envoie, je suis cuit, je le sais. Mais où croyez-vous être ?

Je me décidai en un instant et, en guise de réponse, je lui racontai toute l'histoire de notre voyage et la situation dans laquelle

---

1. **Providence :** Dieu.
2. **Assertion :** déclaration, affirmation que l'on soutient comme vraie.
3. **Véhémence :** emportement, violence.

nous nous trouvions. Il m'écouta avec le plus vif intérêt ; quand j'eus fini, il me donna une petite tape sur la nuque.

– Tu es un bon garçon, Jim, et vous êtes tous dans une sale passe[1], hein ? Eh bien, vous n'avez qu'à vous fier à Ben Gunn…
125 Ben Gunn est l'homme qu'il vous faut. Mais crois-tu possible que ton chevalier se montrerait généreux en cas de besoin… alors qu'il se trouve dans une sale passe, comme tu le dis toi-même ?

Je lui affirmai que le chevalier était le plus libéral[2] des hommes.

– Soit, mais vois-tu, reprit Ben Gunn, je ne parle pas de me faire
130 garder une porte, de me donner une livrée[3] et tout ce qui s'ensuit : ce n'est pas mon genre, Jim. Voici ce que je veux dire : serait-il capable de condescendre à lâcher, mettons un millier de livres, sur l'argent qui est déjà le sien ?

– Je suis certain que oui. Il était convenu que tous les matelots
135 auraient leur part.

– Et pour le retour ? ajouta-t-il, avec une grande perspicacité.

– Voyons ! le chevalier est un gentilhomme ! Et d'ailleurs, si nous venons à bout des autres, nous aurons besoin de vous pour aider à la manœuvre du bâtiment.

140 – Çà… je ne serais pas de trop.

Et il parut entièrement rassuré.

– Maintenant, reprit-il, je vais te dire quelque chose. Je te dirai cela, mais pas plus. J'étais sur le navire de Flint lorsqu'il enterra le trésor, lui avec six autres… six marins robustes. Ils demeurè-
145 rent à terre près d'une semaine, et nous restâmes à louvoyer sur le vieux *Walrus*. Un beau jour, on aperçoit le signal, et voilà Flint qui revient seul dans un petit canot, le crâne bandé d'un foulard bleu. Le soleil se levait, et Flint paraissait, à contre-jour sur l'horizon, d'une pâleur mortelle. Mais songe qu'il était là, lui, et ses
150 compagnons morts tous les six… morts et enterrés. Comment il s'y était pris, nul de nous à bord ne put le deviner. Que ce fût querelle, assassinat ou morts subites, il était seul, et eux six ! Billy Bones était son premier officier ; Long John son quartier-maître.

---

1. **Vous êtes tous dans une sale passe :** vous êtes tous dans de beaux draps ; vous êtes mal partis.
2. **Libéral :** ici, généreux.
3. **Livrée :** uniforme que porte un domestique.

Ils lui demandèrent où était le trésor. « Oh ! qu'il leur dit, vous
pouvez aller à terre si ça vous chante, et y rester, qu'il dit ; mais
quant au navire, il va reprendre la mer, mille tonnerres ! » Voilà ce
qu'il leur dit... Or, trois ans plus tard, comme j'étais sur un autre
navire, nous arrivons en vue de cette île. « Camarades, dis-je, c'est
ici que se trouve le trésor de Flint ; abordons et cherchons-le. » Le
capitaine fut mécontent ; mais mes camarades de bord acceptè-
rent tous et débarquèrent. Douze jours durant ils cherchèrent, et
chaque jour ils me traitaient plus mal, tant et si bien qu'un beau
matin tout le monde retourna à bord. « Quant à toi, Benjamin
Gunn, qu'ils me disent, voilà un mousquet[1], qu'ils disent, et une
bêche, et une pioche. Tu peux rester ici et retrouver l'argent de
Flint toi-même, qu'ils disent... » Donc, Jim, j'ai passé trois ans ici,
sans une bouchée de pain à me mettre sous la dent depuis ce jour
jusqu'à aujourd'hui. Mais voyons, regarde, regarde-moi. Est-ce que
j'ai l'air d'un homme de l'avant ? Tu dirais non. Et je ne le suis pas
non plus, je te le dis.

Là-dessus, il cligna de l'œil et me pinça vigoureusement. Puis il
reprit :

– Tu rapporteras exactement ces paroles à ton chevalier, Jim :
« Et il ne l'est pas non plus... tu lui diras. Trois ans, il resta seul
sur cette île, jour et nuit, par beau comme par mauvais temps ; et
parfois il lui arrivait bien de songer à prier (que tu diras), et parfois
il lui arrivait bien de songer à sa vieille mère, puisse-t-elle être
en vie ! (que tu diras) ; mais la plupart du temps (c'est ce que tu
diras)... la plupart du temps, Ben Gunn s'occupait à autre chose. »
Et alors tu le pinceras, comme je fais.

Et il me pinça derechef, de la manière la plus confidentielle qui
soit.

– Alors, continua-t-il, alors tu te redresseras et tu lui diras ceci :
« Gunn est un homme de bien (que tu diras), il sait faire la différence entre un vrai gentleman et un de ces gentilshommes de fortune, comme ils s'appellent, l'ayant été lui-même... »

---

1. **Mousquet :** arme à feu qui était en usage avant le fusil, et qu'on faisait partir au
moyen d'une mèche allumée.

– Bien, répliquai-je. Je ne comprends pas un mot à ce que vous venez de dire. Mais peu m'importe, ajoutai-je. La question est de savoir comment je peux revenir à bord.

190 – Oui, dit-il, ça, c'est un problème, c'est sûr... Il y a mon canot, que j'ai fabriqué de mes dix doigts. Il est à l'abri sous la roche blanche. Dans le pire des cas, nous pourrons l'essayer dès que la nuit sera tombée... Aïe ! qu'est-ce que c'est ça ?

À cet instant précis, bien que le soleil eût encore une heure ou 195 deux à briller, tous les échos de l'île s'éveillaient et retentissaient au bruit de tonnerre du canon.

– Ils ont commencé la bataille ! m'écriai-je. Suivez-moi.

Et, oubliant toutes mes terreurs, je me mis à courir vers le mouillage, suivi de près par le marronné, qui trottait avec agilité et 200 souplesse dans ses haillons de peaux de chèvre.

– À gauche, à gauche, me dit-il ; appuie à ta gauche, camarade Jim ! Va donc sous ces arbres ! C'est là que j'ai tué ma première chèvre. Elles ne descendent plus jusqu'ici, à présent : elles se sont réfugiées sur les montagnes, par peur de Ben Gunn... Ah ! et voici 205 le citemière (cimetière, voulait-il dire). Tu vois les tertres[1] ? Je viens prier ici de temps à autre, quand je pense qu'il est à peu près dimanche. Ce n'est pas tout à fait une chapelle, mais ça a l'air plus solennel qu'ailleurs ; et puis, dis, Ben Gunn était mal équipé... Ni curé, ni bible, ni drapeau, dis !

210 Il continuait à parler de la sorte, tout en courant, sans attendre ni recevoir de réponse.

Après un intervalle assez long, le coup de canon fut suivi d'une décharge de mousqueterie[2].

Une autre pause puis, à moins d'un quart de mille devant nous, 215 je vis l'Union Jack[3] flottant dans les airs au-dessus d'un bois.

---

1. **Tertres :** petites hauteurs.
2. **Décharge de mousqueterie :** décharge de plusieurs mousquets, c'est-à-dire de plusieurs fusils.
3. **Union Jack :** drapeau britannique. L'Union Jack représente l'Angleterre, l'Écosse, l'Irlande et le Pays de Galles.

Clefs d'analyse

Action et personnages

1. Comment se traduit l'amitié de Long John pour Jim ? Ces bonnes dispositions vous semblent-elles sincères ? Justifiez votre sentiment.

2. Jim et ses amis se retrouvent pour une réunion décisive. Pendant leur discussion, de quelle manière s'exprime leur respect et leur confiance mutuels ?

3. Quel plan d'attaque est décidé ? Quelles seront les forces en présence dans chaque camp ? Que laisse prévoir ces chiffres ?

4. Comment expliquez-vous la mauvaise humeur de l'équipage ? Par quelle proposition le capitaine Smollett arrive-t-il à calmer les esprits ? Quelles qualités montre-t-il à travers son intervention ?

5. Une fois à terre, Jim connaît « les joies de l'explorateur » : que veut-il dire par là ? Citez le texte.

6. Jim, placé en observateur, épie Long John : de quelle scène est-il témoin ? Comment se traduit la violence du cuisinier ? Quelle réaction éveille-t-elle chez le jeune garçon ?

7. Étudiez la première rencontre entre Jim et Ben Gunn : quelles émotions l'apparition du naufragé fait-elle d'abord naître chez le jeune garçon ? Citez des expressions révélatrices.

8. Relevez au moins une phrase qui semble prouver que Ben Gunn est sain d'esprit et une autre pouvant faire croire qu'il est fou. Quel est votre sentiment personnel sur ce personnage ?

9. Dans quelles circonstances le trésor de Flint est-il tombé aux mains de Ben Gunn ? Que négocie Ben Gunn en échange de son aide ?

10. Quelle péripétie traduit le bruit du canon et l'apparition de l'Union Jack à la fin du chapitre 15 ?

Langue

1. Jim évoque le « cynisme » et la « duplicité » de Long John : justifiez l'emploi de ces termes en vous référant à la conduite du cuisinier.

2. À quel niveau de langage appartient la phrase « que tu diras » (chap. 15, l. 176, 178, 184) ?

Genre ou thèmes

1. « Ce fut en effet de moi que vint le salut » (chap. 12, l. 175-176) : qu'annonce ici le narrateur ? Pourquoi cette annonce est-elle importante pour le lecteur ?

2. Ben Gunn développe une brève autobiographie pour se faire connaître de Jim : par quels aspects ce personnage répond-il au stéréotype du naufragé ?

Écriture

1. « Je connus alors pour la première fois les joies de l'explorateur » : continuez la description de l'île amorcée au début du chapitre 14. Vous insisterez sur l'exotisme des lieux en évoquant les couleurs, les odeurs et les bruits.

2. Racontez une journée-type de Ben Gunn en montrant quelles solutions pratiques le naufragé a trouvées pour manger, s'habiller, se loger et se déplacer.

Pour aller plus loin

1. Citez un roman d'aventures célèbre dont le héros est un homme échoué sur une île déserte où il s'établit pendant de nombreuses années. Qui en est l'auteur ? Stevenson a-t-il pu s'inspirer de cette œuvre pour créer le personnage de Ben Gunn ? Pourquoi ?

> ## ✳ À retenir
>
> Dans le roman d'aventures, les péripéties fondent l'action sous différentes formes : rencontre inattendue, danger soudain, événement imprévu... Le meurtre de deux marins sous les yeux de Jim, la rencontre du naufragé Ben Gunn sur l'île déserte, la révélation de l'emplacement du trésor, les coups de canon et l'apparition du drapeau anglais sont autant d'événements qui soutiennent le rythme endiablé du roman.

IV. Le fortin

16

Le docteur continue le récit :
l'abandon du navire

Il était environ une heure et demie (on venait de piquer trois coups[1], dans le langage des marins) quand les deux canots de l'*Hispaniola* partirent à terre. Le capitaine, le chevalier et moi étions dans la cabine, à discuter de la situation. Y eût-il eu un
5 souffle de vent, nous serions tombés sur les six mutins restés à bord, puis nous aurions filé l'amarre[2] et pris le large. Mais il n'y avait pas un souffle d'air. Et pour comble de malheur, Hunter nous apporta la nouvelle que Jim Hawkins avait sauté dans un esquif[3] et gagné la terre avec les autres.
10 Pas un seul instant nous ne songeâmes à douter de Jim Hawkins ; mais nous craignîmes pour sa vie. Livré à des hommes de cette trempe, ce serait pur hasard si nous reverrions le petit. Nous courûmes sur le pont. La poix[4] bouillait littéralement dans les interstices[5] du parquet. L'infecte puanteur du mouillage me
15 donna la nausée : cela sentait la fièvre et la dysenterie[6] à plein nez, dans ce lieu abominable. Les six scélérats, abrités par une voile, étaient réunis sur le gaillard d'avant, à maugréer. À terre, près de

---

1. **Piquer trois coups :** « piquer l'heure » signifie sonner l'heure à la cloche.
2. **Filé l'amarre :** laisser aller l'amarre (chaîne ou cordage servant à attacher un navire à un point fixe (quai, bouée, autre navire...) en la déroulant.
3. **Esquif :** canot, petite embarcation.
4. **Poix :** matière collante, visqueuse et inflammable à base de résines et de goudrons végétaux utilisée dans les assemblages.
5. **Interstices :** espaces minuscules.
6. **Dysenterie :** maladie des tropiques dont le principal symptôme est la diarrhée.

la bouche d'un ruisseau, on pouvait voir les canots amarrés et un homme assis dans chacun d'eux. L'un d'eux sifflait *Lillibullero*[1].

20 L'attente nous excédait. Il fut décidé que Hunter et moi irions à terre avec le petit esquif, en quête de nouvelles.

Les canots avaient pris sur la droite ; mais Hunter et moi allâmes dans la direction du fortin indiqué sur la carte. Les deux hommes restés à garder les embarcations parurent inquiétés par notre 25 mouvement. On n'entendit plus fredonner *Lillibullero*, et je les vis discuter de ce qu'il convenait de faire. Fussent-ils allés avertir Silver, tout aurait pu tourner autrement ; mais ils avaient leurs instructions, je suppose : ils conclurent de rester tranquillement où ils étaient, et entonnèrent *Lillibullero* de plus belle.

30 La côte offrait un léger renflement, et je dirigeai mon embarcation de manière à le placer entre eux et nous : même avant de toucher terre, nous restions ainsi hors de leur vue. Je sautai à terre ; muni d'un grand foulard de soie sous mon chapeau pour me protéger de la chaleur et équipé d'une paire de pistolets amorcés 35 pour me défendre, je pressai le pas autant qu'il était possible, sans courir.

Je n'avais pas fait cent mètres que j'arrivai au fortin.

Voici comment il se présentait : une source d'eau limpide jaillissait au sommet d'un monticule sur lequel on avait bâti un puis-40 sant édifice en rondins[2], capable de contenir une quarantaine d'hommes ; cette fortification encerclait la source et était percée de meurtrières[3] sur ses quatre faces, pour la mousqueterie. Tout autour, on avait dégagé un vaste espace et le retranchement[4] était consolidé par une palissade haute de six pieds, sans porte 45 ni ouverture, trop lourde pour être renversée facilement, et trop exposée pour abriter des assiégeants. Les défenseurs du fortin les tenaient de toutes parts : bien à l'abri, ils pouvaient les tirer comme des perdrix. Une parfaite surveillance et de la nourriture,

---

1. **Lillibullero :** chanson populaire irlandaise qui se moque des catholiques irlandais.
2. **Rondins :** grosses buches de bois rondes et solides.
3. **Meurtrières :** ouvertures pratiquées dans les murs d'une fortification et par lesquelles on peut tirer sur les assiégeants en restant à l'abri.
4. **Retranchement :** abri, fortification pour se défendre.

c'est tout ce dont ils avaient besoin ; car, à moins d'une surprise
totale, la place pouvait tenir tête à un régiment.

Ce qui me séduisait particulièrement, c'était la source. Car, si
l'*Hispaniola* était une assez bonne forteresse qui ne manquait
ni d'armes ni de munitions, ni de vivres ni d'excellents vins,
nous avions négligé une chose : l'eau manquait. Je réfléchissais
à cela quand le cri d'un homme à l'article de la mort retentit sur
l'île. Je n'étais plus novice et j'avais déjà vu la mort de près – j'ai
servi S.A.R.[1] le duc de Cumberland[2] et j'ai moi-même été blessé à
Fontenoy[3] –, mais malgré cela mon pouls s'emballa. « C'en est fait
de Jim Hawkins ! » Telle fut ma première pensée.

Être un ancien soldat, c'est déjà quelque chose ; mais il est
encore préférable d'avoir été médecin. On n'a pas le loisir de tergiverser, dans notre profession. Aussi donc, sans réfléchir un instant
et sans perdre une minute, je regagnai la grève et sautai à bord du
petit canot.

Par bonheur, Hunter ramait bien. Le canot volait sur l'eau et
rejoignit vite l'*Hispaniola* ; j'étais à nouveau à bord de la goélette.

J'y trouvai mes compagnons évidemment tout émus. Le chevalier, abattu, était blanc comme un linge, et pensait à la fâcheuse
aventure dans laquelle il nous avait entraînés, la bonne âme ! Un
des six matelots du gaillard d'avant ne valait guère mieux.

– Il y a un homme, dit le capitaine Smollett en le désignant, pour
qui tout cela est tout nouveau. Il a failli s'évanouir, docteur, en
entendant le cri. Un petit effort et cet homme nous rejoindra.

J'exposai mon plan au capitaine, et d'un commun accord nous
réglâmes les détails de son exécution.

On posta le vieux Redruth dans la coursive reliant la cabine
au gaillard d'avant, équipé de trois ou quatre mousquets chargés
et d'un matelas pour se protéger. Hunter amena le canot sous

---

1. **S.A.R. :** Son Altesse Royale.
2. **Duc de Cumberland :** prince et général britannique (1721-1765), troisième fils de
George II.
3. **Fontenoy :** la bataille de Fontenoy (11 mai 1745) aux Pays-Bas autrichiens
(Belgique actuelle), gagnée par les Français.

le sabord de poupe[1] ; Joyce et moi y empilâmes des caisses de
poudre, des mousquets, des sacs de biscuits, des barils de lard, un
tonneau de cognac et mon inestimable trousse à médicaments.

Pendant ce temps, le chevalier et le capitaine restèrent sur le
pont ; ce dernier héla le quartier-maître, le principal responsable à
bord.

– Monsieur Hands, lui dit-il, nous sommes deux à avoir une
paire de pistolets chacun. Si l'un de vous six fait un signal quel-
conque, c'est un homme mort.

Cet avertissement prit les six hommes de court[2]. Après une
courte délibération, ils se jetèrent l'un après l'autre dans l'écoutille[3] de l'avant, pensant sans doute nous surprendre par-derrière.
Mais à la vue de Redruth qui les attendait dans la coursive, ils virè-
rent de bord aussitôt, et une tête émergea sur le pont.

– À bas, chien ! cria le capitaine.

La tête disparut, et il ne fut plus question, pour un temps, de ces
six matelots timorés[4].

Joyce et moi avions bien chargé le canot de toutes les choses
qui nous tombaient sous la main. Nous descendîmes par le sabord
de poupe puis nous fîmes route vers le rivage, aussi vite que nos
rames nous le permettaient.

Ce deuxième voyage intrigua fort les deux hommes qui gar-
daient les canots. *Lillibullero* se tut à nouveau, et nous allions les
perdre de vue derrière le petit renflement, quand l'un d'eux sauta
à terre et disparut. Je fus tenté de modifier mon plan et de détruire
leurs embarcations, mais Silver et les autres pouvaient être à portée, et je craignis de tout perdre en voulant trop en faire.

Nous accostâmes au même endroit que précédemment puis
ravitaillâmes le fortin. Tous trois lourdement chargés, nous fîmes
un premier voyage et lançâmes nos provisions par-dessus la palissade. Puis, laissant Joyce pour veiller sur ce chargement – seul,

---

1. **Sabord de poupe :** ouverture extérieure dans la partie basse de la poupe correspondant à la chambre du maître canonnier. Un sabord est une ouverture pratiquée dans la muraille du navire de guerre pour y faire sortir le fût du canon.
2. **De court :** par surprise.
3. **Écoutille :** ouverture rectangulaire dans le pont d'un bateau.
4. **Timorés :** craintifs et d'une prudence excessive.

110 il est vrai, mais équipé d'une demi-douzaine de mousquets –,
Hunter et moi retournâmes au petit canot pour un second voyage.
Nous continuâmes ainsi sans reprendre notre souffle, jusqu'à ce
que la cargaison fût en place ; alors les deux valets prirent position dans le fortin, tandis que je ramais de toutes mes forces vers
115 l'*Hispaniola*.

S'aventurer à effectuer un second chargement semblait plus
audacieux que ça ne l'était réellement. À coup sûr nos adversaires
étaient supérieurs en nombre, mais nous avions l'avantage des
armes. Pas un homme à terre n'avait un mousquet, et, avant d'arri-
120 ver à portée de pistolet, nous comptions bien régler leur compte à
une bonne demi-douzaine d'entre eux.

Le chevalier, complètement remis de sa faiblesse, m'attendait
au sabord de poupe. Il saisit l'aussière[1], qu'il amarra, et nous char-
geâmes l'embarcation à toute vitesse. La cargaison était constituée
125 de lard, de poudre et de biscuit, avec un seul mousquet et un
coutelas par personne, pour le chevalier et moi, Redruth et le capitaine. Nous jetâmes le reste des armes et des munitions à la mer
par deux brasses et demie d'eau, si bien que nous pouvions voir
l'acier briller au soleil sur le fond de sable fin.

130 À ce moment la marée commençait à descendre et le navire
virait autour de son ancre. On entendait des appels au loin, dans la
direction des deux canots, ce qui ne manqua pas de nous rassurer
sur le compte de Joyce et Hunter, qui se trouvaient plus à l'est,
mais ce qui nous encouragea à nous hâter.

135 Redruth abandonna son poste dans la coursive et sauta dans le
canot, que nous menâmes vers l'arrière du pont, pour être plus à
portée du capitaine Smollett. Celui-ci éleva la voix :

– Holà, les hommes, m'entendez-vous ?

Pas de réponse du gaillard d'avant.

140 – Abraham Gray ! C'est à vous que je m'adresse.

Toujours pas de réponse.

– Gray, reprit M. Smollett en haussant le ton, je quitte ce navire
et je vous ordonne de suivre votre capitaine. Je sais qu'au fond
vous êtes un brave garçon, et j'ose croire qu'aucun de vous n'est

---

1. **Aussière :** gros cordage employé pour l'amarrage et le remorquage des navires.

145 aussi mauvais qu'il veut le paraître. J'ai ma montre en main : je vous donne trente secondes pour me rejoindre.

Il y eut un silence.

– Allons, mon ami, continua le capitaine, n'attendez pas plus longtemps. Chaque seconde qui passe met ma vie et celle de ces
150 messieurs en péril.

On entendit un bruit de bagarre, puis Abraham Gray, bondissant de l'écoutille, la joue balafrée d'un coup de couteau, courut vers son capitaine comme un chien qu'on siffle.

– Je suis avec vous, capitaine ! dit-il.

155 Un instant plus tard, lui et le capitaine avaient sauté à bord du canot, et nous poussâmes au large.

Nous avions bien quitté le navire, mais n'étions pas encore à terre dans notre fortin.

17

Suite du récit par le docteur :
le dernier voyage du canot

Ce cinquième voyage différa complètement des autres.

Tout d'abord, la coquille de noix qui nous servait de bateau était vraiment surchargée. Cinq hommes adultes, dont trois – Trelawney, Redruth et le capitaine – dépassaient six pieds, c'était
5 déjà plus qu'elle ne pouvait supporter. Ajoutez à cette charge la poudre, le lard et les sacs de pain : le plat-bord affleurait par l'arrière ; à plusieurs reprises nous embarquâmes un peu d'eau, et nous n'avions pas fait une centaine de yards[1] que mes culottes[2] et les pans de mon habit étaient tout trempés. Le capitaine nous fit
10 mieux répartir le chargement, ce qui améliora un peu les choses. Malgré cela, nous osions à peine respirer.

---

1. **Yards :** un yard est une unité de mesure de longueur anglo-saxonne correspondant à 0,914 m.
2. **Culottes :** pantalons de l'époque.

En second lieu, la marée commençait à descendre : un fort courant clapoteux se formait, venant de l'ouest de la baie et se dirigeant vers le passage que nous avions emprunté le matin. Le clapotis à lui seul mettait en péril notre esquif surchargé ; mais le pire était que le flux nous drossait[1] hors de notre vraie route et loin du débarcadère convenable situé derrière la pointe. Si nous avions laissé faire le courant, nous aurions abordé à côté des yoles, où les pirates pouvaient surgir à tout instant.

– Je n'arrive pas à maintenir le cap sur le fortin, monsieur, dis-je au capitaine.

Je gouvernais tandis que le capitaine et Redruth, dispos tous les deux, étaient aux avirons.

– La marée nous emporte. Pourriez-vous souquer[2] un peu plus fort ?

– Pas sans remplir le canot d'eau, répondit-il. Vous devez affronter le courant, monsieur, si vous voulez bien… jusqu'à ce que vous gagniez.

J'essayai, et vis par expérience que la marée nous drossait vers l'ouest, tant que je ne mettais pas le cap en plein est, c'est-à-dire précisément à angle droit de la route que nous devions suivre.

– À cette allure, nous n'arriverons jamais à terre, dis-je.

– Si c'est la seule route que nous puissions tenir, monsieur, tenons-la, répliqua le capitaine. Nous devons continuer à remonter le courant. Voyez-vous, monsieur, si jamais nous tombons sous le vent du débarcadère, il est difficile de dire où nous irons aborder… outre le risque d'être attaqués par les yoles… D'ailleurs, dans la direction où nous allons, le courant doit faiblir, ce qui nous permettra de nous faufiler le long de la côte.

– Le courant est déjà moins fort, monsieur, dit le matelot Gray, qui était assis à l'avant ; vous pouvez mollir un peu.

– Merci, mon ami, répondis-je, absolument comme si rien ne s'était passé.

Nous avions en effet tacitement convenu de le traiter comme l'un des nôtres.

---

1. **Nous drossait :** nous poussait.
2. **Souquer :** ramer.

Soudain, le capitaine reprit la parole, et sa voix me parut légèrement altérée[1] :

– Le canon ! fit-il.

J'étais persuadé qu'il pensait au bombardement du fortin.

50 – J'y ai songé, répliquai-je. Mais ils ne pourront jamais amener le canon jusqu'au rivage, et même s'ils y parvenaient, ils seraient incapables de le traîner à travers les bois.

– Regardez à l'arrière, docteur.

Nous avions complètement oublié la caronade de neuf[2]. Réunis 55 autour du canon, les cinq bandits s'affairaient à lui enlever son paletot – c'est ainsi qu'ils appelaient la grossière bâche de toile goudronnée qui la recouvrait. Presque au même instant, je me rappelai que les boulets et la poudre à canon étaient restés à bord. Un simple coup de hache et les scélérats s'en empareraient.

60 – Israël a été le canonnier de Flint, dit Gray d'une voix rauque.

À tout risque, nous dirigeâmes le canot droit sur le débarcadère. Nous avions alors échappé au fort du courant pour pouvoir gouverner, même à petite allure, et je parvins à tenir le cap sur cette direction. Mais le pire était que nous présentions à l'*Hispaniola* 65 notre flanc au lieu de notre arrière, ce qui constituait une cible large comme une porte-cochère.

Je pus non seulement voir mais entendre ce coquin d'Israël Hands jeter un boulet rond sur le pont.

– Qui est le meilleur tireur ? demanda le capitaine.

70 – M. Trelawney, sans aucun doute, répondis-je.

– Monsieur Trelawney, reprit le capitaine, voudriez-vous avoir l'obligeance d'abattre un de ces hommes ? Hands, si possible.

Trelawney était aussi froid que l'acier. Il vérifia l'amorce[3] de son fusil.

75 – Maintenant, dit le capitaine, allez-y doucement avec ce fusil, monsieur, ou vous risquez d'inonder le canot. Que tout le monde se prépare à rétablir l'équilibre quand il visera.

---

1. **Altérée :** affaiblie par l'émotion.
2. **Caronade de neuf :** canon en fonte, en usage alors dans la marine britannique, contenant ici neuf boulets.
3. **Amorce :** poudre avec laquelle on enflamme la charge d'un fusil.

Le chevalier épaula son fusil, les avirons restèrent immobiles, et nous nous penchions tous sur l'autre bord pour faire contrepoids. Tout fut si bien orchestré que pas une goutte d'eau n'embarqua.

Pendant ce temps-là, ils avaient fait pivoter le canon sur son axe, et Hands, qui se tenait à la bouche[1] avec le refouloir[2], était de fait le plus exposé. Mais nous n'eûmes pas de chance, car il se baissa juste au moment où Trelawney faisait feu. La balle siffla par-dessus sa tête, et ce fut un de ses quatre compagnons qui tomba.

Le cri qu'il émit fut repris en écho non seulement par ses compagnons qui se trouvaient à bord, mais aussi par une foule de voix sur le rivage ; je regardai dans cette direction et je vis les autres pirates sortir des bois et se précipiter dans les canots.

– Voilà les yoles, monsieur ! m'écriai-je.

– En route, alors ! lança le capitaine. Tant pis si nous prenons l'eau ! Si nous n'arrivons pas à terre, tout est perdu.

– Une seule des yoles est occupée, monsieur, repris-je, l'équipage de l'autre fait sans doute le tour par le rivage pour nous couper la route.

– Ils vont avoir chaud, monsieur, riposta le capitaine. Ceux qui sont à terre, vous savez, ce n'est pas eux qui me préoccupent ! Ce sont les boulets ! Un vrai jeu de salon ! Même la servante de ma femme ne nous raterait pas ! Avertissez-nous, chevalier, quand vous verrez le coup partir, et nous ramerons en arrière !

Pendant ce temps, nous avions progressé à bonne allure pour un canot aussi chargé, et nous n'avions embarqué que peu d'eau. Nous étions presque arrivés : encore trente ou quarante coups d'avirons et nous allions accoster, car déjà le reflux avait découvert une étroite bande de sable au pied du bouquet d'arbres. La yole n'était plus à craindre : la petite pointe l'avait déjà cachée à nos yeux. La marée descendante, qui nous avait si fâcheusement retardés, faisait son œuvre et retardait nos adversaires. L'unique danger était le canon.

– Si j'osais, dit le capitaine, je donnerais l'ordre d'arrêter et d'abattre un autre homme !

---

1. **Bouche :** la bouche du canon.
2. **Refouloir :** cylindre en bois qui sert, dans les canons se chargeant par la bouche, à introduire la charge et le projectile et à presser la charge.

Mais il était clair que rien ne pourrait différer leur coup. Ils n'avaient pas même prêté attention à leur camarade blessé, qui pourtant n'était pas mort et qui s'efforçait de se traîner à l'écart.

115 – Prêts ! cria le chevalier.

– Partez ! commanda le capitaine, aussi rapide que l'écho.

Redruth et lui déramèrent[1] simultanément avec tant de force que notre arrière plongea sous l'eau. La détonation se fit entendre au même instant. C'est ce premier coup que Jim entendit, car le

120 coup de feu du chevalier n'était pas arrivé à ses oreilles. Où passa le boulet ? Aucun de nous ne le sut exactement, mais j'imagine que ce fut au-dessus de nos têtes, et le courant d'air occasionné par son passage contribua sans doute à la catastrophe.

Quoi qu'il en soit, le canot coula par l'arrière, tout doucement,

125 dans trois pieds d'eau, nous laissant, le capitaine et moi, debout et face à face. Les trois autres piquèrent une tête puis refirent surface tout ruisselants et barbotants.

Jusque-là, il n'y eut pas trop de dommages. Personne n'était mort et nous pouvions gagner la terre à gué[2] en toute sécurité. Mais

130 toutes nos provisions étaient noyées et, pire encore, seuls deux fusils sur cinq étaient en état de servir. J'avais instinctivement levé le mien au-dessus de ma tête. Quant au capitaine, il portait prudemment le sien en bandoulière et la crosse dirigée vers le haut. Les trois autres avaient coulé avec le canot.

135 Pour accentuer notre inquiétude, nous entendions des voix venant des bois qui longeaient le rivage se rapprocher de nous. Au danger de nous voir coupés du fortin, dans notre état de quasi-impuissance, s'ajoutait notre inquiétude au sujet de Hunter et de Joyce. Attaqués par une demi-douzaine d'ennemis, auraient-ils le

140 sang-froid et le courage de résister ? Hunter était solide, nous le savions ; mais Joyce nous inspirait moins de confiance : c'était un homme agréable, poli, excellent valet de chambre et parfait pour brosser les habits, mais qui ne semblait pas précisément taillé pour la guerre.

---

1. **Déramèrent :** lâcher les rames, renverser les avirons.
2. **À gué :** en ayant pied, l'eau étant peu profonde à cet endroit.

45   Telles étaient nos réflexions tandis que nous nous hâtions de
gagner le rivage à gué, laissant derrière nous l'infortuné petit canot
et une bonne moitié de notre poudre et de nos provisions.

18

Suite du récit par le docteur : fin du premier jour de combat

Nous traversâmes en toute hâte la zone boisée qui nous séparait
encore du fortin. À chaque pas nous entendions se rapprocher
les voix des flibustiers. Bientôt nous perçûmes le bruit de leurs
foulées[1] et le craquement des branches quand ils traversaient un
5   buisson.

Je compris que nous n'éviterions pas une escarmouche[2] sérieuse,
et vérifiai mon amorce.

– Capitaine, fis-je, Trelawney est un excellent tireur. Passez-lui
votre fusil : le sien est inutilisable.

10   Ils échangèrent leurs fusils, et Trelawney, impassible et muet
comme il l'était depuis le début de la bagarre, s'arrêta un instant
pour vérifier la charge. Je m'aperçus alors que Gray était sans
armes, et je lui tendis mon coutelas. Il cracha dans sa main, fronça
les sourcils, fit siffler sa lame en l'air, et cela nous mit du baume au
15   cœur[3]. Toute son attitude prouvait à l'évidence que notre nouvelle
recrue[4] valait son pesant de sel[5]. Toute son attitude prouvait à l'évidence que notre nouvelle

Cinquante pas plus loin, nous arrivâmes à la lisière du bois et
débouchâmes sur le fortin. Nous abordions l'enceinte par le milieu
de son côté sud quand, presque au même instant, sept mutins

---

1. **Foulées :** enjambées.
2. **Escarmouche :** combat, accrochage.
3. **Nous mit du baume au cœur :** nous rassura, nous encouragea.
4. **Recrue :** nouveau compagnon.
5. **Valait son pesant de sel :** avait beaucoup de valeur ; on dit plus couramment
   « son pesant d'or ».

20 dirigés par Job Anderson, le maître d'équipage, débouchaient en
hurlant de l'angle sud-ouest.

Ils s'arrêtèrent tout déconcertés ; et, avant qu'ils aient eu le
temps de se ressaisir, le chevalier, moi, Hunter et Joyce, nous
eûmes le temps de tirer. Les quatre coups partirent en une salve
25 peu réglementaire, mais ils furent efficaces : un de nos ennemis
tomba, et les autres, sans hésitation, firent demi-tour et s'enfoncè-
rent dans le bois.

Après avoir rechargé nos armes, nous longeâmes la palissade
pour examiner l'homme qui venait de tomber. Il était bel et bien
30 mort d'une balle en plein cœur.

Nous nous félicitions de cette belle victoire, lorsqu'un coup de
pistolet partit du bois, une balle siffla, m'effleurant l'oreille, et le
pauvre Tom Redruth vacilla, puis tomba de son long sur le sol. Le
chevalier et moi ripostâmes tous deux au coup ; mais comme nous
35 tirions au hasard, ce fut probablement en pure perte. Puis nous
rechargeâmes nos fusils et portâmes notre attention sur le malheureux Tom.

Le capitaine et Gray l'examinaient déjà, et je compris vite qu'il
était perdu.

40 Je crois que l'efficacité de notre riposte avait dispersé à nouveau
les mutins, car nous eûmes tout le temps de hisser le vieux garde-
chasse par-dessus la palissade et de le transporter, sanglant et
gémissant, dans le fortin.

Le pauvre vieil homme n'avait pas prononcé un seul mot de
45 surprise, de plainte, de peur ou même d'acquiescement depuis le
début de nos malheurs jusqu'à maintenant où il gisait à terre en
attendant la mort. Il était resté posté derrière son matelas dans
la coursive, tel un Troyen[1] ; il avait parfaitement obéi à tous les
ordres, en silence et avec ténacité. Il était de vingt ans notre aîné à
50 tous, et désormais, ce vieux serviteur fidèle et résigné allait mourir.

Le chevalier se jeta à genoux auprès de lui et lui baisa la main,
en pleurant comme un enfant.

– Suis-je en train de partir, docteur ? demanda le blessé.

---

1. **Tel un Troyen :** allusion à la résistance des Troyens pendant les dix ans que dura
le siège de Troie dans l'épopée grecque de Homère, L'*Iliade*.

55 – Tom, mon ami, lui répondis-je, vous allez regagner la céleste patrie.

– Avant ça, j'aurais bien voulu leur faire tâter de mon fusil, répondit-il.

– Tom, prononça le chevalier, dites-moi que vous me pardonnez, voulez-vous ?

60 – Serait-ce bien convenable, d'un serviteur à un chevalier ? Néanmoins, ainsi soit-il, amen !

Après un instant de silence, il souhaita qu'on lui lise une prière. « C'est la coutume, monsieur », ajouta-t-il, en s'excusant. Et peu après, sans un mot de plus, il expira.

65 Cependant, le capitaine, dont j'avais remarqué la poitrine et les poches étonnamment bourrées, en avait sorti une foule d'objets hétéroclites : un pavillon britannique[1], une bible, un rouleau de corde, une plume et de l'encre, le livre de bord, et du tabac en quantité. Il avait trouvé dans l'enceinte un sapin asssez haut, et,

70 avec l'aide de Hunter, il l'avait érigé à l'un des angles du fortin, là où s'entrecroisent les troncs d'arbres. Puis, grimpant sur le toit, il avait de sa propre main déployé et hissé le pavillon.

Cela sembla le soulager énormément. Il pénétra dans le fortin, et se mit à faire l'inventaire des provisions, comme si rien n'était plus

75 urgent. Mais il observait du coin de l'œil l'agonie de Redruth et, dès que tout fut fini, il s'approcha, muni d'un autre pavillon qu'il étendit pieusement sur le cadavre.

– Ne vous en faites pas, monsieur, dit-il au chevalier, en lui serrant la main. Tout va bien pour lui : il n'y a rien à craindre pour

80 un matelot tué en ayant accompli son devoir envers son capitaine et son armateur[2]. Ce n'est peut-être pas une grande religion, mais c'est la réalité.

Puis il me prit à part :

– Docteur Livesey, dans combien de semaines le chevalier et

85 vous attendez-vous la conserve ?

Je lui expliquai que ce n'était pas une question de semaines, mais de mois. Si nous n'étions pas de retour à la fin août, Blandly

---

1. **Pavillon britannique :** drapeau anglais.
2. **Armateur :** propriétaire, ou parfois locataire, d'un navire.

enverrait des secours, ni plus tôt, ni plus tard. Comptez vous-même, ajoutai-je.

90 — Eh bien ! monsieur, dit-il, tout en se grattant la tête, sans être ingrat à l'égard des bienfaits de la Providence[1], je peux dire que nous ne sommes pas tirés d'affaire.

— Que voulez-vous dire ? demandai-je.

— Il est bien regrettable que nous ayions perdu cette seconde
95 cargaison. Voilà ce que je veux dire. Quant aux munitions, cela peut aller. Mais les vivres sont insuffisants, très insuffisants… si insuffisants, docteur Livesey, que peut-être nous en sortirons-nous mieux sans cette bouche à nourrir.

Et il désigna le corps étendu sous le pavillon.

100 À cet instant, un boulet passa au-dessus de la maison dans un ronflement strident et alla se perdre dans le bois.

— Ho ! ho ! dit le capitaine. Ça flambe au loin ! Vous n'avez pas trop de poudre, les gars !

Le second coup fut mieux pointé, et le boulet s'abattit à l'inté-
105 rieur de l'enclos, en soulevant un nuage de sable, mais sans causer de dégât.

— Capitaine, dit le chevalier, le fortin est complètement invisible depuis le navire. Ce doit être le pavillon qu'ils visent. Ne serait-il pas plus sage de le baisser ?

110 — Baisser pavillon[2] ! s'écria le capitaine. Non, monsieur, jamais ! À peine avait-il prononcé ces mots que nous l'approuvâmes tous. Car ce drapeau n'était pas seulement un symbole de devoir et d'honneur : il servait aussi à prouver à nos ennemis que nous méprisions leur canonnade[3].

115 Toute la soirée, ils continuèrent à nous bombarder. L'un après l'autre, les boulets nous passaient par-dessus la tête, ou tombaient court, ou faisaient voler le sable de l'enclos ; mais les tirs étaient pointés si haut que les boulets avaient perdu de leur vitesse à l'arrivée et s'enlisaient dans le sable mou. Nous n'avions pas à redou-
120 ter de ricochet. Bien qu'un projectile pénétra par le toit dans le

---

1. **Providence :** Dieu.
2. **Baisser pavillon :** s'avouer vaincu.
3. **Canonnade :** succession de coups de canon.

fortin et s'engouffra au travers du plancher, nous nous habituâmes vite à ce jeu brutal qui ne nous émouvait pas plus que le cricket.

– L'avantage, fit remarquer le capitaine, c'est que le bois qui se trouve devant nous doit être parfaitement dégagé. La marée a baissé depuis un bon moment, et nos provisions doivent être à découvert. Des volontaires pour aller chercher du lard !

Gray et Hunter furent les premiers à se porter volontaires. Bien armés, ils s'élancèrent hors du fortin, mais en vain. Soit les mutins étaient plus hardis que nous l'imaginions, soit ils se fiaient à la canonnade d'Israël, car il y en avait déjà quatre ou cinq occupés à enlever nos provisions. Ils les transportaient à gué dans l'une des yoles que des coups d'aviron espacés maintenaient en place contre le courant. Silver, installé à l'arrière, commandait ses hommes, qui étaient maintenant tous pourvus de mousquets provenant de quelque cachette à eux.

Le capitaine s'assit devant son journal de bord[1], et y inscrivit ce qui suit :

« Alexandre Smollett, capitaine ; David Livesey, médecin du bord ; Abraham Gray, second charpentier[2] ; John Trelawney, armateur ; John Hunter et Richard Joyce, domestiques de l'armateur, passagers – les seuls de tout l'équipage à être restés fidèles à leur devoir – munis de vivres pour dix jours en se rationnant, ont abordé ce jour sur l'île au trésor et ont arboré le pavillon britannique sur le fortin. Thomas Redruth, garde-chasse de l'armateur, passager, tué par les mutins ; Jim Hawkins, mousse... »

Et, tandis qu'il écrivait, je m'interrogeais sur le sort du pauvre Jim Hawkins.

Un appel s'éleva du côté de la terre.

– Quelqu'un nous hèle[3], dit Hunter, qui était de garde.

– Docteur ! Chevalier ! Capitaine ! Ohé ! Hunter, c'est vous ? disait la voix.

---

1. **Journal de bord :** ou carnet de bord ; cahier dans lequel on note, au jour le jour, les événements survenus sur un navire.
2. **Charpentier :** sur un bateau en mer, ouvrier chargé des travaux d'entretien, de réparation ou de remplacement des pièces de bois ou de métal.
3. **Hèle :** verbe « héler », appeler de loin.

Et je courus à la porte à temps pour voir Jim Hawkins, sain et sauf, qui escaladait la palissade.

19

Jim reprend le récit : la garnison[1] du fortin

En apercevant le pavillon, Ben Gunn fit halte, me retint par le bras, et s'assit.

– Ce sont tes amis, c'est sûr !....

– Il est plus probable que ce sont les mutins, répondis-je.

5 – Allons donc ! s'écria-t-il, dans un lieu comme celui-ci où ne viennent que des gentilshommes de fortune, le pavillon qu'arborerait Silver ne peut être que le Jolly Roger[2], il n'y a pas de doute là-dessus ! Non, ce sont tes amis. Il y a eu des combats aussi, et je suppose que tes amis ont eu le dessus et qu'ils sont désormais
10 à terre dans ce vieux fortin construit par Flint il y a des années et des années. Ah ! c'était quelqu'un, ce Flint ! Excepté le rhum, il n'avait pas son pareil. Il n'avait jamais peur de personne, sauf de Silver… Oui, Silver avait cet honneur.

– Bien, dis-je, c'est possible, et je vous crois ; mais raison de plus
15 pour que nous nous dépêchions de rejoindre mes amis.

– Nenni, camarade, répondit Ben, pas moi. Tu es un bon gars, si je ne m'abuse, mais tu n'es qu'un gamin pour finir. Et Ben Gunn est malin. Même pour du rhum, je n'irais pas là où tu vas. Non, pas même pour du rhum… tant que je n'aurais pas vu ton gen-
20 tilhomme-né et obtenu sa parole d'honneur. Et n'oublie pas mes paroles : il lui faut des garanties (voilà ce que tu diras), il lui faut des garanties. Et puis tu le pinceras comme ceci.

Et il me pinça pour la troisième fois avec le même air entendu.

---

1. **Garnison :** troupes établies dans une ville ou un bâtiment fortifié dont elles doivent assurer la défense.
2. **Jolly Roger :** pavillon noir des pirates ; il est orné d'une tête de mort surmontant deux tibias (ou deux sabres) entrecroisés.

– Et quand on aura besoin de Ben Gunn, tu sauras où le trouver,
25 Jim. Là même où tu l'as trouvé aujourd'hui. Et celui qui viendra
devra tenir quelque chose de blanc[1] à la main ; mais qu'il vienne
seul... Ah ! et puis tu diras ceci : Ben Gunn a ses raisons à lui ;
voilà ce que tu diras.

– Bien, dis-je, je pense avoir compris. Vous avez une proposition
30 à faire, et vous désirez voir le chevalier ou le docteur ; et on vous
trouvera là où je vous ai trouvé. Est-ce tout ?

– Et quand ? ajouta-t-il. Eh bien, mettons entre midi et six
heures environ.

– Bon. Je peux m'en aller, maintenant ?

35 – Tu n'oublieras pas ? demanda-t-il d'un ton inquiet. « Des
garanties » et « des raisons à lui », que tu diras. Des raisons à lui,
voilà le principal ! Je te le dis d'homme à homme. Eh bien donc (et
il me tenait toujours), je pense que tu peux partir, Jim. Et puis, Jim,
si par hasard tu vois Silver, tu n'iras pas vendre Ben Gunn ? On ne
40 te tirera pas les vers du nez ? À aucun prix, dis ? Et si ces pirates
campent à terre, Jim, que diras-tu ? Il y aura des veuves demain...

Il fut interrompu par une détonation violente, et un boulet de
canon arriva, fracassant les branches, et alla s'enfoncer dans le
sable, à moins de cinquante toises de l'endroit où nous étions
45 arrêtés à causer. À l'instant, nous prîmes la fuite à toutes jambes,
chacun de notre côté.

Pendant une bonne heure, l'île trembla sous les détonations
répétées, et les boulets ne cessèrent de ravager les bois. Je passais
d'une cachette à l'autre, toujours poursuivi, ou du moins je me
50 l'imaginais, par ces projectiles terrifiants. Mais vers la fin du bombardement, sans oser encore m'aventurer du côté du fortin, où
tombaient la plupart des boulets, j'avais retrouvé mon courage ; et,
après un long détour vers l'est, je me faufilai entre les arbres de la
grève.

55 Le soleil venait de se coucher, la brise de mer se levait, agitant
les ramures et la surface terne du mouillage ; la marée, par ailleurs,
était presque basse, et découvrait de larges bancs de sable ; succé-

---

1. **Quelque chose de blanc :** le drapeau blanc qui signale qu'on se rend à l'ennemi.

dant à la chaleur de la journée, le vent me faisait frissonner sous ma vareuse.

60 L'*Hispaniola* était toujours ancrée à la même place ; mais le Jolly Roger se déployait à son mât. Tandis que je la considérais, je vis jaillir un nouvel éclair de feu, une autre détonation résonna en échos, et un boulet de plus déchira les airs. Ce fut la fin de la canonnade.

65 Je restai quelque temps à écouter l'agitation qui succédait à l'attaque. Sur le rivage voisin du fortin, on démolissait quelque chose à coups de hache : notre infortuné petit canot, comme je l'appris par la suite. Plus loin, vers l'embouchure de la rivière, un grand brasier flamboyait parmi les arbres, et entre ce point et le navire, 70 une yole faisait la navette. Tout en maniant l'aviron, les hommes que j'avais vus si renfrognés chantaient comme des enfants. Mais à l'intonation de leurs voix, on comprenait qu'ils avaient bu du rhum.

Enfin je crus pouvoir regagner le fortin. Je me trouvais assez loin 75 sur la langue de terre basse et sablonneuse qui ferme le mouillage à l'est et se relie dès la mi-marée à l'îlot du Squelette. En me mettant debout, je découvris, un peu plus loin sur la langue de terre et s'élevant d'entre les buissons bas, une roche isolée, assez haute et d'une blancheur particulière. Je m'avisai que ce devait être la 80 roche blanche à propos de laquelle Ben Gunn m'avait dit que si un jour ou l'autre on avait besoin d'un canot, je saurais où le trouver.

Puis, longeant les bois, j'atteignis enfin la partie arrière du fortin, du côté du rivage, et fus bientôt chaleureusement accueilli par mes compagnons.

85 Quand j'eus brièvement conté mon aventure, je pus regarder autour de moi. La maison était faite de troncs de pins non équarris[1], qui constituaient le toit, les murs et le plancher. Celui-ci était élevé par endroits d'un pied à un pied et demi au-dessus du niveau du sol. Il y avait un porche au-dessus de la porte, et, sous 90 ce porche, la petite source jaillissait dans une vasque artificielle d'un genre assez insolite : ce n'était rien moins qu'un grand chau-

---

1. **Équarris :** taillés.

dron de navire, en fer, dépourvu de son fond et enterré dans le sable « jusqu'à la flottaison[1] », comme disait le capitaine.

Il ne restait guère de la maison que la charpente : toutefois dans un coin on voyait une dalle de pierre qui tenait lieu d'âtre, et une vieille corbeille de fer rouillée destinée à contenir le feu.

Sur les pentes du monticule et dans tout l'intérieur du retranchement, on avait abattu le bois pour construire le fortin, et les souches témoignaient encore de la luxuriance de cette futaie[2]. Après sa destruction, presque tout le sol avait été délayé par les pluies ou enseveli sous la dune ; au seul endroit où le ruisselet dégorgeait du chaudron, un épais tapis de mousse, quelques fougères et des buissons rampants verdoyaient encore parmi les sables. Entourant le fortin de très près – de trop près pour la défense, disaient mes compagnons –, la forêt poussait toujours haute et drue, exclusivement composée de pins du côté de la terre, et d'une grande proportion de chênes verts du côté de la mer.

L'aigre brise du soir dont j'ai parlé sifflait par tous les interstices[3] de la construction rudimentaire et saupoudrait le plancher d'une pluie continuelle de sable fin. Il y avait du sable dans nos yeux, du sable entre nos dents, du sable dans notre souper, du sable qui dansait dans la source au fond du chaudron, comme du porridge[4] qui commence à cuire. Une ouverture carrée dans le toit formait notre cheminée : elle n'évacuait qu'une faible partie de la fumée, et le reste tournoyait dans la maison, ce qui nous faisait tousser et larmoyer.

Ajoutez à cela que Gray, notre nouvelle recrue, avait la tête enveloppée d'un bandage, à cause d'une estafilade[5] qu'il avait reçue en échappant aux mutins, et que le cadavre du pauvre Tom Redruth gisait toujours raide et froid le long du mur sous l'Union Jack, en attendant d'être enterré.

---

1. **Flottaison :** ligne qui sépare la partie immergée d'un bateau de la partie visible.
2. **Futaie :** forêt constituée d'arbres élevés.
3. **Interstices :** espaces minuscules, fissures.
4. **Porridge :** bouillie de flocons d'avoine sucrés.
5. **Estafilade :** entaille, coupure.

L'Île au trésor

S'il nous eût été permis de rester oisifs[1], nous serions tombés dans la mélancolie ; mais le capitaine Smollett n'était pas homme à nous y autoriser. Il nous fit tous ranger devant lui et nous répartit en bordées[2]. Le docteur, Gray et moi, d'une part ; les chevalier, Hunter et Joyce, de l'autre. Malgré la fatigue générale, deux hommes furent envoyés à la corvée de bois et deux autres furent occupés à creuser une fosse pour Redruth ; le docteur fut nommé cuisinier et je montai la garde à la porte ; le capitaine allait de l'un à l'autre en nous remontant le moral et en prêtant main-forte là où c'était nécessaire.

De temps à autre, le docteur venait à la porte pour respirer un peu et reposer ses yeux tout rougis par la fumée, et il ne manquait jamais de m'adresser la parole.

— Ce Smollett, prononça-t-il une fois, vaut mieux que moi, Jim. Et ce que je dis là n'est pas un mince éloge.

Une autre fois, il resta silencieux un bon moment, puis il pencha la tête d'un côté et me regarda :

— Ce Ben Gunn est-il un homme ? demanda-t-il.

— Je ne sais pas, monsieur. Je ne suis pas certain qu'il soit sain d'esprit.

— S'il y a là-dessus le moindre doute, c'est qu'il l'est. Quand on a passé trois ans à se ronger les ongles sur une île déserte, on ne peut vraiment paraître aussi sain d'esprit que toi et moi. Ce serait contraire à la nature. C'est bien de fromage dont il dit qu'il a envie ?

— Oui, monsieur, de fromage.

— Eh bien, Jim, il y a du bon à avoir des goûts délicats en matière de nourriture. Tu connais ma tabatière, n'est-ce pas ? et tu ne m'as jamais vu priser[3] : la raison en est que je garde dans cette tabatière un morceau de parmesan... un fromage italien très nourrissant. Eh bien ! il sera pour Ben Gunn !

Avant de souper, nous enterrâmes le vieux Tom dans le sable, et restâmes autour de lui quelques instants à nous recueillir, tête nue sous la brise. On avait rentré une bonne provision de bois, mais le

---

1. **Oisifs :** inoccupés.
2. **Bordées :** équipes.
3. **Priser :** inspirer en une seule fois et dans chaque narine une pincée de tabac.

capitaine la jugea insuffisante ; à la vue du tas entreposé, il hocha la tête et nous déclara qu'« il faudrait s'y remettre demain un peu plus activement ». Nous soupâmes de lard et d'un bon verre de grog à l'eau-de-vie[1], puis les trois chefs se réunirent dans un coin pour examiner la situation.

Ils semblaient ne plus savoir quoi faire car le stock de vivres était si bas que la famine nous obligerait à capituler[2] bien avant l'arrivée des secours. Le seul espoir était d'abattre suffisamment de flibustiers pour les inciter à baisser pavillon ou à s'enfuir avec l'*Hispaniola*. Sur dix-neuf, il n'en restait plus que quinze, trois blessés dont un grièvement, s'il n'était pas déjà mort – le matelot atteint par le premier coup de feu du chevalier. Chaque fois qu'une occasion se présenterait de faire feu sur eux, il fallait la saisir, tout en ménageant le plus possible nos vies. En outre, nous avions deux puissants alliés : le rhum et le climat.

En ce qui concerne le premier, bien qu'étant à environ un demi-mille des mutins, nous pûmes les entendre brailler et chanter jusqu'à une heure avancée de la nuit ; en ce qui concerne le deuxième, le docteur gagea sa perruque que, postés dans le marigot et privés de médicaments, la moitié d'entre eux serait sur le flanc[3] avant huit jours.

– Et alors, ajouta-t-il, si nous ne sommes pas tous tués avant, ils seront bien aise d'embarquer sur la goélette. C'est un navire comme un autre, et ils pourront se remettre à la flibuste.

– Le premier bâtiment que j'aurai jamais perdu ! soupira le capitaine Smollett.

J'étais mort de fatigue, comme on peut le croire ; et lorsque j'allai me coucher, ce qui n'arriva pas tout de suite, je m'endormis comme une souche[4].

Les autres étaient levés depuis longtemps, ils avaient déjà déjeuné et avaient renfloué[5] le tas de bois, quand je fus réveillé par un bruit de voix.

---

1. **Grog à l'eau-de-vie :** boisson réconfortante composée d'eau chaude et d'alcool fort (ici, l'eau-de-vie).
2. **Capituler :** se rendre à l'ennemi.
3. **Sur le flanc :** malades.
4. **Comme une souche :** profondément.
5. **Renfloué :** augmenté.

– Un drapeau blanc ! disait quelqu'un.

Puis, presque aussitôt, dans un cri de surprise :

190 – C'est Silver !

Je me levai d'un bond et, tout en me frottant les yeux, je courus me placer à une meurtrière.

20

L'ambassade de Silver

En effet, à l'extérieur de la palissade, il y avait deux hommes : l'un agitait une étoffe blanche, l'autre, rien moins que Silver lui-même, se tenait paisiblement à son côté.

Il était encore très tôt et il faisait ce matin-là plus froid que
5 jamais durant ce voyage. On frissonnait, transi jusqu'à la moelle. Le ciel était clair et sans nuage et le soleil rosissait les cimes des arbres. Mais l'endroit où se trouvait Silver et son acolyte[1] était encore dans l'ombre, et ils enfonçaient jusqu'aux genoux dans un brouillard épais et blanc qui était monté du marigot pendant
10 la nuit. Ce froid et ce brouillard pris ensemble ne disaient rien de bon sur l'île. C'était évidemment un endroit humide, malsain et qui engendrait la fièvre.

– Restez à l'intérieur, ordonna le capitaine. Dix contre un que c'est une ruse !

15 Puis il héla le flibustier :

– Qui vive ? Halte-là, ou nous faisons feu !

– Pavillon parlementaire[2] ! cria Silver.

Le capitaine était sous le vestibule, se mettant soigneusement hors d'atteinte d'une balle tirée en traître. Il s'adressa à nous :

---

1. **Acolyte :** camarade, compagnon.
2. **Pavillon parlementaire :** drapeau blanc, qui indique que l'on veut arrêter momentanément les combats ou se rendre.

20   – La bordée du docteur, en faction[1] ! Docteur Livesey, prenez le côté nord, s'il vous plaît ; Jim, l'est ; Gray, l'ouest. L'autre bordée, tout le monde charge les mousquets ! En poste, et attention !

Puis il s'adressa aux mutins :

– Que voulez-vous, avec votre pavillon parlementaire ?

25   Cette fois, ce fut l'autre individu qui répondit :

– C'est le capitaine Silver, monsieur, qui désire venir à bord pour vous faire des propositions.

– Le capitaine Silver ? Connais pas ! Qui est-ce ? s'écria le capitaine.

30   Et nous l'entendîmes ajouter à part lui : « Capitaine ? Ma parole, en voilà une promotion ! »

Long John répondit lui-même :

– C'est moi, monsieur. Ces pauvres gars m'ont choisi comme capitaine, monsieur, après votre désertion. (Et il appuya fortement 35 sur le mot.) Nous sommes prêts à nous rendre sans barguigner[2], s'il est possible de conclure un accord avec vous. Tout ce que je demande, capitaine Smollett, c'est votre parole de me laisser sortir sain et sauf de ce fortin et de me donner une minute pour me mettre hors de portée, avant d'ouvrir le feu.

40   – Mon garçon, dit le capitaine Smollett, je n'ai pas la moindre envie de causer avec vous. Si vous désirez me parler, vous pouvez venir, voilà tout. S'il y a trahison, elle viendra de votre côté, et que le Seigneur vous en préserve !

– Cela me suffit, capitaine, lança gaiement Long John. Un mot de 45 vous me suffit. Je sais reconnaître un gentleman, vous pouvez en être sûr.

Nous vîmes l'individu au drapeau blanc tenter de retenir Silver. Et cela se comprenait, vu la réponse cavalière[3] faite par le capitaine. Mais Silver lui rit au nez et lui donna une claque dans le dos, 50 comme s'il eût été absurde de s'alarmer. Puis il s'approcha de la palissade, jeta sa béquille par-dessus, lança une jambe en l'air, et à force de vigueur et d'adresse, réussit à escalader le retranchement et à retomber sans dommage de l'autre côté.

---

1. **Faction :** garde, guet.
2. **Sans barguigner :** sans hésiter, sans faire d'histoires.
3. **Cavalière :** rude, peu polie.

Je dois avouer que j'étais beaucoup trop occupé par ce qui se
⁵⁵ passait pour être de la moindre utilité en tant que sentinelle. En
effet, j'avais déjà abandonné ma meurtrière pour me glisser derrière le capitaine. Il s'était assis sur le seuil, les coudes aux genoux,
la tête entre les mains, et les yeux fixés sur l'eau qui gargouillait
parmi le sable au sortir du vieux chaudron de fer. Il sifflait entre
⁶⁰ ses dents : *Venez, filles et garçons.*

Silver eut une peine effroyable à parvenir au haut du monticule.
Gêné par la raideur de la pente, les souches d'arbres dont le sol
était semé et le sol mouvant qui s'éboulait sous lui, il était aussi
empêtré avec sa béquille qu'un bateau à sec. Mais il s'attela à la
⁶⁵ tâche en silence, et finit par arriver devant le capitaine, qu'il salua
de la plus noble façon. Il s'était mis sur son trente et un[1] : un habit
bleu démesuré et surchargé de boutons de cuivre lui pendait
jusqu'aux genoux, et un chapeau superbement galonné se campait
sur son occiput[2].

⁷⁰ – Vous voilà, mon garçon, lui dit le capitaine en relevant la tête.
Je vous conseille de vous asseoir.

– N'allez-vous pas me laisser entrer, capitaine ? réclama Long
John. Il fait bien froid ce matin, monsieur, pour s'asseoir dehors sur
le sable.

⁷⁵ – Eh ! Silver, répondit le capitaine, si vous aviez consenti à rester
un honnête homme, à l'heure qu'il est, vous seriez assis dans votre
cuisine. C'est votre faute. Soit vous êtes le coq de mon navire – et
vous étiez considéré comme tel –, soit vous êtes le capitaine Silver,
un vulgaire mutin, un pirate, et dans ce cas, vous pouvez aller
⁸⁰ vous faire pendre !

– Bien, bien, capitaine, répondit le maître coq, en s'asseyant
sur le sable comme on l'y invitait, vous me donnerez un coup de
main pour me relever, voilà tout. Un bien bel endroit que vous
avez choisi là. Tiens, voici Jim ! Je te souhaite bien le bonjour, Jim.
⁸⁵ Docteur, je vous présente mes respects. Allons, vous êtes tous réu-
nis comme une heureuse famille, pour ainsi dire…

– Si vous avez quelque chose à dire, mon garçon, je vous
conseille de parler, interrompit le capitaine.

---

1. **Il s'était mis sur son trente et un :** il était vêtu avec élégance.
2. **Occiput :** zone arrière du crâne.

– Vous avez raison, capitaine Smollett. Le devoir avant tout, pour
sûr. Eh bien, dites donc, vous nous avez joué un bon tour la nuit
dernière. Je ne le nie pas, c'était un bon tour. Certains d'entre vous
sont joliment habiles à manier l'anspect[1]. Et je ne nie pas non plus
que plusieurs de mes gens en ont été un peu ébranlés... voire tous
l'ont été ; voire je l'ai été moi-même, et c'est peut-être pour cela
que je suis venu ici pour négocier. Mais attention, capitaine, cela
n'arrivera pas deux fois !... Nous allons monter la garde, et mollir
d'un quart ou deux sur le chapitre du rhum. Vous pensez peut-
être que nous étions tous complètement gris[2]. Mais je puis vous
affirmer que, moi, je n'avais pas bu ; seulement, j'étais épuisé ; si je
m'étais réveillé une seconde plus tôt, j'aurais pris votre homme sur
le fait. Le mien n'était pas mort quand je suis arrivé auprès de lui,
ça non !

– Ensuite ? fit le capitaine Smollett, aussi impassible[3] que jamais.

Tout ce que Silver venait de dire était pour lui de l'hébreu, mais
on ne l'aurait jamais cru à son intonation. Quant à moi, je commençais à deviner. Les derniers mots de Ben Gunn me revinrent
à la mémoire. Je compris qu'il avait rendu visite aux flibustiers
pendant qu'ils gisaient tous ivres morts autour de leur feu, et je me
réjouis de calculer qu'il ne nous restait plus que quatorze ennemis
à combattre.

– Eh bien, voici, dit Silver. Nous voulons ce trésor, et nous l'aurons : voilà notre point de vue. Vous désirez tout autant sauver
vos existences, je suppose : voilà le vôtre. Vous avez une carte, pas
vrai ?

– C'est bien possible, répliqua le capitaine.

– Allons, allons, vous en avez une, je le sais... Inutile d'être aussi
raide, cela n'a rien à voir avec le service, croyez-moi... Ce que je
veux dire, c'est qu'il nous faut votre carte. Mais je ne vous veux
pas de mal, pour ma part...

– Ça ne prend pas avec moi, mon garçon, interrompit le capitaine. Nous connaissons exactement vos intentions, et peu nous

---

1. **Anspect :** grand levier qui sert à manœuvrer de lourdes charges.
2. **Gris :** ivres.
3. **Impassible :** gardant son calme.

importe, car désormais, sachez-le, vous ne pouvez plus les mettre à exécution.

Et le capitaine se mit à bourrer une pipe[1] en le regardant placidement[2].

– Si Abraham Gray… commença Silver.

– Assez ! cria M. Smollett. Gray ne m'a rien raconté, et je ne lui ai rien demandé ; et qui plus est, je préférerais vous voir, vous et lui et toute cette île aller au diable, plutôt que de lui demander quoi que ce soit ! Voilà ce que vous devez savoir.

Cette petite bouffée d'humeur eut pour effet de calmer Silver. Son début d'irritation tomba, et il se ressaisit :

– Ça se peut bien, dit-il. Je n'ai pas à déterminer ce que les gens comme il faut peuvent juger comme correct ou non. Et puisque vous vous apprêtez à fumer une pipe, capitaine, je prendrai la liberté d'en faire autant.

Il bourra sa pipe et l'alluma. Pendant un bon moment, les deux hommes restèrent à fumer sans dire un mot, tantôt se regardant en chiens de faïence, tantôt tassant leur tabac, tantôt se penchant pour cracher. On se serait cru au spectacle.

– Maintenant, reprit Silver, voici. Vous nous donnez la carte pour nous permettre de trouver le trésor, et vous cessez de canarder les pauvres matelots et de leur casser la tête pendant leur sommeil. Faites cela, et nous vous donnons le choix… Ou bien vous venez à bord avec nous, une fois le trésor embarqué, et alors je prends l'engagement, sur mon honneur, de vous débarquer quelque part sains et saufs. Ou bien, si cela ne vous convient pas, vu que plusieurs de mes hommes sont un peu brutaux et ont des comptes à régler, alors vous pouvez rester ici. Nous partagerons les provisions avec vous, à parts égales ; et je prends l'engagement, comme ci-devant, de vous signaler au premier bateau que je croiserai et de l'envoyer vous prendre ici. Voilà ce qui s'appelle parler, vous le reconnaîtrez. De meilleure proposition, vous ne pouviez pas en attendre, c'est impossible. Et j'espère (il éleva la voix) que tous les matelots présents dans ce fortin réfléchiront à mes paroles, car ce que je dis pour l'un, je le dis pour tous.

---

1. **Bourrer une pipe :** la remplir de tabac.
2. **Placidement :** avec calme et sang-froid.

Le capitaine Smollett se leva et, d'un coup sec porté sur la paume de sa main gauche, vida le culot[1] de sa pipe.

– Est-ce tout ? demanda-t-il.

– C'est mon tout dernier mot, cré tonnerre ! répondit John. Refusez cela, et vous ne recevrez plus que des balles de mousquet venant de moi.

– Très bien, dit le capitaine. À mon tour de parler. Si vous venez ici un par un, désarmés, je m'engage à vous flanquer tous aux fers[2], et à vous ramener en Angleterre où vous serez jugés dans les formes. Si vous refusez, sachez que je m'appelle Alexandre Smollett, que j'ai hissé les couleurs de mon souverain, et que je vous enverrai tous à Davy Jones[3] ! Vous ne pouvez pas découvrir le trésor. Vous ne pouvez pas manœuvrer le navire… il n'est pas un homme parmi vous qui en soit capable. Vous ne pouvez nous combattre… Gray, que voilà, est venu à bout de cinq des vôtres. Votre navire est dans les fers[4], maître Silver ; vous êtes sous le vent, et vous ne tarderez pas à vous en apercevoir. C'est moi, votre capitaine, qui vous le dis. Et c'est la dernière fois que je vous parle en ami, car, j'en atteste le ciel, la prochaine fois que je vous rencontrerai, je vous logerai une balle dans le dos. Ouste ! Débarrassez le plancher, s'il vous plaît, et plus vite que ça !

Le visage de Silver était à peindre : ses yeux furieux lui sortaient de la tête. Il secoua la braise de sa pipe.

– Aidez-moi à me relever ! s'écria-t-il.

– Jamais de la vie, répliqua le capitaine.

– Qui va m'aider à me relever ? hurla-t-il.

Personne ne bougea. Poussant les plus affreuses imprécations[5], il se traîna sur le sable jusqu'à ce qu'il pût atteindre le porche et se redresser sur sa béquille. Puis il cracha dans la source.

---

1. **Culot :** résidu épais et noirâtre qui se forme par la combustion du tabac et qui s'amasse dans le foyer d'une pipe.
2. **Flanquer aux fers :** mettre en état d'arrestation, les fers (chaînes) aux pieds, dans la cale.
3. **Davy Jones :** nom d'un pirate chargé de conduire au bout du monde les âmes des personnes mortes en mer ; incarnation de l'esprit de la mer.
4. **Dans les fers :** livré aux vents et donc incapable d'avancer.
5. **Imprécations :** malédictions, paroles ou souhaits appelant le malheur sur quelqu'un.

– Voilà, cria-t-il, voilà ce que je pense de vous ! Dans moins d'une heure, je vous ferai flamber dans votre vieux fortin comme un bol de punch[1]. Vous pouvez bien rire ! Dans moins d'une heure, rira bien qui rira le dernier ! Ceux qui mourront seront les plus heureux.

Tout en proférant un effroyable blasphème, il s'éloigna péniblement, labourant le sable lourd ; après quatre ou cinq tentatives infructueuses, il franchit la palissade avec l'aide de l'homme au pavillon blanc, puis disparut entre les arbres.

---

1. **Punch :** boisson à base de rhum, donc fortement alcoolisée.

Clefs d'analyse

Action et personnages

1. Où se trouve Jim pendant que ses amis s'inquiètent pour lui ?
2. Combien de mutins sont restés à bord de l'*Hispaniola* ? Combien d'entre eux ont débarqué sur l'île avec Silver ? Reportez-vous, si nécessaire, à l'épisode précédent.
3. Une fois parvenu au fortin, pourquoi le docteur décide-t-il de retourner sur l'*Hispaniola* ? Que récupère-t-il sur le bateau ?
4. Combien d'allers-retours le docteur fait-il ? Quel incident grave compromet le dernier voyage du canot presque arrivé sur la côte ?
5. À quels arguments cède le mutin Gray qui consent à rejoindre le camp du capitaine Smollett ?
6. Qui est Israël Hands ? Pourquoi est-il particulièrement dangereux ? Dans quelles circonstances échappe-t-il au tir du chevalier Trelawney ?
7. Arrivés sur le rivage, à quel danger le Dr Livesey et ses amis doivent-ils faire face ? Montrez la violence des échanges.
8. Quel mystérieux message de Ben Gunn Jim a-t-il mission de transmettre à ses amis ? Comment le jeune garçon est-il accueilli par ses compagnons ?
9. Quel est ce « jeu brutal » auquel les hommes réfugiés dans le fortin doivent se soumettre ? Comment les assiégés s'en sortent-ils ? Combien de mutins reste-t-il avant l'arrivée de Silver au fortin ?
10. Expliquez l'ambassade de Silver : à quoi sert le drapeau blanc ? Quel marché propose le cuisinier ? Quelle contre-proposition lui fait le capitaine ?
11. Que laisse supposer la fureur de Silver pour la suite de l'action ?

Langue

1. « Vous allez regagner la céleste patrie » (chap. 18, l. 54-55), dit le chevalier à Tom Redruth mourant : que veut-il dire par là ?
2. « Dans moins d'une heure, rira bien qui rira le dernier ! » (chap. 20, l. 188-189) : que signifie cette menace de Silver ?

Clefs d'analyse

Genre ou thèmes

1. Qui raconte les événements survenus au fortin après le départ de Jim ? Qui reprend la narration au chapitre 19 ? Expliquez l'intérêt de ce changement de narrateur.
2. Justifiez, en citant le texte, l'expression « ce lieu abominable » utilisée par le docteur pour désigner la baie où se trouve l'*Hispaniola*.
3. « On n'a pas le loisir de tergiverser, dans notre profession », remarque le docteur Livesey (chap. 16, l. 61-62). À travers cette remarque, que révèle-t-il du métier de médecin ?
4. De quelle manière le journal de bord que rédige le Dr Livesey à la fin du chapitre 18 aide-t-il le lecteur ? Que permet-il de clarifier dans le récit ?

Écriture

1. Jim prend des initiatives et agit à sa guise : que pensez-vous personnellement du jeune aventurier et de ses actions dans cet épisode ?
2. Personne n'accepte d'aider Silver à se relever, ce qui l'oblige à ramper sur le sable pour récupérer sa béquille : qu'auriez-vous fait si vous avez été à la place de Jim, dans cette situation ? Argumentez votre position.

Pour aller plus loin

1. Citez un roman ou un film d'aventures où les héros assiégés font preuve d'un courage remarquable pour résister à leurs assaillants.

✳ À retenir

Le changement de narrateur dans un récit permet de multiplier les points de vue sur une même situation et de donner au lecteur l'appréciation des événements à partir de différentes sensibilités. Grâce à cette technique narrative, le lecteur de *L'Île au trésor* peut suivre les aventures de Jim dans son face-à-face avec Ben Gunn tout en restant informé point par point des dispositions que prennent le capitaine Smollett et ses compagnons pour établir leur siège au fortin.

21

L'attaque

Dès que Silver eut disparu, le capitaine, qui n'avait cessé de le surveiller, se retourna vers l'intérieur de la maison et constata que, sauf Gray, personne n'était à son poste. Ce fut la première fois que nous le vîmes réellement en colère.

5 – À vos postes ! rugit-il. (Puis, quand nous eûmes regagné nos places :) Gray, je vous signalerai sur le journal de bord ; vous avez accompli votre devoir en vrai marin. Monsieur Trelawney, votre conduite m'étonne. Et vous, docteur, vous avez porté l'uniforme royal, je pense. Si c'est ainsi que vous serviez à Fontenoy, mon-

10 sieur, vous auriez mieux fait ce jour-là de rester couché.

La bordée du docteur était retournée aux meurtrières ; les autres s'occupaient à charger les mousquets de réserve ; tout le monde avait le rouge aux joues et l'oreille basse[1]

Le capitaine nous regarda une minute en silence. Puis il reprit la

15 parole :

– Mes garçons, j'ai lâché une bordée[2] à Silver. J'ai tiré volontairement à boulets rouges[3]. Dans moins d'une heure, comme il l'a dit, nous serons attaqués. Ils sont supérieurs en nombre, inutile de vous le dire, mais nous combattrons à couvert[4] ; et, il y a une

20 minute, j'aurais ajouté : nous avons la disicipline avec nous. Il ne fait aucun doute que nous leur donnerons une bonne râclée, si vous le voulez bien.

Puis il fit sa ronde, et vit, comme il disait, que tout était paré[5].

Sur les côtés est et ouest du fortin, il n'y avait que deux meur-

25 trières ; sur le côté sud, où se trouvait l'entrée, deux également, et sur le côté nord, cinq. Nous disposions, pour nous sept, d'une vingtaine de mousquets. On avait entassé le bois à brûler en

---

1. **Avait le rouge aux joues et l'oreille basse :** était honteux.
2. **Bordée :** ici, flot de paroles destinées à exaspérer l'ennemi.
3. **À boulets rouges :** très violemment.
4. **À couvert :** à l'abri, protégés.
5. **Paré :** prêt.

quatre piles, des sortes de tables, une vers le milieu de chaque côté ; sur chacune de ces tables se trouvaient disposés, à portée
30 des défenseurs, des munitions et quatre mousquets chargés. Au centre s'alignaient les coutelas.

– Éteignez le feu, dit le capitaine ; il ne fait plus froid et il est inutile d'avoir de la fumée dans les yeux.

La corbeille de fer fut transportée dehors à bras-le-corps par M.
35 Trelawney ; les braises s'éteignirent dans le sable.

– Hawkins n'a pas déjeuné. Hawkins, servez-vous, et allez manger à votre poste, poursuivit le capitaine. Plus vite, mon garçon ! ce n'est pas l'heure de traîner. Hunter, distribuez une tournée d'eau-de-vie à tout le monde.

40 Et, pendant que ces ordres s'exécutaient, le capitaine peaufinait[1] dans sa tête son plan de défense.

– Docteur, vous surveillerez la porte. Il vous faut voir sans être vu : restez à l'intérieur et tirez du porche. Hunter, prenez le côté est. Joyce, restez à l'ouest, mon garçon. Monsieur Trelawney, vous
45 êtes le meilleur tireur : vous et Gray prendrez le grand côté du nord, avec les cinq meurtrières ; c'est là que se trouve le danger. S'ils parviennent jusque-là, et qu'ils tirent sur nous par nos propres sabords[2], ça commencera à sentir mauvais. Hawkins, vous ne valez guère plus que moi comme tireur : nous resterons là pour rechar-
50 ger les armes et prêter main-forte.

Comme l'avait dit le capitaine, le froid était passé. Dès que le soleil se leva sur notre enceinte d'arbres, il inonda la clairière de lumière et de chaleur puis dispersa les brumes en un clin d'œil. Bientôt le sable fut brûlant et la résine fondait sur les troncs
55 d'arbres du fortin. Nous nous débarrassâmes de nos habits et, en bras de chemise, les manches retroussées jusqu'au coude, nous attendîmes, chacun à notre poste, dans une sorte de fièvre due à la chaleur et à l'inquiétude.

Une heure s'écoula.

60 – Qu'ils soient pendus ! fit le capitaine. On s'ennuie à mourir ! Gray, sifflez pour faire venir le vent.

---

1. **Peaufinait :** complétait, achevait.
2. **Sabords :** ouvertures pratiquées dans la paroi d'un navire (ici, dans les murs du fortin).

Ce fut alors que se manifestèrent les premiers symptômes de
l'attaque.

– S'il vous plaît, monsieur, dit Joyce, si je vois quelqu'un, dois-je
tirer dessus ?

– Je vous l'ai déjà dit ! s'écria le capitaine.

– Merci, monsieur, répliqua Joyce, avec la même politesse
tranquille.

Rien ne s'ensuivit pendant un bon moment, mais la remarque
nous avait tous mis en alerte. L'œil et l'oreille aux aguets, les
mousquetaires soupesaient leurs fusils. Isolé au centre du fortin, le
capitaine serrait les lèvres et fronçait les sourcils.

Quelques secondes s'écoulèrent. Soudain, Joyce épaula et fit
feu. La détonation grondait encore, que plusieurs autres lui répli-
quèrent en une décharge prolongée, par coups successifs venant
à la file indienne, de tous les côtés de l'enclos. Plusieurs balles
frappèrent la maison de rondins, mais pas une n'y pénétra. Quand
la fumée se fut dissipée, le fortin et les bois alentour réapparurent,
aussi tranquilles et déserts qu'auparavant. Pas une branche ne
remuait, pas un canon de fusil ne luisait, qui eut révélé la présence
de nos ennemis.

– Avez-vous touché votre homme ? demanda le capitaine.

– Non, monsieur, répondit Joyce. Je ne crois pas, monsieur.

– Ça ressemble fort à la vérité, murmura le capitaine. Rechargez
son fusil, Hawkins. Combien pensez-vous qu'ils étaient de votre
côté, docteur ?

– Je puis le dire exactement. On a tiré trois coups de ce côté. J'ai
vu les trois éclairs… deux très rapprochés, et un plus à l'ouest.

– Trois ! répliqua le capitaine. Et combien de votre côté, monsieur Trelawney ?

Mais la réponse fut moins aisée. Il en était venu beaucoup, du
nord… sept au compte du chevalier, huit ou neuf suivant Gray. De
l'est et de l'ouest un seul coup. Il était donc évident que l'attaque
viendrait du nord, et que sur les trois autres côtés, nous n'aurions à faire face qu'à un simulacre[1] d'hostilités. Mais le capitaine
Smollett ne modifia en rien ses dispositions. Si les mutins parve-

---

1. **Simulacre :** imitation, apparence.

naient à franchir le fortin, ils prendraient possession de toutes les
meurtrières inoccupées et nous canarderaient[1] comme des rats
dans notre propre forteresse.

100   D'ailleurs nous n'eûmes guère le temps de réfléchir. Poussant un
violent hourra, une bande de pirates s'élança des bois, côté nord,
et accourut droit au fortin. En même temps, de derrière les arbres,
la fusillade reprit, et une balle de fusil traversa l'entrée et fit voler
en éclats le mousquet du docteur.

105   Telle une bande de singes, les assaillants surgirent au haut de la
clôture. Le chevalier et Gray tirèrent coup sur coup : trois hommes
tombèrent, l'un la tête la première dans le retranchement, deux à
la renverse, au-dehors. Mais l'un de ceux-ci avait eu plus de peur
que de mal, car il se remit sur pied dans la seconde puis disparut à
110 travers bois.

    Deux ennemis avaient mordu la poussière, un était en fuite,
quatre avaient réussi à prendre pied dans nos retranchements ; et,
à l'abri des bois, sept ou huit hommes, sans nul doute munis chacun de plusieurs mousquets, dirigeaient sur la maison de rondins
115 un feu roulant[2], mais inefficace.

    Les quatre qui avaient pénétré coururent droit devant eux vers
le fortin, en poussant des clameurs que les hommes cachés parmi
le bois renforçaient par des cris d'encouragement. On tira plusieurs
coups, mais avec une telle précipitation qu'aucun ne porta. En un
120 instant, les quatre pirates avaient gravi le monticule : ils étaient sur
nous.

    La tête de Job Anderson, le maître d'équipage, apparut à la meur-
trière du milieu.

    – Tout le monde à l'assaut ! hurla-t-il, d'une voix de tonnerre.

125   Au même moment, un autre pirate empoigna par le canon le
mousquet de Hunter, le lui arracha des mains, l'attira par la meurtrière, et, d'un coup formidable, étendit sur le sol le pauvre garçon
inanimé. Entre-temps, un troisième contourna la maison en courant puis apparut soudain à la porte et se jeta, couteau levé, sur le
130 docteur.

---

1. **Nous canarderaient :** nous tireraient dessus.
2. **Feu roulant :** tir continu.

Notre position était complètement renversée. Une minute plus tôt, nous tirions à couvert sur un ennemi exposé à nos tirs ; maintenant, nous étions à découvert et incapables de riposter.

La maison de rondins était pleine de fumée, ce qui nous valut une sécurité relative. Des cris tumultueux, les détonations des coups de pistolet et une plainte affreuse m'emplissaient les oreilles.

– Dehors, les garçons, dehors ! Combattons à l'air libre ! Les coutelas ! ordonna le capitaine.

J'empoignai un coutelas dans le tas ; quelqu'un qui en prenait un autre en même temps me fit sur les doigts une estafilade que je sentis à peine. Je me précipitai à l'extérieur, à la lumière du soleil. Quelqu'un, j'ignore qui, me suivit de près. Juste devant moi, au bas du monticule, le docteur repoussait un assaillant : à l'instant où je jetai les yeux sur lui, il rabattait la lame de son ennemi, et l'envoya rouler les quatre fers en l'air, une large entaille en travers du visage.

– Faites le tour de la maison, les garçons ! lança le capitaine.

Et malgré le hourvari[1], je devinai à sa voix qu'il y avait du nouveau.

J'obéis machinalement, obliquai à l'est et, le couteau levé, contournai en hâte l'angle de la maison. Je me trouvai face à face avec Anderson. Tout en poussant un hurlement, il brandit son coutelas qui flamboya au soleil. Je n'eus pas le temps d'avoir peur, car, en un clin d'œil, avant que le coup ne retombât, j'avais fait un bond de côté et, perdant pied dans le sable lourd, je dévalais la pente la tête la première.

Dès l'instant où j'avais surgi de la porte, les autres mutins s'étaient déjà mis à escalader la palissade pour en finir avec nous. Un homme au bonnet rouge, le coutelas entre les dents, était même arrivé en haut et commençait à enjamber la clôture. Or, entre cet instant et celui où je me relevai, il se passa si peu de temps que tous étaient encore dans la même position : l'individu au bonnet rouge n'avait pas fini son ascension, et un autre montrait à peine sa tête par-dessus la rangée de pieux. Néanmoins,

---

1. **Hourvari :** tumulte, vacarme.

165 dans ce court intervalle, le combat était terminé et la victoire était à nous.

Gray, qui me suivait de près, avait abattu le maître d'équipage sans lui laisser le loisir de se remettre de son dernier coup. Un autre frappé d'une balle au moment où il venait de tirer par une
170 meurtrière, agonisait[1], en tenant encore son pistolet fumant à la main. Le docteur, comme je le vis, en avait éliminé un troisième. Des quatre qui avaient escaladé la palissade, un seul était indemne : celui-ci, abandonnant son coutelas sur le champ de bataille, se hâtait de repasser de l'autre côté de la clôture, talonné
175 par la peur de la mort.

– Feu ! commanda le docteur. Et vous, les garçons, allez vous mettre à l'abri !

Mais en vain : personne ne tira, et le dernier homme put s'échapper sans mal et disparut dans le bois avec les autres. En trois
180 secondes, de toute la troupe des assaillants, il ne resta plus que les cinq hommes tombés, quatre à l'intérieur et un à l'extérieur du fortin.

Le docteur, Gray et moi courûmes au plus vite nous mettre à l'abri. Les survivants auraient bientôt regagné l'endroit où ils
185 avaient laissé leurs mousquets, et la fusillade pouvait reprendre d'un instant à l'autre.

Dans la maison, la fumée s'était un peu éclaircie et nous vîmes d'un coup d'œil à quel prix nous avions acheté la victoire. Hunter gisait, assommé, devant sa meurtrière ; Joyce, devant la sienne, une
190 balle dans la tête, immobile à jamais ; tandis que, au centre de la pièce, le chevalier soutenait le capitaine, aussi pâle que lui-même.

– Le capitaine est blessé, nous dit M. Trelawney.

– Se sont-ils enfuis ? demanda M. Smollett.

– Tous ceux qui l'ont pu, soyez-en sûr, répondit le docteur ; mais
195 il y en a cinq qui ne courront plus jamais.

– Cinq ! s'écria le capitaine. Il y a du progrès ! Nous voici donc quatre contre neuf, ce qui nous laisse plus de chances qu'au début. Nous étions alors sept contre dix-neuf, ou du moins nous le pensions, ce qui ne vaut pas mieux.

---

1. **Agonisait :** était sur le point de mourir ; du verbe « agoniser ».

V. Mon aventure en mer

22

Comment je repris la mer

Les mutins ne revinrent pas à la charge. Il ne nous arriva même plus un coup de fusil de la forêt. Ils avaient « eu leur compte pour ce jour-là », comme disait le capitaine, et nous eûmes toute la tranquillité nécessaire pour soigner les blessés et préparer le dîner.
5   En dépit du danger, le chevalier m'aida à faire la cuisine dehors, et même là nous étions horrifiés par les terribles gémissements de douleur des patients du docteur.

Des huit hommes tombés pendant le combat, trois seulement respiraient encore, à savoir : le pirate frappé devant la meurtrière,
10 Hunter et le capitaine Smollett. Les deux premiers pouvaient être considérés comme perdus : le mutin, en effet, trépassa[1] sous le bistouri du docteur, et Hunter, en dépit de tous nos soins, ne reprit pas connaissance. Il agonisa tout le jour, respirant bruyamment comme le vieux forban lors de son attaque d'apoplexie : il avait
15 eu les os de la poitrine brisés et le crâne fracturé au cours de sa chute ; la nuit suivante, sans un mot et sans un geste, il rejoignit son Créateur.

Quant au capitaine, il était grièvement blessé, mais pas mortel-lement. Aucun organe vital n'avait été atteint. La balle d'Anderson
20 – qui avait tiré sur lui le premier – lui avait fracassé l'omoplate et atteint le poumon, mais sans gravité ; la seconde n'avait que déchiré et déplacé quelques muscles du mollet. Il allait guérir, disait le docteur, mais à la condition de rester des semaines sans marcher, ni remuer le bras, et en parlant le moins possible.

---

1. **Trépassa :** mourut.

25 L'estafilade sur les doigts due à mon accident n'était guère plus sérieuse qu'une piqûre de moustique. Le docteur Livesey la couvrit d'un pansement et me tira les oreilles par-dessus le marché.

Après dîner, le chevalier et le médecin tinrent conseil un moment au chevet du capitaine ; quand ils eurent bavardé tout 30 leur soûl – il était alors un peu plus de midi –, le docteur prit son chapeau et ses pistolets, s'arma d'un coutelas, mit la carte dans sa poche et le mousquet sur l'épaule, franchit le fortin par le côté nord et, d'un pas rapide, s'enfonça sous les arbres.

Je m'étais réfugié, en compagnie de Gray, tout à l'extrémité du 35 fortin, afin de ne pas entendre le conciliabule de nos chefs. Gray fut tellement ébahi par cette sortie qu'il retira sa pipe de sa bouche et oublia complètement de l'y replacer.

– Mais, par maître Lucifer ! est-ce que le docteur Livesey est fou ?

40 – Mais non, répliquai-je. Il serait le dernier de nous tous à le devenir, j'en suis sûr.

– Eh bien, mon gars, reprit Gray, je me trompe peut-être ; mais s'il n'est pas fou, tu entends bien, c'est moi qui le suis.

– Je parie, répliquai-je, que le docteur a son idée. Je pense qu'il 45 va rendre visite à Ben Gunn.

J'avais raison, on le sut plus tard. En attendant, il faisait une chaleur étouffante dans la maison, et le sable à l'intérieur de l'enclos brûlait sous le soleil de midi ; je conçus alors une autre idée qui était loin d'être aussi juste. Je me mis à envier le docteur qui mar- 50 chait sous l'ombre fraîche des arbres, entouré de chants d'oiseaux et baignant dans la bonne odeur des pins, tandis que moi, j'étais là à rôtir, mes habits collés par la résine chaude, au milieu de tout ce sang et entouré de tous ces cadavres. Mon dégoût de cet endroit céda presque le pas à la terreur.

55 Tout le temps que je passai à nettoyer le fortin puis à laver la vaisselle du dîner, ce dégoût et cette envie ne cessèrent de croître, tant et si bien qu'à la fin, me trouvant près d'un sac à pain, et que personne ne me regardait, je fis le premier pas vers mon escapade en remplissant de biscuits les deux poches de ma vareuse.

60 J'étais stupide si l'on veut, et j'étais certainement sur le point de commettre une action insensée et téméraire ; mais j'étais résolu

à l'accomplir avec le maximum de précautions possibles. Ces biscuits, quoi qu'il arrive, m'empêcheraient toujours de mourir de faim jusqu'au lendemain.

Je m'emparai ensuite d'une paire de pistolets et, comme j'avais déjà une poire à poudre[1] et des balles, je m'estimai armé.

Quant au plan que j'avais en tête, il n'était pas mauvais en soi. Je projetais de partir par la langue de sable qui sépare à l'est le mouillage de la haute mer, de gagner la roche blanche que j'avais remarquée le soir précédent, et de vérifier si oui ou non c'était là que Ben Gunn cachait son canot : chose qui en valait bien la peine, je le crois encore. Mais comme sans nul doute on ne me permettrait pas de quitter l'enclos, mon seul moyen était de filer à l'anglaise[2], et de m'éclipser à un moment où personne ne me verrait ; et c'était là une manière d'agir si fâcheuse qu'elle rendait la chose coupable. Mais je n'étais qu'un gamin, et je n'en démordis pas[3].

Justement, les circonstances me fournirent une occasion admirable. Le chevalier était occupé avec Gray à renouveler les pansements du capitaine : la voie était libre. Je filai comme un trait, franchis le fortin et m'enfonçai au plus épais des arbres. Quand mes compagnons s'aperçurent de mon absence, j'étais déjà loin.

Ce fut là ma seconde folie, bien pire que la première, car je ne laissais que deux hommes valides pour garder le fortin ; mais, comme la première, elle contribua à notre salut commun.

Je me dirigeai droit vers la côte est de l'île, car j'avais résolu de longer la langue de sable par le côté de la mer, pour éviter toute chance d'être aperçu du mouillage. Bien que le soleil fût encore chaud, il était déjà tard dans l'après-midi. Tout en me glissant parmi la futaie, j'entendais au loin devant moi le tonnerre continuel des brisants[4] ; en outre, un bruissement de feuillage et des grincements de branches caractéristiques m'annonçaient que la brise de mer s'était levée plus forte qu'à l'ordinaire. Bientôt des bouffées d'air frais arrivèrent jusqu'à moi, et quelques pas plus

---

1. **Poire à poudre :** petite gourde où l'on mettait la poudre destinée aux armes à feu.
2. **Filer à l'anglaise :** partir sans être vu.
3. **Je n'en démordis pas :** je ne changeai pas d'avis.
4. **Brisants :** rochers, écueils à fleur d'eau, sur lesquels la mer se brise en formant des vagues écumeuses.

loin, j'atteignis la lisière du bois et vis la mer qui s'étalait bleue
et ensoleillée jusqu'à l'horizon, et le ressac qui déferlait, écumant
tout le long de la côte.

Je n'ai jamais vu la mer paisible autour de l'île au trésor. Que le
soleil flamboyât au zénith, que l'air fût sans un souffle et les eaux
ailleurs lisses et bleues, ces grandes lames[1] déferlantes tonnaient
malgré tout jour et nuit, le long de la côte ; je ne crois pas qu'il y
eût un seul point de l'île d'où l'on pût ne pas entendre leur bruit.

Je m'avançai en longeant les brisants, d'un pas fort allègre.
Quand je me crus arrivé assez loin dans le sud, je mis à profit le
couvert[2] de quelques épais buissons et me glissai précautionneuse-
ment jusque sur la crête de la langue de terre.

J'avais derrière moi la mer, en face le mouillage. Comme si elle
s'était épuisée plus tôt que d'habitude par sa violence inusitée[3], la
brise de mer tombait déjà : il s'élevait à sa place un vent léger et
instable, variant du sud au sud-est, qui amenait de grands bancs
de brume, et le mouillage, abrité par l'îlot du Squelette, était lisse
et plombé[4] comme au jour de notre arrivée. Dans ce miroir sans
ride, l'*Hispaniola* se reflétait exactement, depuis la pomme des
mâts[5] jusqu'à la flottaison, y compris le Jolly Roger qui pendait à sa
vergue d'artimon[6].

Le long du bord flottait une des yoles, commandée par Silver –
lui, je le reconnaissais toujours – vers qui se penchaient, appuyés
au bastingage[7] arrière, deux hommes dont l'un, en bonnet rouge,
était ce même scélérat que j'avais vu quelques heures auparavant
à califourchon sur la palissade. Probablement, ils causaient et
riaient, mais à cette distance – plus d'un mille – je ne pouvais, cela
va de soi, entendre un mot de ce qu'ils disaient. Tout à coup reten-
tirent des hurlements affreux et inhumains qui me terrifièrent tout

---

1. **Lames :** vagues.
2. **Couvert :** abri.
3. **Inusitée :** inhabituelle.
4. **Plombé :** couleur de plomb, c'est-à-dire gris.
5. **Pomme des mâts :** une pomme de mât est une pièce sphérique qui termine l'extrémité supérieure d'un mât.
6. **Vergue d'artimon :** vergue (longue pièce de bois) qui s'appuie horizontalement
   contre le pied du mât d'artimon (mât le plus près de l'arrière).
7. **Bastingage :** parapet, petit mur faisant office de garde-corps.

d'abord, mais j'eus tôt fait de reconnaître la voix de Capitaine Flint, et je crus même, à son brillant plumage, distinguer l'oiseau posé sur le poing de son maître.

Peu après le canot démarra, nageant vers le rivage, et l'homme au bonnet rouge disparut avec son camarade par le capot[1] de la cabine.

Presque au même moment, le soleil se coucha derrière la Longue-Vue et, comme la brume s'épaississait rapidement, l'obscurité s'installa sérieusement. Je réalisai que je n'avais pas de temps à perdre si je voulais découvrir le bateau ce soir-là.

La roche blanche, très visible au-dessus des broussailles, était bien encore à deux cents toises plus loin sur la langue de terre, et il me fallut un bon moment pour l'atteindre, en rampant la plupart du temps à quatre pattes, parmi le hallier[2]. La nuit était presque tombée quand je posai la main sur son flanc rugueux. Juste au-dessous, à son pied, il y avait un minuscule creux de gazon vert, masqué par des rebords et par une épaisse végétation qui me venait à mi-jambe ; et au milieu du trou, une petite tente en peaux de chèvres, comme celles que les bohémiens transportent avec eux, en Angleterre.

Je sautai dans l'excavation, soulevai le pan de la tente, et vis le canot de Ben Gunn. Cette pirogue, rustique au possible, consistait en une carcasse de bois brut, grossière et de forme biscornue, avec, tendu par-dessus, un revêtement de peau de chèvre, le poil en dedans. L'esquif était fort petit, même pour moi, et je crois qu'il aurait difficilement supporté un adulte. Il renfermait un banc de rameur aussi bas que possible, une sorte de marchepied[3] à l'avant, et une double pagaie en guise de propulseur.

À cette époque-là, je n'avais pas encore vu de coracle[4], ce bateau des anciens Bretons, mais j'en ai vu un depuis, et je ne peux donner une meilleure idée de la pirogue de Ben Gunn qu'en disant qu'elle ressemblait au premier et pire coracle qui soit jamais sorti

---

1. **Capot :** ouverture permettant de descendre dans la cabine.
2. **Hallier :** végétation faite de buissons épais.
3. **Marchepied :** petite marche.
4. **Coracle :** embarcation minuscule, très légère, fabriquée avec une toile tendue sur un cadre.

155 de la main de l'homme. Mais elle possédait à coup sûr le grand
avantage du coracle, car elle était extrêmement légère.

Or, maintenant que j'avais trouvé le canot, vous pourriez penser
que j'aurais pu arrêter là mes exploits ; mais entre-temps j'avais
formé un autre projet, dont j'étais si obstinément convaincu que
160 je l'aurais exécuté, je crois, même au nez et à la barbe du capitaine
Smollett. C'était de me faufiler, à la faveur de la nuit, jusqu'à l'*Hispaniola*, de couper son amarre et de la laisser dériver où bon lui
semblerait. J'étais persuadé que les mutins, après leur défaite du
matin, n'auraient rien de plus urgent à faire que de lever l'ancre et
165 de prendre le large. Ce serait, pensais-je, un bon moyen de les en
empêcher ; et comme je venais de voir qu'ils laissaient les gardiens
du navire dépourvus d'embarcation, je croyais pouvoir exécuter
mon projet sans grand risque.

Je m'assis par terre en attendant la nuit tout en mangeant mon
170 biscuit de bon appétit. Cette nuit était propice[1] entre mille à mon
projet. Le brouillard couvrait maintenant tout le ciel. Quand les
dernières lueurs du jour eurent disparu, une obscurité totale
s'abattit sur l'île au trésor. Quand je pris enfin le coracle sur mon
épaule et me hissai péniblement hors du creux où j'avais soupé, il
175 n'y avait plus, dans tout le mouillage, que deux points visibles.

L'un était le grand feu du rivage, autour duquel les pirates
vaincus se livraient à leurs libations[2]. L'autre, une simple tache de
lumière sur l'obscurité, m'indiquait la position du navire à l'ancre.
Celui-ci avait viré de bord avec le reflux, et me présentait mainte-
180 nant son avant ; il n'y avait de lumières à bord que dans la cabine,
et ce que je voyais était uniquement le reflet sur le brouillard des
rayons de lumière qui s'échappaient de la fenêtre de poupe.

La marée baissait déjà depuis quelque temps, et je dus patauger
à travers un long banc de sable détrempé où j'enfonçai plusieurs
185 fois jusqu'au-dessus de la cheville, avant d'arriver au bord de la
mer descendante. Je m'y avançai de quelques pas, et, avec un peu
de force et d'adresse, déposai mon coracle, la quille par en bas, à la
surface de l'eau.

---

1. **Propice :** favorable.
2. **Se livraient à leurs libations :** buvaient abondamment.

166

23

La marée descend

Le coracle – comme je devais avoir ample moyen de le vérifier – était, pour quelqu'un de ma taille et de mon poids, un bateau très sûr, à la fois léger et tenant bien la mer ; mais cette embarcation biscornue était des plus difficiles à diriger. On avait beau faire, elle se bornait la plupart du temps à dériver, et en fait de manœuvre, elle ne savait guère que tourner en rond. Ben Gunn lui-même avait admis qu'elle était « d'un maniement pas très commode tant qu'on ne connaissait pas ses habitudes ».

Évidemment, je ne les connaissais pas. Elle allait dans toutes les directions, sauf dans celle où je voulais aller ; la plupart du temps nous progressions bâbord en avant, et il est certain que sans la marée je n'aurais jamais atteint le navire. Par bonheur, de quelque manière que je pagayasse, la marée m'emportait toujours, et l'*Hispaniola* était là-bas, droit dans le chenal[1] : je ne pouvais la manquer.

Tout d'abord, elle surgit devant moi comme une tache d'un noir plus foncé que les ténèbres ; puis ses mâts et sa coque se profilèrent peu à peu, et en un instant – car le courant du reflux devenait plus fort à mesure que j'avançais – je me trouvai à côté de son amarre, que j'empoignai.

L'amarre était bandée[2] comme la corde d'un arc, tant le navire tirait sur son ancre. Tout autour de la coque, dans l'obscurité, le clapotis du courant bouillonnait et babillait comme un petit torrent de montagne. Un coup de mon coutelas, et l'*Hispaniola* serait partie, murmurante, avec la marée.

Jusqu'à présent, tout allait bien. Mais je me rappelai tout à coup que le choc d'une amarre bandée que l'on coupe net est aussi dangereux qu'une ruade de cheval. Il y avait dix à parier contre un que, si j'avais la témérité de couper le câble de l'*Hispaniola*, je serais projeté en l'air du même coup avec mon coracle.

---

1. **Chenal :** passage praticable à la navigation.
2. **Bandée :** tendue, soumise à une forte traction.

Cette réflexion m'arrêta net et, si le destin ne m'avait pas particulièrement gratifié, il m'eût fallu abandonner mon projet.

Mais la légère brise qui soufflait tout à l'heure d'entre sud et sud-est avait tourné au sud-ouest après la tombée de la nuit. Pendant que je méditais ainsi, la brise frappa l'*Hispaniola* et la refoula à contre-courant. À ma grande joie, je sentis l'amarre se relâcher sous mes doigts et la main dont je la tenais plongea dans l'eau pendant une seconde.

Là-dessus ma décision fut prise : je tirai mon coutelas, l'ouvris avec mes dents, et coupai successivement les torons[1] du câble, jusqu'à ce qu'il n'en restât plus que deux pour maintenir le navire. Je m'arrêtai alors, attendant pour trancher ces derniers que leur tension fût de nouveau relâchée par un souffle de vent.

Pendant tout ce temps-là, j'avais entendu un grand bruit de voix qui provenait de la cabine ; mais, à vrai dire, j'étais si occupé d'autres pensées que j'y prêtais à peine l'oreille. Mais à cette heure, n'ayant rien d'autre à faire, je commençai à leur accorder plus d'attention.

L'une de ces voix était celle du quartier-maître, Israël Hands, l'ex-canonnier de Flint. L'autre appartenait, comme de juste, à mon bon ami au bonnet rouge. Les deux hommes en étaient manifestement au pire degré de l'ivresse, et ils buvaient toujours ; car, tandis que j'écoutais, l'un d'eux, avec une exclamation d'ivrogne, ouvrit la fenêtre de poupe et jeta dehors un objet que je devinai être une bouteille vide. Mais ils n'étaient pas seulement ivres, ils étaient évidemment aussi dans une colère noire. Les jurons volaient dru comme grêle, et de temps à autre il en survenait une explosion telle que je m'attendais à la voir dégénérer en coups. Mais à chaque fois la querelle s'apaisait, et le diapason des voix retombait pour un instant, jusqu'à la crise suivante, qui passait à son tour sans résultat.

À terre, entre les arbres du rivage, je pouvais voir s'élever les hautes flammes du grand feu de campement. Quelqu'un chantait une vieille complainte de marin, triste et monotone, avec un trémolo à la fin de chaque couplet, et qui ne devait finir, semblait-il,

---

1. **Torons :** fils tournés ensemble, qui font partie d'une corde.

qu'avec la patience du chanteur. Je l'avais entendue plusieurs fois durant le voyage, et me rappelais ces mots :

> *Un seul survivant de tout l'équipage*
> *Qui avait pris la mer au nombre de soixante-quinze.*

Et je me dis qu'un tel refrain n'était que trop fâcheusement approprié à une bande qui avait subi de telles pertes le matin même. Mais, à ce que je voyais, tous ces forbans étaient aussi insensibles que la mer sur laquelle ils naviguaient.

Finalement la brise survint : la goélette se déplaça doucement dans l'ombre et se rapprocha de moi ; je sentis l'amarre mollir à nouveau, et dans un dernier effort, je tranchai les dernières fibres.

La brise n'avait que peu d'action sur le coracle, et je fus presque instantanément plaqué contre l'étrave[1] de l'*Hispaniola*. En même temps, la goélette se mit à tourner lentement sur son arrière, puis à dériver sous l'action du courant.

Je me démenai en diable, car je m'attendais à sombrer d'un moment à l'autre ; et quand j'eus constaté que je ne pouvais éloigner mon coracle, je poussai droit vers l'arrière. Je me vis enfin libéré de ce dangereux voisinage ; et je donnais tout juste la dernière impulsion, quand mes mains rencontrèrent un mince cordage qui pendait du gaillard d'arrière. Aussitôt je l'empoignai.

Quel motif m'y incita, je l'ignore. Ce fut d'abord par un mouvement instinctif. Mais une fois que je l'eus saisi et qu'il tint bon, la curiosité prit peu à peu le dessus, et je me déterminai à jeter un coup d'œil par la fenêtre de la cabine.

Me hissant sur le cordage à la force des poignets, et non sans danger, je me mis presque debout dans la pirogue, et pus ainsi découvrir le plafond de la cabine et une partie de son intérieur.

Cependant la goélette et sa petite conserve filaient sur l'eau à bonne vitesse ; en fait nous étions déjà arrivés à la hauteur du feu du campement. Le bateau jasait[2], comme disent les marins, refoulant avec un incessant bouillonnement les innombrables ondulations du clapotis ; si bien qu'avant d'avoir l'œil par-dessus

---

1. **Étrave :** pièce de bois massive formant une partie de la proue du vaisseau.
2. **Jasait :** « parlait », faisait un grand clapotis.

le rebord de la fenêtre je ne pouvais comprendre comment les
100 hommes de garde n'avaient pas pris l'alarme.

Mais un regard me suffit ; et de cet instable esquif un regard fut
d'ailleurs tout ce que j'osai me permettre. Il me révéla Hands et
son compagnon enlacés dans une étreinte mortelle et se serrant la
gorge réciproquement.

105 Je me laissai retomber sur le banc, mais juste à temps, car j'étais
presque par-dessus bord. Pour un instant je ne vis plus rien d'autre
que ces deux faces haineuses et cramoisies[1], oscillant sous la
lampe fumeuse ; et je fermai les paupières pour laisser mes yeux se
réaccoutumer aux ténèbres.

110 L'interminable mélopée avait pris fin, et autour du feu de campement toute la troupe décimée avait entonné le chœur que je ne
connaissais que trop :

Nous étions quinze sur le coffre du mort...
Yo-ho-ho ! et une bouteille de rhum !
115 *La boisson et le diable ont expédié les autres,*
Yo-ho-ho ! et une bouteille de rhum !

J'étais en train de songer à l'œuvre que la boisson et le diable
accomplissaient en ce moment même dans la cabine de l'*Hispaniola*, lorsque je fus surpris par une brutale embardée[2] du coracle
120 qui parut changer de direction. Sa vitesse aussi avait singulière-
ment augmenté.

J'ouvris les yeux aussitôt. Autour de moi, de petites vagues se
poursuivaient avec un bruit de cascade, en se couronnant d'une
écume phosphorescente. À quelques brasses, l'*Hispaniola* elle-
125 même, qui m'entraînait encore dans son sillage, semblait hésiter
sur sa direction, et je vis ses mâts se balancer légèrement contre
l'obscurité de la nuit. En y regardant mieux, je m'assurai qu'elle
aussi virait vers le sud.

Je tournai la tête, et mon cœur bondit dans ma poitrine. Là, juste
130 derrière moi, se trouvait la lueur du feu de campement. Le courant
avait obliqué à angle droit et emportait avec lui la majestueuse

---

1. **Cramoisies :** très rouges.
2. **Embardée :** brusque écart.

goélette et le petit coracle bondissant ; toujours plus vite, toujours à plus gros bouillons, toujours avec un plus fort murmure, elle filait à travers la passe vers la haute mer.

35 Soudain la goélette fit devant moi une embardée, et vira de peut-être vingt degrés. Presque au même moment, des appels se succédèrent à bord ; j'entendis des pas marteler l'échelle du capot, et je compris que les deux ivrognes, venant d'ouvrir les yeux à l'étendue de leur désastre, avaient interrompu leur querelle.

40 Je me couchai à plat dans le fond du misérable esquif et recommandai pieusement mon âme à son Créateur. Au bout de la passe, nous ne pouvions manquer de tomber sur quelque ligne de brisants furieux, qui mettraient vite fin à tous mes soucis ; et bien que j'eusse peut-être la force de mourir, je supportais mal d'envisa-
45 ger mon sort à l'avance.

Il est probable que je restai ainsi des heures, continuellement ballotté sur les lames, aspergé par les embruns, et ne cessant d'attendre la mort au prochain plongeon. Peu à peu, la fatigue m'envahit ; un engourdissement, une stupeur passagère accabla mon
50 âme, en dépit de mes terreurs ; puis le sommeil me prit, et dans mon coracle ballotté par les flots je rêvai de mon pays natal et du vieil Amiral Benbow.

24

La croisière du coracle

Il faisait grand jour lorsque je m'éveillai et me retrouvai voguant à l'extrémité sud-ouest de l'île au trésor. Le soleil était déjà au-dessus de l'horizon, mais la Longue-Vue me le cachait encore ; entre la montagne et moi, j'apercevais de hautes falaises.

5 La pointe de Tire-Bouline et la colline du Mât-d'Artimon étaient tout proches : la colline grise et dénudée, la pointe ceinte de falaises de quarante à cinquante pieds de haut et bordée de gros blocs de rocher éboulés. J'étais à peine à un quart de mille au large, et ma première pensée fut de pagayer vers la terre et
10 d'aborder.

Ce projet fut vite abandonné. Parmi les rochers éboulés, le ressac écumait et grondait ; se succédant les unes aux autres, des gerbes d'écume s'élançaient dans les airs et retombaient en chocs violents ; et je compris que si je m'aventurais plus près, une mort certaine m'attendait sur cette côte sauvage ; je me voyais m'épuiser en vains efforts pour escalader les rochers proéminants.

Et ce n'était pas tout, car, rampant sur les écueils ou me laissant retomber avec fracas dans les flots, je vis d'énormes monstres marins, des espèces de limaces molles et gluantes, d'une taille incroyable, réunis par groupe de trente à quarante et qui remplissaient l'air de leurs mugissements.

J'ai compris depuis que c'étaient des lions de mer, entièrement inoffensifs. Mais leur aspect, joint à la difficulté que présentait l'approche du rivage et à la violence du ressac, était plus que suffisant pour me dissuader[1] de débarquer ici. Je trouvai préférable de mourir de faim en mer, plutôt que d'affronter de tels dangers.

Entre-temps, une meilleure occasion se présenta à moi, à ce que je croyais. Au nord de la pointe de Tire-Bouline, sur un espace considérable de côte, la marée basse découvre une longue bande de sable jaune. Plus au nord encore se trouve un autre promontoire – le cap des Bois, d'après la carte –, recouvert de grands pins verts qui descendent jusqu'au bord de mer.

Je me rappelai que le courant, au dire de Silver, portait au nord sur toute la côte ouest de l'île au trésor, et, voyant d'après ma position que j'étais déjà sous l'influence de ce courant, je préférai laisser derrière moi le cap Tire-Bouline et réserver mes forces pour tenter d'aborder le cap des Bois, d'un aspect plus engageant.

La surface de la mer était bercée d'une forte houle. Le vent soufflait modérément du sud sans lutter avec le courant, et les lames se soulevaient et retombaient sans se briser.

En tout autre cas, j'eusse péri depuis longtemps ; mais dans ces conditions, j'étais étonné de voir combien ma petite embarcation légère flottait sans encombres et en toute sécurité. Souvent, alors que je me tenais encore couché au fond et risquais seulement un

---

1. **Dissuader :** inciter à renoncer.

œil par-dessus le plat-bord[1], je voyais une grosse éminence[2] bleue se dresser, proche et menaçante ; mais le coracle ne faisait que bondir un peu, danser comme sur des ressorts, et s'enfonçait de l'autre côté dans le creux aussi légèrement qu'un oiseau.

Je ne tardai pas à m'enhardir, et je m'assis pour tester mes compétences de rameur. Mais le plus petit changement dans la répartition du poids produisait de violentes perturbations dans l'allure du coracle. Et j'avais à peine fait un mouvement que le canot, abandonnant du coup son délicat balancement, se mit à descendre comme une flèche sur la pente liquide avec une force telle que j'en eus le vertige, puis, dans un jet d'écume, alla piquer du nez dans le flanc de la lame suivante.

Trempé et terrifié, je me remis très vite dans ma position initiale, ce qui rétablit l'allure du coracle, qui recommença à me porter parmi les vagues aussi doucement qu'auparavant. Il était clair qu'il ne fallait pas le contrarier ; mais à cette allure, puisque je ne pouvais en aucune façon infléchir[3] sa course, quel espoir avais-je d'atteindre la terre ?

Une peur atroce m'envahit, sans toutefois me faire perdre la raison. D'abord, en prenant soin d'éviter tout mouvement brusque, j'écopai[4] le coracle à l'aide de mon bonnet de marin ; puis, jetant un œil à nouveau par-dessus le plat-bord, je me mis à étudier la manière dont mon esquif se faufilait si tranquillement à travers les rouleaux.

Je remarquai que chaque vague, au lieu d'être cette éminence épaisse, lisse et luisante qu'elle semble être depuis le rivage ou le pont d'un navire, était semblable à une chaîne de montagnes terrestres, avec ses pics, ses plateaux et ses vallées. Le coracle, livré à lui-même, virant d'un bord sur l'autre, faisait son chemin, pour ainsi dire, parmi ces vallées, et évitait les pentes escarpées et les points culminants de la vague.

« Allons, me dis-je, il est clair que je dois rester où je suis et ne pas perturber l'équilibre ; mais il est clair aussi que je peux passer

---

1. **Plat-bord :** bord, bordure.
2. **Éminence :** élévation de terrain ; ici, élévation de l'eau.
3. **Infléchir :** influencer, avoir la main sur.
4. **J'écopai :** verbe « écoper », vider l'eau qui entre dans le canot.

la pagaie par-dessus bord, et de temps à autre, dans les endroits calmes, donner un coup de rame ou deux vers la terre. » Sitôt dit, sitôt fait. Je me mis sur les coudes et, dans cette position très gênante, je donnai de temps à autre un ou deux légers coups de rame pour orienter l'avant du coracle en direction de la terre.

C'était un travail harassant et fastidieux. Toutefois, je gagnais visiblement du terrain, et en approchant du cap des Bois, bien que je compris que je devais infailliblement manquer cette pointe, j'avais toutefois fait une centaine de brasses vers l'est. J'étais en tout cas près du but : je pouvais voir les vertes cimes des arbres se balancer sous la brise, et j'étais certain de pouvoir atteindre le promontoire suivant.

Il était temps, car la soif commençait à me tourmenter. L'éclat du soleil, sa réverbération sur les ondes, l'eau de mer qui séchait sur moi, m'enduisant les lèvres de sel, tout cela me brûlait la gorge et me faisait mal à la tête. La vue des arbres si proches me rendit presque malade d'impatience ; mais le courant eut tôt fait de m'emporter au-delà de la pointe ; et quand la nouvelle étendue de mer s'ouvrit devant moi, je vis un spectacle qui changea la nature de mes soucis.

Droit devant moi, à moins d'un demi-mille, l'*Hispaniola* était sous voiles. Malgré ma certitude d'être pris, je souffrais si fort du manque d'eau que je ne savais plus si je devais me réjouir ou m'attrister de cette perspective. Mais bien avant d'en être arrivé à une conclusion, la surprise me gagna complètement, et je devins incapable de faire autre chose que de regarder et de m'étonner.

L'*Hispaniola* était sous sa grand-voile et ses deux focs[1] : la belle toile blanche éclatait au soleil comme de la neige ou de l'argent. Quand je la vis tout d'abord, toutes ses voiles portaient[2] : elle faisait route vers le nord-ouest ; et je présumai que les hommes qui la montaient faisaient le tour de l'île pour regagner le mouillage. Bientôt elle se mit à porter vers l'ouest, ce qui me fit croire qu'ils m'avaient aperçu et allaient me donner la chasse. Mais à la fin, elle tomba droit dans le vent, puis, stoppée net, resta là un moment, inerte, les voiles battantes.

---

1. **Focs :** voiles en forme de triangle à l'avant d'un bateau.
2. **Portaient :** étaient gonflées par le vent.

« Les brutes ! me dis-je, il faut qu'ils soient soûls comme des bourriques. » Et je m'imaginai comment le capitaine Smollett les aurait fait manœuvrer.

Cependant la goélette avait graduellement tourné sur elle-même et repris le vent ; ses voiles s'étant de nouveau gonflées, elle vogua assez vite pendant deux ou trois minutes, puis s'arrêta court, comme la première fois. Cela se répéta plusieurs fois. Allant et venant, ici, de là, au nord, au sud, à l'est, à l'ouest, l'*Hispaniola* errait à l'aventure, et chaque mouvement se terminait de la même manière, les voiles retombant contre le mât. Il devint clair pour moi que personne ne la gouvernait. Et, dans cette hypothèse, que faisaient les hommes ? Ou bien ils étaient ivres morts, ou ils avaient déserté, pensai-je ; et peut-être, si je pouvais arriver à bord, me serait-il possible de ramener le vaisseau à son capitaine.

Le courant chassait vers le sud à une même vitesse le coracle et la goélette. Quant aux bordées[1] de cette dernière, elles étaient si incohérentes et si passagères, et le navire s'arrêtait si longtemps entre chacune, qu'il ne gagnait certainement pas sur moi, si même il ne perdait pas. Si seulement j'osais m'asseoir pour pagayer, je le rattraperais à coup sûr. Ce projet avait un aspect aventureux qui me séduisait, et le souvenir du tonneau d'eau fraîche près du gaillard d'avant redoubla mon courage.

Je me relevai donc, et fus salué presque aussitôt par un nuage d'embruns, mais cette fois je ne cédai pas et me mis à pagayer de toutes mes forces vers l'*Hispaniola* qui dérivait. Une fois, une telle quantité d'eau inonda mon embarcation que je dus m'arrêter pour écoper, le cœur palpitant comme celui d'un oiseau ; mais petit à petit je trouvai la technique et réussis à guider mon coracle parmi les vagues, non sans recevoir de temps en temps un coup sur l'avant ou un jet d'écume sur le visage.

Je m'approchais bien vite de la goélette : je pouvais voir les cuivres briller sur la barre du gouvernail quand elle battait ; mais personne sur le pont. Je ne pouvais plus douter qu'elle fût abandonnée. Ou alors les hommes ronflaient en bas, ivres morts, et je

---

1. **Bordées :** une bordée est la distance parcourue par un bateau sur un même bord, lorsqu'il est obligé de louvoyer, c'est-à-dire d'aller en zigzag, tantôt sur un côté, tantôt sur l'autre, pour arriver quelque part.

pourrais sans doute les mettre hors d'état de nuire et disposer du bâtiment à ma guise.

Depuis un moment, l'*Hispaniola* restait immobile, cap plein sud, ce qui était la pire chose pour moi. Elle ne cessait de dériver ; chaque fois qu'elle abattait[1], ses voiles se gonflaient partiellement et la ramenaient droit au vent. C'était là pour moi le pire, comme je l'ai dit, car bien que livrée à elle-même dans cette situation, ses voiles battant avec un bruit de canon et ses poulies roulant et heurtant le pont, la goélette s'éloignait toujours plus de moi, et ajoutait à la vitesse du courant celle de sa dérive, ce qui était considérable.

Enfin j'eus ma chance. La brise faiblit pendant quelques secondes, et le courant fit progressivement tourner l'*Hispaniola* sur elle-même ; elle finit par me présenter sa poupe, avec la fenêtre de la cabine grande ouverte ; la lampe brûlait encore en plein jour sur la table. La grand-voile, inerte, pendait comme un drapeau. Sans le courant qui lui imprimait quelque mouvement, le navire était cloué sur place.

La distance qui me séparait de lui s'était tout récemment accrue, mais je redoublai d'efforts, et je gagnai une fois de plus du terrain. Je n'étais plus qu'à cinquante brasses du navire quand le vent se leva en un rien de temps : le bateau partit bâbord amure[2], incliné et rasant l'eau comme une hirondelle.

Ma première réaction fut le désespoir, mais la seconde de la joie. La goélette virait et me présentait son flanc… elle virait encore puis revenait sur moi, puis franchit la moitié, puis les deux tiers, puis les trois quarts de la distance qui nous séparait. Les vagues bouillonnantes écumaient sous son étrave. Vue d'en bas, dans mon coracle, elle me semblait démesurément haute.

Et alors je me rendis soudain compte du danger. Je n'eus ni le temps de réfléchir ni le temps d'agir pour y échapper. J'étais sur le sommet d'une vague quand, dévalant d'une lame voisine, la goélette fondit sur moi. Son beaupré[3] arriva au-dessus de ma tête. Je

1. **Abattait :** abattre consiste à éloigner la proue du courant dans lequel souffle le vent.
2. **Amure :** position d'un bateau par rapport au vent.
3. **Beaupré :** mât à l'avant d'un voilier.

80 me levai d'un bond et m'élançai vers lui, envoyant le coracle sous l'eau. D'une main, je m'accrochai au bout-dehors[1] du foc, tandis que mon pied prenait appui entre la draille[2] et le bras[3], et j'étais encore cramponné là, tout pantelant, lorsqu'un choc sourd m'apprit que la goélette venait d'aborder et de broyer le coracle, et que 85 je me trouvais jeté sur l'*Hispaniola* sans possibilité de retraite.

---

1. **Bout-dehors :** longue pièce de bois ou de métal qui tient une voile.
2. **Draille :** cordage placé verticalement sur l'avant ou sur l'arrière d'un mât pour servir à la manœuvre.
3. **Bras :** cordage qui permet de régler l'écartement d'une voile d'avant.

Clefs d'analyse

Action et personnages

1. Pourquoi le capitaine Smollett se met-il en colère après le départ de Silver ? Comment réagissent ses hommes ? Quel plan de défense établit-il ?

2. Quels sont les moments les plus dramatiques de l'assaut donné au fortin par les mutins ? Relevez quelques images particulièrement violentes.

3. Combien de combattants survivent à l'assaut dans les deux camps ? Quelles seront désormais les forces en présence ?

4. Qu'est-il arrivé au capitaine Smollett ? Sa vie est-elle en danger ? Qui prend soin de lui ?

5. Comment expliquez-vous le départ du Dr Livesey ? Quel équipement emporte-t-il avec lui ?

6. La nouvelle escapade de Jim (sa « seconde folie », comme il la désigne) : dans quelle intention part-il ? Quelle excuse trouve-t-il à sa désobéissance ? Qu'en pensez-vous ?

7. Quels sentiments éprouve le jeune garçon dès qu'il s'est échappé du fortin ? Comment parvient-il à l'embarcation de Ben Gunn ? De quelles qualités fait-il preuve au cours de cette entreprise ?

8. Une fois en mer, quelles difficultés doit-il surmonter avant d'arriver à l'*Hispaniola* ? Pourquoi le jeune aventurier veut-il couper les amarres de la goélette ? Que risque-t-il ?

9. Que se passe-t-il sur l'*Hispaniola* ? Dans quel état se trouvent les mutins ?

10. S'abandonnant aux flots et s'apprêtant à mourir, Jim s'endort : à quoi rêve-t-il (dernier paragraphe du chap. 23) ? Interprétez son rêve.

11. Dans quel état se trouve Jim pendant que sa barque dérive ? De quoi souffre-t-il particulièrement ?

12. Finalement, comment Jim gagne-t-il l'*Hispaniola* ? En quoi sa situation est-elle désormais plus dramatique que jamais ?

Clefs d'analyse

Clefs d'analyse

Langue

1. Que désigne l'expression « nos chefs » (chap. 22, l. 35) ? Quel sentiment révèle l'emploi de ce terme sous la plume du narrateur ?

2. Que signifie l'expression « miroir sans ride » (chap. 22, l. 111-112) qui désigne la mer ? Sur quelle figure de style est-elle construite et pourquoi le narrateur a-t-il recours à cette image ?

Genre ou thèmes

1. Dans le chapitre 22, relevez au moins deux phrases qui ramènent le lecteur à Jim adulte en train de faire le récit de ses aventures : à votre avis, sont-elles utiles au récit ? Expliquez-vous.

Écriture

1. Jim prend des initiatives qui peuvent mettre en danger sa propre vie et celle de ses amis. Imaginez qu'une voix secrète l'incite à la raison et lui conseille de se montrer plus docile, arguments à l'appui. Faites parler cette voix.

2. Au cours de cet épisode, Jim se conduit-il en enfant ou en adulte ? Justifiez votre opinion.

Pour aller plus loin

1. Citez le nom d'un jeune aventurier héros d'un roman de Jules Verne.

✳ À retenir

Au cours de ses aventures, Jim, le jeune héros de la chasse au trésor, est tantôt traité comme une personne responsable par ses amis (on le consulte et on l'informe sur les stratégies adoptées), tantôt exclu des décisions-clés. À deux reprises, il fait preuve d'indépendance en prenant des initiatives risquées au cours desquelles ils doit se mesurer seul à de rudes difficultés et trouver en lui-même les ressources nécessaires pour s'en sortir. Ainsi fait-il son apprentissage d'adulte.

Clefs d'analyse

25

J'abaisse le drapeau noir des pirates

J'avais à peine pris position sur le beaupré, que le clin-foc[1] battit et reprit le vent en changeant ses amures, avec une détonation pareille à un coup de canon. Sous le choc de la secousse, la goélette trembla jusqu'à la quille ; mais au bout d'un instant, comme les autres voiles portaient encore, le foc revint battre de nouveau et pendit paresseusement.

La secousse m'avait presque précipité à la mer ; aussi, sans perdre de temps, je rampai le long du beaupré et me laissai tomber sur le pont la tête la première.

Je me trouvais sous le vent du gaillard d'avant, et la grand-voile, qui portait encore, me cachait une partie du pont arrière. Il n'y avait personne en vue. Le plancher n'avait pas été brossé depuis la révolte et portait des traces de pas ; une bouteille vide au goulot cassé roulait çà et là dans les dalots[2], comme une chose vivante.

Soudain, l'*Hispaniola* arriva face au vent. Les focs derrière moi claquèrent bruyamment ; le gouvernail se rabattit ; un frémissement sinistre secoua le navire tout entier ; et au même instant le gui d'artimon[3] revint en dedans du bord, et la voile, grinçant sur ses drisses[4], me découvrit le côté sous le vent du pont arrière.

Les deux gardiens étaient là : Bonnet-Rouge, étendu sur le dos, raide comme un anspect, les bras étendus comme ceux d'un crucifix, et laissant voir ses dents par ses lèvres entrouvertes ; Israël Hands, accoté au bastingage, le menton sur la poitrine, les mains ouvertes reposant sur le pont, et le visage, sous son hâle, aussi blanc qu'une chandelle de suif[5].

---

1. **Clin-foc :** le foc (voile triangulaire) qui se trouve le plus à l'avant d'un voilier.
2. **Dalots :** ouvertures dans le bastingage du navire pour l'écoulement des eaux.
3. **Gui d'artimon :** on dit aujourd'hui « bôme d'artimon » ; c'est la barre rigide sur laquelle est fixée la partie basse d'une voile, ici la voile du mât d'artimon (le mât de l'arrière).
4. **Drisses :** cordages destinés à hisser un pavillon, une vergue ou tout autre objet.
5. **Suif :** graisse fondue.

Pendant un moment, le navire continua à bondir et à courir comme un cheval capricieux ; les voiles tiraient tantôt d'un bord, tantôt de l'autre, et le gui, ballant de-ci de-là, faisait grincer le mât sous l'effort. De temps à autre, un nuage d'embruns jaillissait par-dessus le bastingage, et l'avant du navire piquait violemment dans la lame : ce grand voilier se comportait beaucoup plus mal que mon coracle rustique et biscornu, désormais englouti au fond des eaux.

À chaque sursaut de la goélette, Bonnet-Rouge glissait de côté et d'autre ; mais, chose hideuse à voir, ni sa posture, ni le rictus[1] qui lui découvrait les dents, n'étaient modifiés par ces déplacements brutaux. À chaque sursaut également, on voyait Hands s'affaisser davantage sur lui-même et s'aplatir sur le pont : ses pieds glissaient toujours plus loin, et tout son corps s'inclinait vers la poupe, de sorte que petit à petit son visage me fut caché, et je n'en vis plus à la fin qu'une oreille et le bout hirsute[2] d'un favori.

Je remarquai autour d'eux des taches de sang sur le plancher, et commençai à croire que les deux hommes s'étaient massacrés l'un l'autre dans leur rage d'ivrognes.

Je regardais ce spectacle avec étonnement, lorsque dans un intervalle de calme où le navire se tenait tranquille, Israël Hands se retourna à demi, puis, dans un gémissement sourd et en se tortillant, reprit la position dans laquelle je l'avais vu auparavant. Son gémissement, qui témoignait d'une douleur et d'une faiblesse extrêmes, et la vue de sa mâchoire pendante, émurent ma compassion. Mais en me remémorant les propos que j'avais entendus lorsque j'étais caché dans ma barrique de pommes, toute pitié m'abandonna.

Je m'avançai jusqu'au grand mât.

– Embarquez, maître Hands, dis-je ironiquement.

Il roula vers moi des yeux mornes, mais il était bien trop abruti pour exprimer de la surprise. Il se borna à prononcer ce mot :

– Eau-de-vie.

---

1. **Rictus :** grimace.
2. **Hirsute :** hérissé.

Je comprenais qu'il n'y avait pas de temps à perdre : esquivant le
gui qui balayait de nouveau le pont, je courus à l'arrière et descendis dans la cabine par le capot d'échelle.

Il y régnait un désordre difficile à imaginer. Tout ce qui fermait
à clef, on l'avait ouvert de force pour y rechercher la carte. Le
plancher était recouvert d'une couche de boue, aux endroits où
les forbans s'étaient assis pour boire ou pour délibérer après avoir
pataugé dans le marais avoisinant leur camp. Sur les cloisons,
peintes d'un beau blanc et encadrées de moulures dorées, s'étalaient des empreintes de mains sales. Des douzaines de bouteilles
vides s'entrechoquaient dans les coins, au roulis[1] du navire. Un des
livres du docteur restait ouvert sur la table : on en avait arraché la
moitié des feuillets, pour allumer des pipes, je suppose. Au milieu
de tout cela, la lampe jetait encore une lueur fumeuse et obscure,
d'un brun de terre de Sienne.

Je descendis dans la soute[2] : tous les tonneaux avaient disparu,
et un nombre stupéfiant de bouteilles avaient été bues et jetées
sur place. À coup sûr, depuis le début de la mutinerie, pas un de
ces hommes n'avait dessoûlé.

En fouillant çà et là, je trouvai une bouteille qui contenait
encore un fond d'eau-de-vie. Je la pris pour Hands ; et pour moi-
même je dénichai quelques biscuits, des fruits en conserve, une
grosse grappe de raisin et un morceau de fromage. Muni de ces
provisions, je regagnai le pont, déposai ma réserve derrière la tête
du gouvernail et, sans passer à portée du quartier-maître, je gagnai
l'avant où je bus à la citerne une longue et délicieuse goulée[3]
d'eau. Puis je passai à Hands son eau-de-vie.

Il en but bien un quart de pinte[4] avant de retirer la bouteille de
sa bouche.

– Ah ! cré tonnerre ! j'en avais besoin ! fit-il.

Assis dans mon coin, j'avais déjà commencé à manger.

– Vous êtes grièvement blessé ? lui demandai-je.

---

1. **Roulis :** agitation d'un vaisseau qui penche alternativement à gauche et à droite.
2. **Soute :** réduit ménagé dans les étages inférieurs d'un navire et qui sert de magasin.
3. **Goulée :** grande gorgée.
4. **Pinte :** unité de capacité valant un peu plus d'un demi-litre.

Il grogna, ou je devrais plutôt dire, il aboya :

– Si ce docteur était à bord, je serais remis sur pied en un rien de temps ; mais je n'ai pas de chance, vois-tu, moi, et c'est ce qui me désole. Quant à ce sagouin-là, il est mort et bien mort, ajouta-t-il en désignant l'homme au bonnet rouge. Ce n'était pas un marin, d'ailleurs... Et d'où diantre peux-tu bien sortir ?

– Je suis venu à bord pour prendre possession de ce navire, maître Hands ; et jusqu'à nouvel ordre vous êtes prié de me considérer comme votre capitaine.

Il me regarda non sans amertume, mais ne dit pas un mot. Un peu de couleur lui était revenue aux joues, bien qu'il parût encore très défait et qu'il continuât à glisser et à retomber au rythme des oscillations du navire.

– À propos, continuai-je, je ne veux pas de ce pavillon, maître Hands, et avec votre permission je vais le faire descendre. Mieux vaut encore ne pas en avoir, qu'arborer une couleur pareille !...

Et esquivant de nouveau le gui, je courus aux drisses de pavillon et amenai ce maudit drapeau noir, que je lançai par-dessus bord.

– Dieu protège le roi ! m'exclamai-je en agitant mon bonnet ; c'en est fini du capitaine Silver !

Il m'observait attentivement, mais à la dérobée, le menton appuyé sur sa poitrine.

– J'imagine, dit-il enfin, j'imagine, capitaine Hawkins, que tu aimerais bien retourner à terre, maintenant. Si nous en causions, veux-tu ?

– Mais oui, répliquai-je, très volontiers, maître Hands. Dites toujours.

Et je me remis à manger de bon appétit.

– Cet homme... commença-t-il, avec un faible signe de tête vers le cadavre, il s'appelait O'Brien... une brute d'Irlandais... cet homme et moi avons mis les voiles dans l'intention de ramener le navire. Eh bien, maintenant qu'il est mort, lui, et bien mort, je ne vois pas qui va manœuvrer ce bâtiment. Si je ne te donne pas quelques conseils, tu n'en seras pas capable, voilà tout ce que je peux dire. Eh bien, voici : tu me donneras à manger et à boire, et un vieux foulard pour bander ma blessure, hein ? et je t'indiquerai la marche à suivre. C'est une proposition honnête, pas vrai ?

— Je dois vous dire une chose, répliquai-je : je ne veux pas retourner au mouillage du capitaine Kidd. Je veux aller dans la baie du Nord et y échouer tranquillement le navire.

— J'en étais sûr, s'écria-t-il. Parbleu, fiston, je ne suis pas un marin aussi incompétent ! J'ai des yeux pour voir, pas vrai ? J'ai tenté mon coup, eh bien, j'ai perdu et c'est toi qui as le dessus. La rade[1] du Nord ? Soit, je n'ai pas le choix, moi ! Tu me dirais d'aller droit au quai des Pendus, il le faudrait bien, nom d'un tonnerre !...

La proposition ne me parut pas dénuée de sens. Nous fîmes affaire sur-le-champ. Trois minutes plus tard, l'*Hispaniola* voguait paisiblement vent arrière et longeait la côte de l'île au trésor. J'avais bon espoir de doubler sa pointe nord avant midi et de louvoyer[2] ensuite jusqu'à la baie du Nord avant la marée haute, afin de nous échouer en toute sécurité et d'attendre que la marée descendante nous permît de débarquer.

J'amarrai alors la barre du gouvernail et descendis chercher dans mon coffre personnel un mouchoir de soie fine donné par ma mère. Je m'en servis pour aider Hands à bander la large blessure saignante qu'il avait reçue à la cuisse. Après avoir mangé un peu et avalé quelques gorgées d'eau-de-vie, il commença à aller visiblement mieux : il se tenait plus droit, parlait plus fort et plus distinctement, et paraissait un tout autre homme.

La brise nous favorisait admirablement. Nous filions devant elle comme un oiseau, les côtes de l'île défilaient comme l'éclair et le paysage se renouvelait sans cesse. Les hautes terres furent bientôt dépassées, et nous longions une région basse et sablonneuse, parsemée de quelques pins rabougris, au-delà de laquelle nous doublâmes une pointe de collines rocheuses qui formaient l'extrémité de l'île, au nord.

J'étais enchanté par mon nouveau commandement, et je goûtais le beau temps ainsi que les panoramas variés de la côte. J'avais désormais de l'eau à discrétion[3] et de bonnes choses à manger, et

---

1. **Rade :** ou goulet ; plan d'eau de mer enclavé ayant une ouverture vers la mer, plus étroit qu'une baie ou un golfe.
2. **Louvoyer :** porter le cap d'un côté, et puis revirer de l'autre, pour ménager un vent contraire et ne pas s'éloigner de la route qu'on veut tenir.
3. **À discrétion :** autant que je voulais.

la superbe conquête que je venais de faire apaisait ma conscience, qui m'avait cruellement reproché ma désertion. Mon bonheur était à son comble, n'eussent été[1] les yeux du quartier-maître, qui me suivaient ironiquement par tout le pont, et l'inquiétant sourire qui s'affichait sans cesse sur son visage. Ce sourire contenait un mélange de souffrance et de faiblesse... comme le sourire hébété d'un vieillard ; mais il y avait en outre un grain de moquerie et une ombre de perfidie, quand, tout absorbé que j'étais par mon travail, je le sentais m'épier et m'épier sans relâche.

26

Israël Hands

La brise, qui semblait nous obéir, venait de tourner à l'ouest. Nous n'en devions courir que plus aisément depuis la pointe nord-est de l'île jusqu'à l'entrée de la baie du Nord. Mais, comme nous étions dans l'impossibilité de mouiller l'ancre et que nous n'osions nous échouer avant que la marée eût monté encore passablement, nous avions du temps de reste. Le quartier-maître m'indiqua la façon de mettre le navire en panne[2] : j'y réussis après plusieurs tentatives, et nous nous installâmes en silence pour prendre un autre repas.

– Capitaine, me dit-il enfin, avec le même sourire inquiétant, il y a là mon vieux camarade O'Brien ; je suppose que tu vas le balancer par-dessus bord. Je ne suis pas trop délicat en général, et je ne me reproche pas de lui avoir fait son affaire ; mais je ne le trouve pas très décoratif. Et toi ?

– Je ne suis pas assez fort, répondis-je, et la corvée ne me plaît pas. En ce qui me concerne, il peut rester là.

– C'est un navire de malheur que cette *Hispaniola*, Jim, continua-t-il en clignant de l'œil. Il y a eu un tas d'hommes tués, sur cette *Hispaniola*... une flopée de pauvres marins morts et disparus

---

1. **N'eussent été :** s'il n'y avait pas eu.
2. **Mettre en panne :** orienter les voiles de manière à arrêter le navire.

20 depuis que toi et moi nous avons embarqué à Bristol. Je n'ai jamais
vu si funeste destin. Tiens, cet O'Brien-là... maintenant il est mort,
hein ? Moi, je ne suis pas instruit, et tu es un garçon qui sais lire et
écrire ; eh bien, parlons franchement : crois-tu qu'un homme mort
soit mort pour de bon, ou bien est-ce qu'il revit encore ?

25 — On peut tuer le corps, maître Hands, mais non pas l'esprit,
vous devez le savoir déjà. Cet O'Brien est dans un autre monde, et
peut-être qu'il nous voit en cet instant.

— Oh ! fit-il. Eh bien, c'est malheureux : on perd son temps, alors,
à tuer le monde. En tout cas, les esprits ne comptent pas pour

30 grand-chose, à ce que j'ai vu. Je courrai ma chance avec les esprits,
Jim. Et maintenant que tu as parlé librement, ce serait gentil à toi
de descendre dans la cabine et de m'en rapporter une... allons
allons, une... ! je ne parviens pas à le dire... ah oui, tu m'apporteras une bouteille de vin, Jim : cette eau-de-vie est trop forte pour

35 moi.

Mais l'hésitation du quartier-maître ne me sembla pas naturelle ;
et quant à son affirmation qu'il préférait le vin à l'eau-de-vie, je
n'en crus pas un mot. Toute l'histoire n'était qu'un prétexte. Il voulait me faire quitter le pont, c'était évident ; mais dans quel but,

40 je n'arrivais pas à le deviner. Ses yeux fuyaient obstinément les
miens : ils erraient sans cesse de droite et de gauche, en haut et en
bas, tantôt levés au ciel, tantôt lançant un regard furtif au cadavre
d'O'Brien. Il n'arrêtait pas de sourire, tout en tirant la langue d'un
air si coupable et embarrassé qu'un enfant aurait deviné qu'il com-

45 plotait quelque ruse. Néanmoins, je fus prompt à la réplique, car
je me rendais compte de ma supériorité sur lui et qu'avec un être
aussi abjectement stupide, je n'aurais pas de peine à lui cacher mes
soupçons jusqu'au bout.

— Du vin ? dis-je. À la bonne heure. Voulez-vous du blanc ou du

50 rouge ?

— Ma foi, j'avoue que c'est à peu près la même chose pour moi,
camarade : pourvu qu'il soit fort et qu'il y en ait beaucoup, crénom, qu'est-ce que ça fait ?

— Très bien. Je vais vous donner du porto, maître Hands. Mais il

55 va falloir que j'en trouve.

Là-dessus, je m'engouffrai dans le capot avec tout le fracas possible ; je retirai mes souliers, filai sans bruit par la coursive, montai l'échelle du gaillard d'avant, et passai ma tête hors du capot avant. Je savais qu'il ne s'attendrait pas à me voir là, mais je ne négligeais aucune précaution, et il s'avéra que les pires de mes soupçons se trouvèrent confirmés.

Hands s'était redressé et rampait sur ses mains et ses genoux, et, bien que sa jambe le fît cruellement souffrir à chaque mouvement – je l'entendis étouffer une plainte –, il n'en traversa pas moins le pont à une bonne allure. En une demi-minute, il avait atteint les dalots de bâbord, et extrait d'un rouleau de filin[1] un long coutelas ou plutôt un court poignard, ensanglanté jusqu'à la garde[2]. Il le regarda attentivement, allongea la lèvre inférieure, essaya la pointe du poignard sur sa main, puis, après l'avoir caché sous sa vareuse, il regagna précipitamment sa place contre le bastingage.

J'étais suffisamment renseigné : Israël pouvait se déplacer ; il était armé à présent, et tout le mal qu'il s'était donné pour m'éloigner de lui me laissait croire que j'étais sa victime. Qu'allait-il faire ensuite ? S'efforcerait-il de traverser l'île en rampant depuis la baie du Nord jusqu'au camp du marigot, ou bien tirerait-il le canon, dans l'espoir que ses camarades viendraient à son aide ? Je ne pouvais que faire des conjectures[3].

Toutefois, je savais que je pouvais me fier à lui sur un point – auquel nous avions un intérêt commun –, qui était le sort de la goélette. Nous souhaitions, lui comme moi, l'échouer en un lieu sûr et abrité, de sorte qu'elle pût être remise à flot en temps opportun avec un minimum de peine et de danger. Jusque-là, il me semblait que je n'avais rien à craindre.

Tout en réfléchissant, je n'étais pas resté physiquement inactif. J'étais revenu à la cabine, j'avais remis mes souliers et attrapé au hasard une bouteille de vin. Puis, muni de cette dernière pour justifier ma lenteur, je fis ma réapparition sur le pont.

---

1. **Filin :** corde solide.
2. **Garde :** pièce séparant le manche de la lame et permettant de dévier les coups et de protéger la main.
3. **Conjectures :** suppositions, hypothèses.

Hands gisait tel que je l'avais quitté, tout affaissé sur lui-même, les paupières closes, comme s'il eût été trop faible pour supporter la lumière. Il leva néanmoins les yeux à mon arrivée, cassa le cou de la bouteille comme un homme qui en a l'habitude, et en absorba une bonne goulée, tout en levant son verre « À notre réussite ! » Puis il se tint tranquille un moment, et alors, tirant un rôle de tabac[1], il me demanda de lui en couper une chique[2].

– Coupe-m'en un bout, me dit-il, car je n'ai pas de couteau ; et même si j'en avais un, ma force n'est pas suffisante. Ah ! Jim, Jim, c'est fini, vois-tu !... et je crois bien que mon tour arrive... Coupe-moi une chique, ça sera probablement la dernière, mon gars, car je vais m'en aller d'où on ne revient plus, il n'y a pas de doute là-dessus.

– Soit, répliquai-je, je vais vous couper du tabac ; mais si j'étais à votre place et si mal en point, je réciterais mes prières, comme un bon chrétien.

– Pourquoi ? fit-il. Allons, dis-moi pourquoi.

– Pourquoi ? m'écriai-je. Vous venez de m'interroger à propos du mort. Vous avez manqué à vos engagements ; vous avez vécu dans le péché, le mensonge et le sang ; l'homme que vous avez tué gît à vos pieds en ce moment même, et vous me demandez pourquoi ? Que Dieu me pardonne, maître Hands, mais voilà pourquoi !

Je parlais avec une certaine ferveur, pensant au poignard ensanglanté que le misérable avait caché dans sa poche, à dessein d'en finir avec moi. Quant à lui, il but un long trait de vin et parla avec la plus extraordinaire solennité :

– Pendant trente ans j'ai parcouru les mers, j'ai vu du bon et du mauvais, du meilleur et du pire, du beau temps et de la tempête ; j'ai vu s'épuiser les provisions et les couteaux danser, puis tout le reste. Eh bien, sache-le, je n'ai jamais vu encore le bien sortir de la bonté. Je suis pour celui qui frappe le premier : les morts ne mordent pas ; voilà mon opinion... amen, ainsi soit-il. Et maintenant, écoute, ajouta-t-il, changeant soudain de ton, ça suffit, ces bêtises ! La marée est assez haute à présent. Je vais te donner mes ordres, capitaine Hawkins, et nous allons prendre la mer et en finir.

---

1. **Rôle de tabac :** rouleau de tabac.
2. **Chique :** morceau de tabac que l'on mâche.

Tout compte fait, nous n'avions guère plus de deux milles à parcourir ; mais la navigation était délicate, l'accès à ce mouillage nord était non seulement étroit et peu profond, mais orienté de l'est à l'ouest, en sorte que la goélette avait besoin d'une main habile pour l'atteindre. J'étais, je crois, un bon et prompt subalterne[1], et Hands était, à coup sûr, un excellent pilote, car nous exécutâmes des virages répétés et franchîmes la passe en frôlant les bancs de sable avec une précision et une élégance qui faisaient plaisir à voir.

Sitôt l'entrée du goulet[2] dépassée, la terre nous entoura de toutes parts. Les rivages de la baie du Nord étaient aussi abondamment boisés que ceux du mouillage sud ; mais elle était de forme plus étroite et allongée, et ressemblait davantage à l'estuaire[3] d'une rivière, comme elle l'était en effet. Droit devant nous, à l'extrémité sud, on voyait les débris d'un navire naufragé et à un degré avancé de délabrement : jadis un grand trois-mâts, ce vaisseau était resté si longtemps exposé aux intempéries que les algues pendaient alentour en larges bandes dégoulinantes ; les buissons du rivage avaient pris racine sur le pont et le recouvraient d'une dense floraison. Ce spectacle mélancolique nous prouvait que le mouillage était calme.

– Maintenant, dit Hands, regarde : voilà un bel endroit pour y échouer un navire. Un fond plat de sable fin, pas une ride, des arbres tout autour, et des fleurs qui poussent comme dans un jardin sur ce vieux navire !

– Et une fois échoués, demandai-je, comment nous remettrons-nous à flot ?

– Oh ! ce n'est pas difficile, me dit-il. Nous voici échoués sur la rive droite, n'est-ce pas ?... Eh bien, à marée basse, on porte une amarre sur la rive gauche, en suivant la côte, si l'on n'a pas de chaloupe ; ou on passe cette amarre autour du tronc d'un de ces gros pins, on la rapporte à bord, on l'attache au cabestan, et il n'y a plus qu'à attendre l'arrivée de la marée. Le flot venu, tout le monde

---

1. **Subalterne :** personne qui exécute les ordres d'une autre.
2. **Goulet :** passage étroit faisant communiquer un port ou une rade avec la haute mer.
3. **Estuaire :** embouchure d'un fleuve qui forme une sorte de golfe.

tire sur l'amarre, et le tour est joué... Mais assez causé, voici le moment critique ! Nous touchons ou peu s'en faut, et le bateau a trop de force... Barre à tribord[1] ?... allez !... À bâbord, maintenant !... tout doux !... Là ! nous y voici...

160 J'exécutais ses ordres à la lettre et sans seulement prendre le temps de respirer. Tout à coup il s'écria :

– Et maintenant, mon garçon, lofe[2] !

Je mis la barre au vent toute, et l'*Hispaniola* vira rapidement et courut l'étrave haute vers le rivage bas et boisé.

165 L'agitation de ces dernières manœuvres avait un peu relâché la vigilance que j'exerçais jusque-là assez attentivement sur le quartier-maître. Tout absorbé dans l'attente que le navire touchât terre, j'en avais complètement oublié le péril suspendu sur ma tête, et demeurais penché sur le bastingage de tribord, regardant les ondu-

170 lations qui s'élargissaient devant le taille-mer[3]. Un instant de plus, et j'aurais succombé sans avoir eu le temps de me défendre, n'eût été la soudaine inquiétude qui s'empara de moi et me fit tourner la tête. Peut-être avais-je entendu un craquement ou aperçu son ombre bouger du coin de l'œil ; peut-être fut-ce un instinct analo-

175 gue à celui des chats ; en tout cas, lorsque je me retournai, je vis Hands, le poignard à la main, déjà presque sur moi.

Quand nos yeux se rencontrèrent, nous poussâmes tous deux un grand cri ; mais tandis que le mien était un cri strident de terreur, le sien ressemblait au beuglement de furie d'un taureau

180 qui charge. À la même seconde il s'élança, et je fis un bond de côté vers l'avant. Dans ce geste, je lâchai la barre, qui se rabattit violemment sur bâbord ; et ce fut sans doute ce qui me sauva la vie, car elle frappa Hands en pleine poitrine et l'immobilisa momentanément.

185 Sans attendre qu'il ait retrouvé ses esprits, je m'abritai dans le coin où il m'avait acculé[4] ; le pont s'offrait à moi pour lui échapper. Je m'arrêtai au pied du grand mât, tirai un pistolet de ma poche puis visai avec sang-froid, bien qu'il eût déjà fait volte-face et

---

1. **Tribord :** côté droit du navire en regardant vers l'avant.
2. **Lofe :** lofer signifie se rapprocher du vent.
3. **Taille-mer :** partie inférieure de la proue d'un navire.
4. **Acculé :** poussé sans que je puisse reculer.

revînt une nouvelle fois sur moi. Je pressai la détente. Le chien[1] s'abattit, mais il n'y eut ni éclair ni détonation. L'eau de mer avait mouillé la poudre. Je maudis ma négligence. Pourquoi n'avais-je pas préparé l'amorce et rechargé mes armes depuis longtemps ? Je n'aurais pas été réduit à ce piteux état du mouton qui cherche à échapper à son boucher.

Malgré sa blessure, il allait incroyablement vite ; ses cheveux grisonnants se dressaient en bataille sur sa tête, et son visage, que la course-poursuite et la furie empourpraient, flottait tel un pavillon rouge[2]. Je n'eus ni le temps ni l'envie d'essayer mon autre pistolet, convaincu que c'était inutile. Je voyais clairement une chose : je ne devais pas battre en retraite devant lui, car il m'acculerait[3] à l'avant comme il venait presque de m'acculer à la poupe. Une fois pris à son piège, neuf ou dix pouces[4] du poignard tâché de sang constitueraient ma dernière expérience sur terre. Je plaçai donc les paumes de mes mains sur le grand mât, qui était d'une belle épaisseur, et j'attendis, les nerfs tendus, le cœur battant.

Voyant que j'essayais de me dérober, il fit une pause lui aussi ; une minute ou deux se passèrent en feintes de sa part et en mouvements correspondants de la mienne. C'était là un jeu de cache-cache auquel je m'étais maintes fois amusé durant mon enfance, parmi les rochers de la crique du Mont-Noir ; mais je vous garantis que je n'y avais encore jamais joué avec autant d'effroi que cette fois-là. Pourtant, je le répète, c'était un jeu d'enfant ; et je me croyais capable de surpasser en agilité un marin relativement âgé et blessé à la cuisse de surcroît. Ces pensées m'enhardirent à tel point que je me permis quelques réflexions furtives sur l'issue de l'affaire. Mais tandis que j'étais certain de pouvoir la retar-

---

1. **Chien :** pièce du pistolet qui provoque la mise à feu de la poudre.
2. **Pavillon rouge :** les pirates hissaient leur pavillon noir avant de passer à l'attaque, pour terroriser l'adversaire. Cette manœuvre pouvait suffire à elle seule pour décourager les navires marchands qui préféraient se rendre sans combattre. Si le navire refusait de s'arrêter, les pirates hissaient un drapeau rouge sang pour signaler à l'adversaire que personne ne serait épargné.
3. **Acculerait :** acculer quelqu'un signifie le pousser contre un obstacle qui l'empêche de reculer.
4. **Pouces :** un pouce représente 2,5 cm environ en unité de mesure anglo-saxonne.

der encore longtemps, je ne voyais pas d'espoir de m'en sortir définitivement.

Sur ces entrefaites, l'*Hispaniola* toucha, hésita, racla un instant le sable de sa quille, puis, avec la vivacité d'un coup de vent, chavira sur bâbord ; le pont s'inclina sous un angle de quarante-cinq degrés, une formidable masse d'eau jaillit par les ouvertures des dalots puis s'étala en flaque entre le pont et le bastingage.

Nous chavirâmes tous deux et roulâmes presque ensemble dans les dalots où le cadavre de Bonnet-Rouge, les bras toujours en croix, vint nous rejoindre. Nous étions si près que ma tête heurta le pied du quartier-maître avec une violence qui fit s'entrechoquer mes dents. En dépit du coup, je me relevai le premier car Hands ne parvenait pas à se dégager du cadavre. L'inclinaison du navire avait rendu le pont impropre à[1] la course : je devais trouver un nouveau moyen d'échapper à mon ennemi, et sur-le-champ, car il se trouvait à deux pas de moi. Avec la rapidité de l'éclair, je me jetai dans les haubans d'artimon[2], j'en escaladai les enfléchures[3] l'une après l'autre, et ne m'arrêtai pour reprendre mon souffle qu'une fois assis sur les barres de flèche[4].

Ma rapidité m'avait sauvé : le poignard frappa moins d'un demi-pied au-dessous de moi, tandis que je poursuivais ma fuite vers les hauteurs. Israël Hands resta là, bouche bée et le visage tourné vers moi : on eût dit la statue de la surprise et du désappointement[5].

Profitant de ce répit, je changeai sans plus attendre l'amorce de mon pistolet, et lorsque celui-ci fut en état je me mis à vider l'autre et à le recharger.

Me voyant affairé, Hands perdit tout espoir : il commençait à comprendre que la chance n'était plus avec lui ; après une évidente hésitation, il se hissa lourdement dans les haubans et, le poignard entre les dents, entama une lente et pénible ascension. Tirer après lui sa jambe blessée lui prit un temps infini et le faisait

---

1. **Impropre à :** inadapté à.
2. **Haubans d'artimon :** cordages servant à maintenir le mât d'artimon, à l'arrière de la goélette.
3. **Enfléchure :** échelons de cordage qui servent à monter d'un hauban à l'autre.
4. **Barre de flèche :** pièce de bois ou de métal, située à une certaine hauteur et servant à raidir ou à cintrer le mât sur les petits voiliers.
5. **Désappointement :** déception.

gémir. J'avais tranquillement achevé mes préparatifs qu'il n'avait pas dépassé le tiers de la distance qui nous séparait. Un pistolet dans chaque main, je l'interpellai alors :

– Un pas de plus, monsieur Hands, et je vous fais sauter la cervelle !... Les morts ne mordent pas, vous savez bien, ajoutai-je avec un ricanement.

Il s'arrêta net. Je vis à l'expression de son visage qu'il essayait de réfléchir, mais l'opération était si lente et laborieuse que, tout imbu de[1] mon invulnérabilité, je ris aux éclats. Enfin, non sans avaler sa salive au préalable, il parla, le visage encore empreint d'une extrême perplexité. Il dut pour cela ôter le poignard de sa bouche, mais il ne fit pas d'autre mouvement.

– Jim, dit-il, je vois que nous sommes mal partis, toi et moi, et que nous devons conclure la paix. Je t'aurais eu, sans ce coup de roulis[2] ! Mais je n'ai pas de chance et je reconnais que je dois capituler, ce qui est dur pour le marin que je suis, face au gamin que tu es !

Je buvais ses paroles en souriant, aussi fier qu'un coq sur un mur, quand, en un clin d'œil, il ramena sa main droite par-dessus son épaule. Quelque chose siffla en l'air comme une flèche ; je sentis un choc suivi d'une douleur aiguë, et me trouvai cloué au mât par l'épaule. Dans la violente douleur et la surprise du moment – je puis à peine dire si ce fut de mon plein gré, et je suis en tout cas certain que je ne visai pas – mes deux pistolets partirent tous les deux et m'échappèrent des mains. Ils ne tombèrent pas seuls : avec un cri étouffé, le barreur lâcha les haubans et plongea dans l'eau la tête la première.

---

1. **Imbu de :** fier de.
2. **Roulis :** mouvement d'oscillation du navire d'un bord à l'autre.

27

« Pièces de huit ! »

Vu la bande[1] que donnait le navire, les mâts penchaient longuement au-dessus de l'eau, et, juché sur mes barres de perroquet[2], je
n'avais sous moi que l'étendue de la baie. Hands, qui n'était pas si
haut, se trouvait par conséquent plus près du navire, et il tomba
entre moi et les bastingages. Il reparut une fois à la surface dans
un tourbillon d'écume et de sang, puis s'enfonça de nouveau pour
de bon. Quand l'eau se fut éclaircie, je l'aperçus gisant sur le fond
de sable fin et clair, dans l'ombre projetée par le flanc du navire.
Deux ou trois poissons filèrent le long de son corps. Par instants,
grâce à l'ondulation de l'eau, il semblait remuer un peu, comme
s'il essayait de se lever. Mais il était bien mort, à la fois percé de
balles et noyé, et il s'apprêtait à nourrir les poissons à l'endroit
même où il avait voulu m'envoyer.

Sitôt rassuré sur ce fait, je me sentis envahi par un malaise et
une peur inexprimables. Le sang tiède ruisselait sur ma poitrine
et sur mon dos. Le poignard, à l'endroit où Hands avait cloué mon
épaule au mât, me brûlait comme un fer incandescent. Néanmoins,
ce qui me faisait trembler n'était pas cette souffrance physique,
que j'aurais à elle seule supportée sans dire un mot, mais la terreur
de tomber des barres de perroquet pour rejoindre le cadavre dans
cette eau immobile et verte.

Je me cramponnai des deux mains à m'en meurtrir les ongles
et fermai les yeux pour ne plus voir le danger. Insensiblement je
recouvrai mes esprits, mon pouls apaisé reprit une cadence plus
naturelle, et je rentrai de nouveau en possession de mes moyens.

Ma première pensée fut d'arracher le poignard ; mais, soit qu'il
tînt trop fort, soit que le cœur me faillît, j'y renonçai avec un
violent frisson. Chose bizarre, ce frisson-même favorisa ma déli-
vrance. Il s'en était fallu d'un rien, en effet, que la lame me man-
quât tout à fait : elle me retenait par une simple languette de peau,

---

1. **Bande :** inclinaison transversale de la goélette.
2. **Perroquet :** voile haute et carrée.

que ce frisson déchira. Le sang coula de plus belle, il est vrai, mais j'étais enfin libre de mes mouvements, et ne tenais plus au mât que par ma vareuse et ma chemise.

Je les arrachai d'une secousse, puis regagnai le pont par les haubans de tribord. Pour rien au monde je ne me serais aventuré de nouveau, ému comme je l'étais, sur les haubans surplombants de bâbord d'où Israël venait de tomber.

Je descendis et fis ce que je pus pour soigner ma blessure qui me faisait beaucoup souffrir et continuait à saigner abondamment, mais elle était sans gravité et ne me gênait pas pour me servir de mon bras. Comme le navire était en quelque sorte devenu ma propriété, je songeai à le débarrasser de son dernier passager, le cadavre d'O'Brien.

Comme je l'ai dit, le corps avait culbuté contre les bastingages où il gisait tel un hideux pantin disloqué, grandeur nature, certes, mais sans les couleurs et la souplesse de la vie ! Dans cette position, je pus en venir facilement à bout ; mes aventures tragiques ayant presque vaincu ma peur de la mort, je l'attrapai par la taille tel un vulgaire sac de son, et, dans un unique effort, je l'envoyai par-dessus bord. Il s'immergea dans un plongeon retentissant, perdant son bonnet rouge qui se mit à flotter à la surface. Dès que les remous cessèrent, je pus le voir flotter aux côtés d'Israël, tous deux ballotés par le mouvement ondulatoire de l'eau. En dépit de son jeune âge, O'Brien était chauve. Son crâne dégarni gisait là sur les genoux de l'homme qui l'avait tué et des poissons se faufilaient entre les deux dépouilles.

J'étais désormais seul sur le navire. La marée commençait à redescendre. Le soleil était déjà si bas sur l'horizon que l'ombre des pins de la rive ouest commençait à gagner le mouillage et tombait sur le pont. La brise du soir s'était levée et, bien qu'on fût ici protégé par la montagne aux deux sommets, située à l'est, les cordages commençaient à siffler une petite chanson et les voiles à palpiter. Je vis alors le danger qui guettait le navire.

Je me hâtai de courir aux focs et les ramenai en tas sur le pont ; mais ce fut plus dur avec la grand-voile.

Lors du chavirement de la goélette, le gui avait naturellement sauté en dehors du bord ; sa pointe ainsi qu'un pied ou deux de la voile trempaient dans l'eau. Cette circonstance accroissait encore le danger ; mais la tension de la voile sous l'action du vent était si forte que je redoutais d'y toucher. Je me résolus à prendre mon couteau et à couper les drisses. Le pic d'artimon tomba aussitôt, la voile s'étala sur l'eau comme un grand ballon vide ; mais ensuite j'eus beau la tirer, il me fut impossible de la ramener à bord. J'avais fait tout mon possible : pour le reste, l'*Hispaniola* devait s'en remettre à sa bonne étoile, tout comme moi.

Pendant ce temps, l'ombre avait envahi le mouillage. Les derniers rayons du soleil, je m'en souviens, jaillirent par une trouée du bois et jetèrent comme un éclat de pierreries sur la toison en fleurs de l'épave. Il commençait à faire froid ; la marée refluait[1] rapidement vers le large et la goélette s'enfonçait de plus en plus dans le sable.

Je gagnai l'avant puis me penchai. L'eau semblait assez peu profonde ; en m'agrippant des deux mains à l'amarre coupée, je me laissai doucement glisser par-dessus bord. L'eau me venait à peine à la poitrine, le sable était dur et recouvert d'ondulations ; et je passai allègrement le gué[2] jusqu'au rivage, laissant l'*Hispaniola* sur le flanc avec sa grand-voile largement étalée à la surface de la baie. Presque aussitôt le soleil acheva de disparaître et la brise se mit à siffler dans le crépuscule parmi les pins frémissants.

En fin de compte, j'avais quitté la mer et je n'en revenais pas les mains vides. La goélette était là, enfin libérée des flibustiers et prête à accueillir nos hommes à son bord et à reprendre le large. Je n'avais de plus grand désir que de rentrer au fortin et de me vanter de mes exploits. Il se pouvait bien qu'on me blâmât un peu pour ma fugue, mais la reprise de l'*Hispaniola* était un argument de taille, et j'espérais que le capitaine Smollett lui-même avouerait que je n'avais pas perdu mon temps.

Cette idée me mit dans une excellente humeur et je m'apprêtai à retourner au fortin auprès de mes compagnons. Je me rappelai que la rivière qui débouchait à l'est et qui se déversait dans le mouillage du capitaine Kidd venait de la montagne à deux sommets située sur ma gauche ; je me dirigeai de ce côté afin de

---

1. **Refluait :** descendait.
2. **Gué :** endroit où l'eau est assez basse pour pouvoir traverser à pied.

passer le cours d'eau à sa source. Le bois était fort praticable et, en suivant les contreforts[1] inférieurs de cette montagne, je l'eus vite contournée. Peu après je traversais le ruisseau qui me venait à mi-jambe.

Je me retrouvai près de l'endroit où j'avais rencontré Ben Gunn ; je marchai avec plus de circonspection[2], et restai aux aguets. La nuit était tout à fait tombée, et lorsque je débouchai du col situé entre les deux sommets, j'aperçus dans le ciel une réverbération vacillante. Je supposai que l'homme de l'île était là-bas à cuire son souper sur un brasier ardent. Toutefois, je m'étonnais qu'il se montrât si imprudent. Car si j'apercevais cette lueur, ne pouvait-elle aussi arriver aux yeux de Silver campé sur le rivage du marigot ?

La nuit était noire ; je pouvais à peine me diriger vers mon but : la montagne à deux sommets derrière moi et la Longue-Vue sur ma droite s'évanouissaient petit à petit dans l'obscurité ; quelques étoiles brillaient faiblement et le sol que je foulais était jonché de buissons sur lesquels je trébuchais et de creux de sable dans lesquels je m'enlisais.

Soudain, une sorte de lueur se répandit autour de moi. Je levai les yeux : une pâle clarté lunaire illuminait le sommet de la Longue-Vue ; peu après un large disque argenté surgit derrière les arbres : la lune était levée.

Favorisé par cette circonstance, j'accomplis rapidement le reste du trajet ; impatient d'arriver, je marchais et courais alternativement ; je pénétrai enfin dans le bois qui borde le fortin. Mais je n'oubliais pas de ralentir et de progresser prudemment. C'eût été piètrement couronner mes exploits que de recevoir par méprise[3] une balle envoyée par les miens.

La lune montait toujours plus haut ; sa lumière tombait çà et là en flaques dans les clairières du bois ; et juste devant moi une lueur d'une teinte différente apparut entre les arbres. Elle était d'un rouge vif qui s'obscurcissait un peu de temps à autre, comme si elle fût provenue des tisons[4] ardents d'un feu de joie.

---

1. **Contreforts :** bordures.
2. **Circonspection :** prudence.
3. **Par méprise :** par errreur.
4. **Tisons :** morceaux de bois brûlés en partie.

Malgré tous mes efforts je ne devinais pas ce que ce pouvait être. J'arrivai enfin aux limites de la clairière. Son extrémité ouest était déjà baignée de clair de lune ; le reste, tout comme le fortin, reposait encore dans une ombre noire que rayaient de longues stries
140 de lumière argentée. De l'autre côté de la maison, un gigantesque feu se consumait en braises vives dont la réverbération rouge et immobile formait un vigoureux contraste avec la blanche clarté de la lune. Pas un bruit humain, nul autre son que les frémissements de la brise.

145 Je m'arrêtai très surpris et peut-être aussi un peu effrayé. Nous n'avions pas l'habitude de faire de grands feux : nous étions, en effet, par ordre du capitaine, assez regardants sur le bois à brûler, et je commençais à craindre que les choses n'eussent mal tourné en mon absence.

150 Je fis le tour par l'extrémité orientale du fortin, en restant dans l'ombre ; une fois arrivé à un endroit propice où les ténèbres étaient plus épaisses, je franchis la clôture.

Pour ne pas me mettre en danger, je me mis à quatre pattes et rampai sans bruit vers l'angle de la maison. En approchant j'éprou-
155 vai un soudain et grand soulagement. Le bruit n'a rien d'agréable en soi, et je m'en suis souvent plaint en d'autres circonstances ; mais à ce moment-là, le ronflement de mes amis plongés dans un sommeil si profond et si paisible résonna à mes oreilles comme une véritable musique. Le cri de la vigie en mer, ce si beau : « Tout
160 va bien ! » ne me sembla jamais plus rassurant.

Une chose était cependant certaine : ils montaient la garde de curieuse manière ! Si Silver et ses amis avaient débarqué à ma place, pas une de ces âmes n'aurait pu assister au lever du jour ! « Voilà ce que c'est, pensai-je, d'avoir un capitaine blessé. » Et, une
165 fois de plus, je me blâmai de les avoir abandonnés avec si peu d'hommes pour monter la garde.

Cependant j'étais arrivé à la porte et je m'arrêtai sur le seuil. Tout était si sombre à l'intérieur que mes yeux n'y pouvaient rien distinguer. Seuls les sons me parvenaient : le bourdon[1] tranquille

---

1. **Bourdon :** bourdonnement.

70 des ronfleurs et, par intermittence[1], une sorte de battement suivi d'un bruit de coup sec dont je ne pouvais déterminer l'origine.

Les bras en avant, je pénétrai sans bruit. Je devrais me coucher à ma place (pensais-je avec un petit rire muet) et m'amuser à voir leurs têtes quand ils me découvriraient au petit matin !

75 Mon pied heurta quelque chose de mou : c'était la jambe d'un dormeur qui se retourna en grognant mais sans se réveiller.

Et alors, tout d'un coup, une voix stridente éclata dans les ténèbres :

– Pièces de huit ! pièces de huit ! pièces de huit ! pièces de huit !
80 pièces de huit ! et ainsi de suite, sans une pause, sans un changement, comme un cliquet de moulin[2].

Le perroquet vert de Silver, Capitaine Flint ! C'était lui que j'avais entendu picorer un morceau d'écorce ; c'était lui, qui, faisant meilleure veille que nul être humain, annonçait ainsi mon arrivée
85 par sa fastidieuse[3] rengaine[4] !

Je n'eus pas le temps de reprendre mes esprits. Aux cris aigus et assourdissants du perroquet, les dormeurs se réveillèrent en sursaut. Avec un énorme juron, la voix de Silver cria :

– Qui vive ?
90 Je tentai de fuir mais me heurtai violemment contre quelqu'un ; je reculai puis retombai entre les bras d'un second individu, qui les referma et me retint solidement.

– Apporte de la lumière, Dick, ordonna Silver.

Un des hommes sortit et revint presque aussitôt avec un tison
95 enflammé.

---

1. **Par intermittence :** de manière irrégulière.
2. **Comme un cliquet de moulin :** se dit pour des personnes qui parlent sans s'arrêter.
3. **Fastidieuse :** ennuyeuse.
4. **Rengaine :** refrain de chanson, répétitif, facile à retenir.

VI. Le capitaine Silver

28

Dans le camp ennemi

L'éclat rouge de la torche illumina l'intérieur du fortin ; ce que je vis alors ne fit que confirmer mes pires craintes. Les pirates étaient en possession du fortin et des approvisionnements : le tonneau d'eau-de-vie, tout comme le lard et les sacs de biscuits étaient à leur place comme avant mon départ ; mais ce qui décupla[1] mon horreur fut qu'il n'y avait aucune trace de prisonniers. J'en conclus que tous avaient péri, et ma conscience me reprocha amèrement de n'être pas resté pour périr avec eux.

Ils étaient en tout six forbans ; pas un de plus qui fût resté en vie. Cinq d'entre eux, brusquement tirés du premier sommeil de l'ivresse, étaient debout, encore rouges et bouffis. Le sixième s'était seulement dressé sur un coude : il était d'une pâleur affreuse, et le bandage taché de sang qui lui enveloppait la tête prouvait qu'il avait été récemment blessé, et pansé plus récemment encore. Je me souvins que, lors de la grande attaque, un homme frappé d'une balle s'était enfui à travers bois, et je ne doutai point que ce fût lui.

Perché sur l'épaule de Silver, le perroquet se lissait les plumes. Silver me parut un peu plus pâle et plus sérieux que de coutume. Il portait encore le bel habit de drap sous lequel il avait rempli sa mission, dorénavant taché de boue et déchiré par les ronces.

– Ainsi donc, fit Silver, voilà Jim Hawkins ! En visite, on dirait, hé ? Allons, entre ! je suppose que tu es venu en ami !

Il s'assit sur le tonneau d'eau-de-vie, et commença à bourrer une pipe.

– Donne-moi de la lumière, Dick, reprit-il.

Puis, après l'avoir allumée :

---

1. **Décupla :** multiplia par dix.

– Ça ira. Plante un tison dans le tas de bois. Et vous, messieurs, amenez-vous !... Inutile de rester debout pour M. Hawkins : il vous excusera, soyez-en sûrs. Donc, te voilà, Jim ! Quelle bonne surprise pour ton vieil ami John ! J'ai bien vu que tu étais un malin la première fois que je t'ai vu. Mais aujourd'hui, je l'avoue, j'en reste comme baba¹ !

Comme vous pouvez l'imaginer, je ne répondis pas. Adossé au mur, je restais là à regarder vaillamment Silver dans les yeux, mais le cœur gros d'un sombre désespoir.

Silver tira impassiblement deux ou trois bouffées de sa pipe, et poursuivit :

– Vois-tu, Jim, puisque tu es ici, je vais te dire ma façon de penser. J'ai toujours eu de l'affection pour toi, car tu es mon portrait vivant, à l'époque où j'étais jeune et beau. J'ai toujours désiré que tu t'enrôles avec nous, pour que tu prennes ta part du magot² et que tu meures dans la peau d'un gentleman. Nous y voilà, mon petit. Le capitaine Smollett est un bon marin, je ne peux pas le nier, mais à cheval sur la discipline. « Le devoir avant tout », qu'il dit, et il a raison. Fais attention au capitaine. Le docteur lui-même est fâché à mort contre toi. « Canaille ingrate », voilà comment il t'appelle... Bref : tu ne peux pas retourner avec eux car ils ne veulent plus de toi. Et à moins de former à toi tout seul un troisième équipage, ce qui serait un peu triste, tu vas devoir t'enrôler avec le capitaine Silver.

Tout allait bien jusque-là : mes amis étaient donc encore vivants ; et bien que je crusse vraie en partie l'affirmation de Silver selon laquelle mes compagnons me reprochaient ma désertion, j'étais plus réconforté qu'abattu par ce que je venais d'entendre.

– Je n'ai pas besoin de préciser que tu es à notre merci, Jim, continua Silver. Je suis trop poli pour cela, et j'ai toujours préféré discuter tranquillement. Rien qui me répugne tant que les menaces. Si ma proposition te convient, fort bien, tu t'enrôleras

---

1. **J'en reste comme baba :** je n'en reviens pas.
2. **Magot :** masse d'argent plus ou moins importante, amassée peu à peu, et mise en réserve (langage familier).

avec nous. Sinon, camarade, tu es libre de la décliner[1] ! On ne
60 pourrait parler plus gentiment, n'est-ce pas ?

— Vous voulez que je réponde ? demandai-je d'une voix tremblante. À travers tout ce persiflage[2], j'avais bien discerné la menace
de mort suspendue sur ma tête ; mes joues étaient brûlantes et
mon cœur battait douloureusement dans ma poitrine.

65 — Mon gars, repartit Silver, personne ne te presse. Prends ton
temps. Personne ici ne te demandera de te précipiter : le temps
passe si plaisamment en ta compagnie !

— Eh bien, fis-je, quelque peu enhardi[3], si je dois choisir, je pense
que j'ai le droit de savoir ce qu'il en est : pourquoi êtes-vous ici et
70 où sont mes amis.

— Ce qu'il en est, répéta l'un des flibustiers en grommelant.
Malin celui qui pourrait le dire !

— Ferme donc tes écoutilles[4] en attendant qu'on te demande ton
avis, mon ami ! lança furieusement Silver à l'interlocuteur.

75 Puis, de son ton le plus aimable, il s'adressa à moi :

— Hier matin, monsieur Hawkins, pendant le quart[5] de quatre
heures à huit heures, voilà qu'arriva le docteur Livesey muni du
pavillon parlementaire. Il me dit : « Capitaine Silver, vous êtes
trahi : le navire n'est plus là… » Nous avions bu quelques verres de
80 trop pendant la nuit, et chanté à perdre haleine… Je ne dirais pas
le contraire. En tout cas, personne d'entre nous n'avait remarqué
la chose. Puis nous regardons tous le mouillage et… cré tonnerre !
le bon vieux bâtiment n'était plus là ! Je n'ai jamais vu bande
de benêts plus hébétés, crois-moi. « Bon, dit le docteur, faisons
85 un marché… » Le marché fut conclu. Le résultat, c'est que nous
sommes où tu nous vois, avec les provisions, l'eau-de-vie, le fortin,
le bois à brûler que vous avez eu la prévoyance de couper, et ce
sacré bateau, de la quille à la pomme des mâts. Quant à eux, ils se
sont trottés[6] ; je ne sais pas où ils sont.

---

1. **Décliner :** refuser.
2. **Persiflage :** ironie, moquerie.
3. **Enhardi :** plus audacieux.
4. **Écoutilles :** ici, oreilles.
5. **Quart :** fraction de temps pendant laquelle une équipe est de service.
6. **Ils se sont trottés :** ils se sont enfuis.

Il tira tranquillement sur sa pipe avant de poursuivre :

– Et ne va pas te mettre en tête que tu es compris dans le traité ! Voici les derniers mots échangés : « Combien êtes-vous à partir ? » ai-je demandé. « Nous sommes quatre dont un blessé, m'a répondu le docteur. Quant à ce garçon, je ne sais pas où il est, et je ne m'en soucie guère. Nous sommes fatigués de lui... » Ce sont là ses paroles.

– Est-ce tout ?

– Oui, c'est tout ce que j'ai à dire, mon fils.

– Et maintenant, je dois choisir ?

– Et maintenant, tu dois choisir, crois-moi.

– Eh bien, je ne suis pas assez sot pour ne pas deviner à peu près ce qui m'attend. Advienne que pourra, ça m'est égal. J'en ai trop vu mourir depuis que je vous ai rencontré. Mais je dois vous dire deux ou trois choses, repris-je en m'animant. La première, c'est que vous êtes dans une mauvaise passe : le navire, le trésor, les hommes, tout est perdu. Tout a fait naufrage ! Et si vous voulez savoir à qui vous le devez, eh bien, c'est à moi ! J'étais dans la barrique de pommes le soir de notre arrivée en vue de l'île, et je vous ai entendus, vous John, et vous Dick Johnson, et Hands, qui gît dorénavant au fond de la mer. J'ai rapporté sur-le-champ vos paroles au capitaine, au docteur et au chevalier. Quant à la goélette, c'est moi qui ai rompu son amarre, c'est moi qui ai tué les hommes que vous aviez à son bord, c'est encore moi qui l'ai menée là où aucun de vous ne la reverra jamais. Permettez-moi de rire, car j'ai pris la main sur cette affaire dès le début. Je ne vous crains pas plus que je ne crains une mouche. Tuez-moi ou épargnez-moi, faites comme vous voulez. Une dernière chose : si vous m'épargnez, j'oublierai tout et quand vous serez jugés pour vos actes de piraterie, je ferai mon possible pour vous sauver. À vous de choisir. Tuez-en un de plus, cela ne vous profitera pas. Épargnez-moi et vous aurez un témoin qui pourra vous sauver de la potence.

Je m'arrêtai car j'étais à bout de souffle. À mon grand étonnement, pas un homme n'avait bougé et tous me regardaient comme un troupeau de moutons hébétés. Je repris :

– Monsieur Silver, j'estime que vous êtes le meilleur de tous. Si les choses tournent mal, j'apprécierais que vous disiez au docteur comment j'ai pris votre proposition.

– Je n'y manquerai pas, dit Silver avec une intonation si particulière que je ne pouvais savoir s'il se moquait de ma requête[1] ou si mon courage l'avait favorablement impressionné.

– J'ai quelque chose à ajouter, s'écria le vieux marin à teint d'acajou[2] (le nommé Morgan que j'avais vu dans la taverne de Silver, sur les quais de Bristol). C'est lui qui a reconnu Chien-Noir !

– Encore un mot ! reprit le maître coq. C'est ce même garçon qui a volé la carte à Billy Bones !

– Qu'on en finisse avec lui ! cria Morgan. Et il bondit en brandissant son couteau.

– Halte-là ! cria Silver. Pour qui te prends-tu, Tom Morgan ? Pour le capitaine ? Par tous les diables, je vais t'apprendre le contraire ! Mets-toi en travers de ma route, et tu finiras là où tant d'autres ont fini avant toi depuis trente ans ! Soit à bout de vergue, soit pardessus bord, et tous à nourrir les poissons ! Jamais aucun homme ne m'a regardé entre les deux yeux sans le payer cher, Tom Morgan, je te le garantis !

Morgan se tut, mais un murmure s'éleva parmi les autres :

– Tom a raison, dit l'un.

– J'en ai soupé[3], du capitaine ! reprit un autre. Je veux être pendu si je dois vous supporter plus longtemps, John Silver !

– L'un de ces messieurs voudrait-il venir s'expliquer dehors avec moi ? rugit Silver en se redressant sur son tonneau tout en tenant sa pipe brasillante[4] de la main droite. Si c'est ce que vous voulez, dites-le : vous n'êtes pas muets, que je sache ! Celui qui le souhaite aura affaire à moi. J'aurais vécu toutes ces années pour me laisser impressionner par un ivrogne ? Vous connaissez le système, tout gentilshommes que vous êtes, à vous entendre ! Eh bien, je suis prêt. Que celui qui l'ose prenne un coutelas, et je verrai ce qu'il a

---

1. **Requête :** demande, proposition.
2. **Acajou :** bois de couleur rouge.
3. **J'en ai soupé :** j'en ai assez.
4. **Brasillante :** incandescente comme une braise.

dans les tripes, tout béquillard que je suis, avant que cette pipe ne s'éteigne !

Pas un homme ne broncha ; pas un homme ne répliqua.

– En voilà des marins ! ajouta-t-il, en portant de nouveau sa pipe à sa bouche. Quelle triste mine ! Et pas plus disposés à se battre ! Mais peut-être comprendrez-vous ce que parler veut dire. J'ai été désigné capitaine. Je suis votre capitaine parce que je suis le meilleur de tous, et de loin. Vous refusez de vous battre comme des gentilshommes ? Alors vous obéirez, je ne vous dis que ça ! J'aime ce garçon : je n'ai jamais vu meilleur garçon que lui. Il est plus brave que deux d'entre vous, rats que vous êtes ! Que quelqu'un ose lever la main sur lui, et c'en est fait de vous, je le jure !

Il y eut un long silence. J'étais debout, adossé au mur, et mon cœur battait comme un marteau sur une enclume, mais une lueur d'espoir jaillit en moi. Silver se laissa aller contre le mur, les bras croisés, la pipe au coin des lèvres, aussi immobile que s'il eût été dans une église ; pourtant son regard allait et venait, et il ne cessait d'observer la bande indisciplinée. Quant aux hommes, ils se repliaient petit à petit dans l'autre extrémité du fortin, et leurs chuchotements confus résonnaient comme un flot continu. L'un après l'autre ils levaient les yeux, et la lueur rouge de la torche éclairait leurs visages inquiets ; mais ce n'était pas vers moi, c'était vers Silver que se dirigeaient leurs regards.

– Vous semblez avoir beaucoup à dire, remarqua celui-ci en crachant devant lui. Voyons un peu ce que c'est ; je vous écoute.

– Pardon, capitaine, répondit l'un des hommes, mais vous prenez trop de libertés avec le règlement. Cet équipage est mécontent ; cet équipage n'aime pas l'intimidation ; cet équipage a des droits, comme tous les équipages, je prends la liberté de le dire ; et d'après les règles que vous avez vous-même établies, nous avons le droit de nous concerter[1]. Je vous demande pardon, monsieur, et je reconnais que vous êtes mon capitaine ; mais je réclame mon droit et je sors de ce pas pour tenir conseil.

---

1. **Nous concerter :** nous mettre d'accord pour agir ensemble.

Tout en saluant, l'individu – un grand homme de trente-cinq ans aux yeux jaunes et qui avait l'air malade se dirigea froidement vers la porte et disparut à l'extérieur. Tour à tour, les autres suivirent
195 son exemple. Chacun saluait en passant et ajoutait quelques mots d'excuse. « Conformément aux règles », disait l'un. « Conseil de gaillard d'avant », disait Morgan. Je restai seul avec Silver.

Aussitôt, il ôta sa pipe de ses lèvres :

– Écoute-moi, Jim Hawkins, dit-il en murmurant si bas que je
200 l'entendais à peine, tu es à deux doigts de la mort et, ce qui est bien pire, de la torture. Ils vont me destituer. Mais, note-le, je reste à tes côtés coûte que coûte. Ce n'était pas mon intention, jusqu'au moment où tu as parlé. J'étais désespéré d'avoir perdu cette belle galette et d'être pendu, par-dessus le marché ! Mais j'ai vu de
205 quelle trempe¹ tu étais. Je me suis dit : « Sauve Jim Hawkins, John, et Hawkins te sauvera. Tu es sa dernière carte et lui, ton dernier atout ! Donnant donnant, je me suis dit. Tu sauves ton témoin, et il sauvera ta tête ! »

Je commençais vaguement à comprendre. Je l'interrogeai :
210 – Vous voulez dire que tout est perdu ?

– Parbleu, oui ! répondit-il. Le navire est parti : adieu ma tête ! ça se résume à ça. Quand j'ai regardé dans la baie, Jim Hawkins, et que je n'ai plus vu la goélette… eh bien, je suis un dur à cuire, mais j'ai renoncé. Pour ce qui est de cette bande et de leur conseil,
215 note-le, ce sont de vrais idiots et des lâches. Je vais faire de mon mieux pour te tirer de leurs griffes, mon petit Jim. Mais attention, Jim : donnant donnant… Tu devras empêcher que Long John pende au bout d'une corde.

Je n'en revenais pas. Comment ce vieux flibustier, ce meneur,
220 pouvait-il formuler une demande si désespérée ? Je répliquai :

– Je ferai tout ce que je peux, dis-je.

– Marché conclu ! s'écria Long John. Tu parles courageusement ! J'ai une chance !

Il clopina jusqu'à la torche fichée² dans le tas de bois et ralluma
225 sa pipe.

---

1. **Trempe :** caractère, personnalité.
2. **Fichée :** plantée, fixée.

– Comprends-moi bien, Jim, dit-il en revenant. J'ai la tête sur les épaules. Je suis du côté du chevalier, désormais. Je sais que tu as mis ce navire en sûreté quelque part. Comment tu as fait, je n'en sais rien, mais il est en sûreté. Je suppose que Hands et O'Brien ont tourné casaque[1]. Je n'ai jamais eu confiance en aucun d'eux. Mais note mes paroles. Je ne pose pas de questions, pas plus que je ne m'en laisse poser. Je sais reconnaître quand la partie est perdue, voilà tout, comme je sais reconnaître un gars loyal. Ah ! toi qui es jeune... toi et moi, que de belles choses nous aurions pu faire ensemble !

Il remplit un gobelet d'étain[2] au tonneau d'eau-de-vie.

– En veux-tu, camarade ? me demanda-t-il.

Je déclinai son offre.

– Eh bien, je vais boire un coup, moi ! J'ai besoin de me calfater[3], car il va y avoir du grabuge[4]. Et à propos de grabuge, Jim, pourquoi ce docteur m'a-t-il donné la carte ?

Mon visage exprima un étonnement si sincère qu'il jugea inutile de me questionner davantage. Il reprit :

– Qu'importe, il me l'a donnée. Et il y a sans doute quelque chose là-dessous, Jim... du mauvais ou du bon.

Et il avala encore une goulée d'eau-de-vie en secouant sa grosse tête ébouriffée, de l'air de quelqu'un qui n'augure rien de bon[5].

---

1. **Tourné casaque :** changé de camp, retourné leur veste.
2. **Étain :** métal blanc.
3. **Calfater :** remplir tous les joints et interstices entre les planches constituant le revêtement extérieur de la coque et du pont afin de les rendre étanches.
4. **Il va y avoir du grabuge :** il va y avoir des dégâts.
5. **Quelqu'un qui n'augure rien de bon :** quelqu'un qui n'envisage rien de bon.

Clefs d'analyse

Action et personnages

1. Une fois arrivé sur l'*Hispaniola*, que découvre Jim ? Dans quel état se trouvent Hands et Bonnet-Rouge, les deux hommes restés à bord ?

2. Quel marché concluent Hands et Jim ? Qui a désormais le pouvoir ? Citez, à l'appui de votre réponse, une phrase du dialogue révélatrice du rapport entre les deux ennemis.

3. Expliquez les émotions contradictoires de Jim après sa négociation avec Hands. Interprétez le regard ironique et « l'inquiétant sourire » du quartier-maître (dernier paragraphe du chap. 25).

4. Quel piège Israël Hands tend-il à Jim ? Montrez l'habileté et les calculs des deux aventuriers jouant au chat et à la souris. Qui l'emporte et de quelle manière ?

5. Par quelles émotions passe Jim quand il se voit blessé et sanglant (début du chap. 27). Relevez quelques termes significatifs.

6. Que découvre Jim revenu au fortin ? Dans quelles circonstances tombe-t-il aux mains de Silver ? Combien reste-t-il de pirates ? Dans quel état sont-ils ?

7. Relevez les phrases affirmant que Jim a été lâché par ses amis (chap. 28). Un tel abandon vous semble-t-il vraisemblable ? Pourquoi ?

8. Jim aux mains de l'ennemi triomphe et cite tous ses exploits. Quels compliments reçoit-il de Silver ? Le jeune garçon peut-il en être fier ? Pour quelle raison ?

9. En quoi consiste la proposition de Silver ? Que pensez-vous de son analyse de la situation ?

Langue

1. Jim s'accuse de « désertion » quand il pense à sa fuite du fortin assiégé par l'ennemi (dernier paragraphe du chap. 25). Ce terme vous semble-t-il approprié ? Pourquoi ?

2. Silver appelle son prisonnier « mon gars », « mon fils » ou « Jim Hawkins ». Quelles nuances percevez-vous entre ces trois façons de s'adresser au jeune garçon ?

Genre ou thèmes

1. Étudiez la scène dramatique de l'abordage : par quels aspects ce passage est-il une scène d'action typique du roman d'aventures ?

2. Citez une ou deux répliques de Jim montrant que les épreuves auxquelles il a été confronté l'ont considérablement mûri.

Écriture

1. « Je n'ai jamais vu encore le bien sortir de la bonté. Je suis pour celui qui frappe le premier », déclare Hands (chap. 26, l. 117-118). Quelles réflexions vous inspirent ces paroles ? Pour enrichir votre argumentation, vous vous appuierez sur votre expérience personnelle, sur vos lectures ou sur des films.

2. Pensez-vous que Jim doive faire confiance à Silver ? Préparez deux séries d'arguments : l'une favorable à l'association des deux aventuriers, l'autre défavorable.

Pour aller plus loin

1. Retrouvez dans un roman que vous avez aimé ou dans un film qui vous a marqué une scène d'action particulièrement dramatique.

✳ À retenir

Le roman d'aventures multiplie les scènes d'action dramatiques dans lesquelles un conflit entre les personnages éclate, le plus souvent sous la forme d'une attaque. Dans cet épisode, le violent affrontement entre Hands et Jim se traduit par une offensive soudaine du pirate armé d'un poignard tandis que Jim tente de lui échapper tout en utilisant ses deux pistolets. Jim, blessé par le poignard, tire sur son ennemi qui tombe à la mer.

29

Encore la tache noire

Le conseil des pirates durait depuis un moment, lorsque l'un d'eux rentra dans la maison, et, répétant ce salut qui avait à mes yeux un sens ironique, demanda à emprunter la torche pour une minute. Silver acquiesça, et l'émissaire[1] se retira, nous laissant tous
5   les deux dans l'obscurité.

– Les pourparlers[2] vont bon train, me dit Silver, d'un ton amical et familier.

Je jetai un œil à la meurtrière la plus proche. Les braises du grand feu s'étaient presque consumées, et leur lueur faible et obs-
10   cure me fit comprendre pourquoi les conspirateurs[3] avaient besoin d'une torche. Ils s'étaient regroupés à mi-chemin sur l'escarpement qui allait à la palissade. L'un tenait la lumière ; un autre était age-nouillé, et je vis à son poing la lame d'un couteau ouvert refléter les lueurs de la lune et de la torche. Les autres se penchaient pour
15   suivre son opération. Je pus alors distinguer que, outre le couteau, il tenait aussi en main un livre, et j'en étais encore à m'étonner de les voir en possession d'un objet aussi inattendu, quand l'homme agenouillé se releva et toute la bande se remit en marche vers la maison.
20   – Ils viennent, dis-je.

Et je retournai à ma place, car il me parut en dessous de tout qu'ils me surprennent à les épier.

– Qu'ils viennent, mon garçon, qu'ils viennent, dit gaiement Silver. J'ai encore un tour dans mon sac.
25   La porte s'ouvrit, et les cinq hommes, blottis en tas les uns contre les autres, poussèrent l'un des leurs devant eux. En toute autre circonstance, il eût été comique de le voir marcher aussi len-tement, hésitant avant de mettre un pied devant l'autre, et tenant devant lui sa main droite fermée.

---

1. **Émissaire :** personne qui apporte un message, qui est chargée d'une mission.
2. **Pourparlers :** discussions, négociations.
3. **Conspirateurs :** personnes qui conspirent, qui s'unissent pour organiser un complot.

30   – Avance, mon gars, lui dit Silver. Je ne te mangerai pas. Donne-moi ça, marin d'eau douce ! Je connais les règles, voyons : je n'irai pas faire du mal à un émissaire.

    Encouragé de la sorte, le pirate accéléra ; après avoir passé quelque chose à Silver de la main à la main, il alla retrouver ses
35 compagnons plus prestement[1] encore.

    Le coq regarda ce qu'on lui avait remis.

    – La tache noire ! fit-il. Je m'en doutais. Où avez-vous pris ce papier ? Aïe ! aïe ! voyez donc ! Pas de chance ! Vous avez découpé ça dans une bible ! Quel imbécile a mutilé une bible ?

40   – Là ! là ! dit Morgan, vous voyez ! Qu'est-ce que je vous disais ? Il n'en sortira rien de bon, c'est certain.

    – Eh bien, votre compte est réglé, continua Silver. Vous serez tous pendus ! Quel est le crétin qui possédait une bible ?

    – C'est Dick, répondit une voix.

45   – Dick, vraiment ? Alors, Dick peut se recommander à Dieu. Son heure a sonné, vous pouvez en être sûrs.

    Le grand type maigre aux yeux jaunes l'interrompit :

    – Assez causé, John Silver. Cet équipage vous a décerné la tache noire en conseil plénier[2], comme il se doit ; retournez donc le
50 papier, comme il se doit aussi, et voyez ce qui y est écrit. Alors vous pourrez causer.

    – Merci, George, répliqua le coq. Tu as toujours été fort en affaires, et tu connais les règles par cœur, George, comme j'ai le plaisir de le constater. Eh bien, qu'est-ce que c'est ? Voyons donc ?
55 Ah ! Déposé… c'est bien ça, hein ? Très joliment écrit, pour sûr : on jurerait de l'imprimé. Est-ce de ta main, cette écriture, George ? Eh ! eh ! Serais-tu en passe de devenir[3] le chef de la bande ? Tu serais bientôt capitaine que ça ne m'étonnerait pas… Ayez donc l'obligeance de me repasser la torche, voulez-vous ? Cette pipe est
60 mal allumée.

    – Voyons, repartit[4] George, ne vous moquez pas plus longtemps de cet équipage. Vous aimez blaguer, on le sait mais c'en est fini de

---

1. **Prestement :** rapidement.
2. **Conseil plénier :** conseil qui réunit tous les membres qui le composent.
3. **En passe de devenir :** en train de devenir.
4. **Repartit :** répliqua.

vous désormais, et vous devriez peut-être descendre de ce tonneau pour prendre part au vote.

65   — Je croyais t'avoir entendu dire que tu connaissais les règles, répliqua Silver avec mépris. En tout cas, si tu ne les connais pas, moi je les connais ; et j'attendrai ici… et je suis toujours votre capitaine, à tous, songez-y… jusqu'à ce que vous m'ayez présenté vos griefs[1] et que je vous aie répondu ; en attendant, votre tache noire
70   ne vaut pas plus qu'un biscuit. Après ça, on verra.

   — Oh ! répliqua George, n'ayez crainte, nous sommes tous d'accord. Premièrement, vous avez fait un beau gâchis de cette expédition : vous n'aurez pas le culot de le nier. Deuxièmement, vous avez laissé l'ennemi s'échapper de ce piège pour rien. Pourquoi
75   tenaient-ils à en sortir ? Je n'en sais rien mais il est clair qu'ils y tenaient. Troisièmement, vous n'avez pas voulu nous lâcher sur eux pendant leur retraite. Oh ! nous avons compris votre petit jeu, John Silver : vous voulez tricher, voilà ce qui cloche avec vous. Et puis, quatrièmement, c'est ce garçon-là.

80   — Est-ce tout ? interrogea tranquillement Silver.

   — Et c'est bien assez ! riposta George. Nous irons tous sécher au soleil au bout d'une corde à cause de vos bêtises.

   — Alors, maintenant, écoutez-moi tous. Je vais répondre sur ces quatre points l'un après l'autre. J'ai gâché cette expédition ?
85   Voyons ! Vous connaissiez tous mon plan et vous n'ignorez pas qu'il aurait suffi de le suivre pour que nous fussions tous actuellement à bord de l'*Hispaniola*, vivants et en bonne santé, avec du pudding à volonté, et le trésor dans la cale, mille millions de tonnerres ! Mais qui s'est mis en travers de ma route ? Qui m'a forcé
90   la main, à moi, le capitaine légitimement élu ? Qui a ouvert le bal[2] en me destinant la tache noire le jour même où nous avons débarqué ? Ah ! c'est un bien joli bal ! Qui ressemble fort à une gigue[3] exécutée au bout de la corde sur le quai des Potences[4] de la ville

---

1. **Griefs :** reproches.
2. **Ouvert le bal :** commencé les hostilités.
3. **Gigue :** danse joyeuse originaire d'Angleterre ou d'Irlande.
4. **Quai des Potences :** quai du bord de la Tamise où se déroulaient les exécutions. Les bateaux qui entraient ou sortaient du port de Londres pouvaient voir les pirates pendus.

de Londres ! Mais à qui la faute ? Celle d'Anderson, et de Hands, et
95   la tienne, George Merry ! Et tu es le dernier de cette bande de foui-
neurs ! Et tu as la diabolique outrecuidance[1] de vouloir me remplacer comme capitaine, toi qui nous as tous coulés ! Par tous les
diables ! C'est l'histoire la plus insensée que j'aie jamais entendu !

Silver fit une pause, et je vis à la figure de George et de ses der-
100 niers camarades qu'il n'avait pas parlé en vain.

– Voilà pour le numéro un, cria l'accusé, en essuyant la sueur de
son front, car il s'était exprimé avec une véhémence[2] à faire trembler la maison. Vrai, je vous donne ma parole que causer avec vous
me donne la nausée ! Vous n'avez ni bon sens ni mémoire, et je me
105 demande où vos mères avaient la tête quand elles vous ont laissés prendre la mer. Des marins, vous ? Vous, des gentilshommes !
Allons donc ! Vous auriez dû être tailleurs !

– Allons, John, dit Morgan, réponds sur les autres points.

– Ah ! les autres ! C'est du joli, n'est-ce pas ? Cette expédition est
110 gâchée ? Ah ! crédié ! si vous réalisiez seulement à quel point elle
l'est !… Nous sommes si près du gibet[3] que mon cou se raidit déjà
rien que d'y penser. Vous les avez vus, hein, les pendus, enchaînés,
avec des oiseaux voltigeant tout autour… et les marins qui les
montrent du doigt en descendant la rivière avec la marée… « Qui
115 est celui-là ? » dit l'un. « Celui-là ? Tiens ! mais c'est Long John
Silver ; je l'ai bien connu », dit un autre… Et on entend le cliquetis
des chaînes quand on passe et qu'on arrive à la bouée suivante.
Voilà à peu près où nous en sommes ! Et ce grâce à lui, et à Hands,
et à Anderson, et autres calamiteux imbéciles d'entre vous ! Et si
120 vous voulez savoir ce que j'ai à dire du numéro quatre – ce garçon-là –, eh ! par tous les diables ! N'est-il pas un otage ? Et nous
irions perdre un otage ? Non, jamais : il serait notre dernier espoir
que ça ne m'étonnerait pas. Tuer ce garçon ? Jamais, camarades !
Quant au numéro trois… Eh bien, il y a beaucoup à dire sur le
125 numéro trois. Peut-être tenez-vous pour monnaie négligeable
d'avoir un vrai docteur qui vous rend visite chaque jour… toi,
John, avec ton crâne fêlé… ou bien toi, George Merry, qui trem-

---

1. **Outrecuidance :** culot, toupet.
2. **Véhémence :** violence, furie.
3. **Gibet :** potence pour les condamnés à la pendaison.

blais de fièvre il n'y a pas six heures, et qui à la présente minute as encore les yeux couleur jaune citron ? Peut-être ignorez-vous

130 aussi l'arrivée d'une conserve, hein ? Il y en a pourtant une qui ne va pas tarder, et nous verrons alors qui se réjouira de détenir un otage quand on en sera là. Reste le numéro deux : pourquoi j'ai conclu un marché ? Vous m'avez supplié de le faire... Vous étiez si découragés... Vous seriez morts de faim si je ne l'avais pas fait...

135 Mais quelle bagatelle[1] que tout cela ! Regardez : la voilà ma vraie raison !

Et il jeta sur le sol un papier que je reconnus aussitôt : rien moins que la carte sur papier jauni, avec les trois croix rouges, que j'avais trouvée dans la toile cirée, au fond de la malle du capi-

140 taine. Pourquoi le docteur la lui avait donnée, je n'arrivais pas à le comprendre.

Tout incroyable qu'elle fût pour moi, l'apparition de la carte l'était encore plus pour les mutins survivants. Ils se jetèrent dessus comme des chats sur une souris. Elle passa de main en main ;

145 on se l'arrachait ; et à entendre les jurons, les cris, les rires puérils dont s'accompagnait leur examen, on aurait non seulement cru qu'ils palpaient déjà l'or, mais qu'ils étaient en mer avec leur butin bien à l'abri.

– Oui, dit l'un, c'est bien la griffe[2] de Flint : J. F. avec un paraphe[3]

150 et un point au milieu. C'est ainsi qu'il signait toujours.

– Très joli, dit George. Mais comment allons-nous faire pour emporter le trésor sans navire ?

Silver se leva d'un bond, et, s'appuyant d'une main contre le mur, il s'écria :

155 – Je te préviens, George ! Encore un mot de ce genre, et tu auras affaire à moi ! Comment emporter le trésor ?... Est-ce que je sais, moi ? Ce serait plutôt à toi de me le dire ! À toi et aux autres qui avez perdu mon bateau en vous mêlant de mes affaires ! Allez brû-ler en enfer ! Mais tu es bien incapable de me dire comment faire

160 car tu n'as pas plus d'imagination qu'un cafard ! Mais tu pourrais parler poliment, George Merry, et tu le feras, sois-en sûr.

---

1. **Bagatelle :** futilité.
2. **Griffe :** marque, signature.
3. **Paraphe :** signature abrégée (initiales).

– Ça, c'est assez juste, dit le vieux Morgan.

– Si c'est juste ! Je te crois, reprit le coq. Vous avez perdu le navire et moi j'ai trouvé le trésor ! Qui est le meilleur ? Et mainte-nant, je démissionne ! Vous pouvez élire qui vous voudrez comme capitaine : moi, j'en ai plein le dos !

– Silver ! crièrent les hommes. Cochon-Rôti pour toujours ! Cochon-Rôti capitaine !

– C'est la nouvelle chanson ? triompha le coq. George, il semble que tu vas devoir attendre ton tour, mon ami ; et estime-toi heu-reux que je ne sois pas vindicatif[1]. Ça n'a jamais été mon genre. Et cette tache noire, camarades ? Elle ne vaut pas grand-chose, hein ? Dick a raté sa chance et abîmé sa bible, voilà tout !

– Je pourrai toujours prêter serment[2] dessus, pas vrai ? grommela Dick, apparemment inquiété par la malédiction qu'il s'était attirée.

– Une bible déchirée ! s'exclama Silver. Certainement pas ! Elle ne vaut guère plus qu'un livre de chants !

– Vraiment ? fit Dick, presque joyeux. Eh bien, il me semble que ça vaut la peine de la garder.

– Tiens, Jim, une curiosité pour toi, me dit Silver.

Et il me tendit le bout de papier.

Il avait à peu près la taille d'un écu[3]. Une face était vierge car elle provenait du dernier feuillet ; sur l'autre étaient retranscrits un ou deux versets de l'Apocalypse[4] ; et ces mots frappèrent vive-ment mon esprit : « Dehors sont les infâmes et les meurtriers. » Cette face imprimée avait été noircie avec du charbon de bois qui s'estompait déjà sur mes doigts tachés ; sur la face vierge, on avait écrit, toujours au charbon, le mot : « Déposé. » À l'heure où j'écris ceci, ce curieux papier est encore sous mes yeux. Mais sans plus aucune trace d'écriture ; rien qu'une simple égratignure faite du bout d'un ongle.

Ainsi s'acheva cette nuit mouvementée. Puis chacun but un coup et alla se coucher. Silver borna sa vengeance apparente à

---

1. **Vindicatif :** revanchard.
2. **Prêter serment :** promettre, jurer.
3. **Écu :** ancienne pièce de monnaie.
4. **Apocalypse :** dernier livre de la Bible dans lequel on peut lire le récit de la fin du monde.

195 mettre George Merry en sentinelle et à le menacer de mort s'il n'observait pas fidèlement sa consigne.

Je restai longtemps sans pouvoir fermer l'œil, et Dieu sait si j'avais matière à réflexions : le meurtre que j'avais commis dans l'après-midi, l'extrême danger de ma position, et surtout le jeu peu ordinaire où je voyais Silver engagé... Silver qui maintenait
200 d'une main les mutins, et de l'autre s'efforçait par tous les moyens possibles et imaginables d'obtenir son pardon et de sauver sa misérable existence. Il dormait paisiblement et ronflait bruyamment ; mais j'avais pitié de lui, tout malfaisant qu'il était, en songeant aux sinistres dangers qui le guettaient et à l'infâme gibet qui
205 l'attendait.

30

Sur parole

Je fus réveillé – ou plutôt nous fûmes tous réveillés, car je vis la sentinelle, qui s'était affaissée contre un jambage[1] de la porte, se redresser en sursaut – par une voix vibrante et cordiale qui venait de la lisière du bois.

5 – Ohé ! Les gens du fortin, ohé ! criait-on. Voici le docteur.

Et c'était bien le docteur. Ma joie de l'entendre n'était pas sans mélange. Je me rappelai ma fugue avec embarras et, en voyant où elle m'avait mené – parmi de tels compagnons et cerné de tous ces dangers –, j'avais honte de regarder le docteur en face.

10 Il avait dû se lever dans la nuit, car il faisait à peine jour. Courant à une meurtrière pour regarder dehors, je le vis là, comme une fois j'avais vu Silver, baignant jusqu'à mi-jambe dans un brouillard stagnant.

– C'est vous, docteur ! Bien le bonjour, monsieur ! s'écria Silver,
15 parfaitement réveillé et rayonnant d'affabilité[2]. Frais et dispos, à coup sûr ! C'est l'oiseau matinal, comme le dit le proverbe, qui

---

1. **Jambage :** montant.
2. **Affabilité :** amabilité, politesse.

attrape les bons morceaux ! George, secoue tes guibolles, mon gars, et aide le docteur Livesey à monter à bord ! Tout va bien, vos patients aussi… tous gais et en bonne santé !

20 Il bavardait ainsi, debout au sommet du monticule, sa béquille sous le bras et une main appuyée contre le mur du fortin : c'était bien la voix, l'allure et l'expression du bon vieux John.

– Nous avons une surprise pour vous, monsieur, continua-t-il. Il y a ici un petit étranger… hé ! hé !… Un nouveau locataire, mon-
25 sieur, bien portant et parfaitement dispos ! Un pensionnaire qui a dormi toute la nuit comme un subrécargue[1] à côté de John !

Le docteur Livesey avait alors franchi la palissade et s'approchait du coq. J'entendis sa voix altérée demander :

– Ce n'est pas Jim ?

30 – C'est Jim ! En chair et en os !

Le docteur s'arrêta net et sembla pendant quelques secondes incapable de faire un pas de plus, mais il ne dit rien.

– Bien, bien, dit-il enfin, le devoir avant le plaisir, comme vous diriez vous-même, Silver. Voyons un peu nos patients.

35 Il pénétrait peu après dans le fortin et, m'adressant un signe de tête lugubre, il se mit à officier auprès de l'homme blessé. Il ne montrait aucune appréhension, bien qu'il dût savoir que sa vie, au milieu de ces traîtres démons, ne tenait qu'à un fil ; et il interpellait ses patients comme s'il eût été en train de faire une visite ordi-
40 naire dans une paisible famille anglaise. Son attitude, je suppose, influençait les hommes, qui se comportaient avec lui comme si de rien n'était… Comme s'il était toujours le médecin du bord, et eux des fidèles marins…

– Vous allez mieux, mon ami, dit-il à l'individu qui avait la tête
45 bandée. Si jamais quelqu'un l'a échappé belle, c'est bien vous : il faut que vous ayez le crâne dur comme du fer. Et vous, George, comment allez-vous ? Vous avez un joli teint jaune, c'est certain ! mais votre foie, mon brave, est sens dessus dessous ! Avez-vous pris ce médicament ? A-t-il pris son médicament ?

50 – Oui, oui, monsieur, il l'a pris, répondit Morgan.

---

1. **Subrécargue :** représentant de l'armateur, sur les navires de jadis. Il n'avait pas grand-chose à faire pendant les traversées, et pouvait dormir à l'aise.

– Parce que, voyez-vous, depuis que je suis médecin de mutins, médecin de prison, pour ainsi dire, continua le docteur Livesey de son air le plus agréable, je mets un point d'honneur à ne pas perdre un seul homme destiné à la potence...

55 Les bandits se regardèrent mais encaissèrent ce coup droit[1] en silence.

– Dick ne se sent pas bien, monsieur, dit l'un d'eux.

– Vraiment ? répliqua le docteur. Allons, venez ici, Dick, et faites voir votre langue... Ce serait en effet étonnant qu'il se porte bien :

60 sa langue ferait peur à des Français ! Un nouveau cas de fièvre.

– Voilà ! fit Morgan. Voilà ce qu'il en coûte de déchirer des bibles !

– Voilà ce qu'il en coûte d'être des ânes bâtés[2], répliqua le docteur, et de n'avoir pas assez de jugeotte pour préférer le bon air à

65 celui des marécages, et la terre sèche à celle d'un infâme bourbier pestilentiel[3] ! Il est fort probable (mais, bien entendu, ce n'est là qu'une opinion) que ce sera le diable pour vous débarrasser de cette malaria[4] ! Aller camper dans une fondrière[5] ! Silver, ça m'étonne de vous. Vous êtes loin d'être un idiot, mais vous sem-

70 blez n'avoir pas la moindre notion d'hygiène...

Après avoir administré ses médecines aux coquins – qui suivaient ses prescriptions avec une docilité bien amusante, digne d'écoliers d'un orphelinat plus que de pirates coupables de crimes –, il conclut :

75 – Voilà qui est fait pour aujourd'hui... Et maintenant, j'aimerais avoir un entretien avec ce garçon, s'il vous plaît.

Et il m'adressa un signe de tête négligent.

George Merry était à la porte, où il se débarrassait en crachant du mauvais goût de son médicament. À peine le docteur eut-il

---

1. **Coup droit :** dans le vocabulaire de la boxe, un coup direct et violent donné du poing droit.
2. **Ânes bâtés :** idiots.
3. **Pestilentiel :** nauséabond, infesté par la peste.
4. **Malaria :** maladie (appelée aujourd'hui paludisme) due à un parasite transmis par les moustiques et qui affecte les populations des régions chaudes et marécageuses.
5. **Fondrière :** trou plein d'eau ou de boue.

émis sa requête, qu'il se retourna tout rouge de colère et lança un
« non ! » accompagné d'un juron.

Silver frappa le tonneau du plat de sa main.

– Silence ! rugit-il. (Et il promena autour de lui un regard de
fauve.) Docteur, continua-t-il de son ton habituel, connaissant
votre affection pour le gamin, j'y avais bien pensé. Nous vous
sommes tous humblement reconnaissants de votre bonté et,
comme vous pouvez le constater, nous avons confiance en vous
et avalons vos drogues comme si c'était du grog. Et je crois que j'ai
trouvé une idée qui conviendra à tout le monde. Hawkins, veux-tu
me donner ta parole de jeune gentilhomme – car tu l'es, en dépit
de ton humble naissance –, ta parole de ne pas filer ton nœud[1] ?

Je fis aussitôt la promesse exigée.

– Alors, docteur, reprit Silver, vous allez sortir du retranchement,
et une fois dehors, je vous amène le jeune homme qui restera à
l'intérieur ; vous pourrez causer tout à votre aise par les interstices
de la palissade. Je vous souhaite le bonjour, monsieur, et tous nos
respects à M. le chevalier et au capitaine Smollett.

Les récriminations unanimes que seuls les regards menaçants
de Silver avaient jusque-là réprimées éclatèrent aussitôt que
le docteur eut quitté la maison. Silver fut carrément accusé de
jouer double jeu, d'essayer de traiter pour lui seul, de sacrifier
les intérêts de ses complices et victimes ; en un mot, on l'accusa
exactement de ce qu'il faisait. Sa trahison me parut si évidente
que je me demandai comment il allait détourner leur colère. Mais
il avait deux fois plus de cervelle qu'eux tous, et sa victoire de la
nuit précédente lui donnait un ascendant[2] irrésistible sur eux. Il
les traita de crétins et d'idiots jusqu'à plus soif[3], leur dit qu'il était
indispensable de me laisser causer avec le docteur, leur brandit la
carte sous le nez, leur demanda s'ils allaient rompre le traité le jour
même du départ pour la chasse au trésor.

– Non, tonnerre ! cria-t-il, c'est nous qui briserons le traité, et au
moment venu. En attendant, je veux m'amuser avec ce docteur,
quand bien même je devrais cirer ses bottes avec de l'eau-de-vie !

---

1. **Filer ton nœud :** partir.
2. **Ascendant :** supériorité.
3. **Jusqu'à plus soif :** autant qu'il put.

Il ordonna ensuite d'entretenir le feu et se mit en marche, s'appuyant d'une main sur sa béquille et de l'autre sur mon épaule.
Il laissait les mutins dans le désarroi le plus total, le bec cloué par
son discours plutôt que par la persuasion.

– Doucement, petit, doucement, fit-il. Ils nous sauteraient dessus
en un clin d'œil, s'ils nous voyaient accélérer.

Nous marchâmes donc très lentement sur le sable, vers l'endroit
où le docteur nous attendait, de l'autre côté de la palissade. Dès
que nous fûmes assez loin pour nous parler tranquillement, Silver
s'arrêta.

– Vous prendrez note de ceci également, docteur. De plus, le
jeune homme vous dira comment je lui ai sauvé la vie, et comment ils m'ont destitué[1] pour avoir fait cela. Docteur, quand un
homme gouverne aussi près du vent que moi... quand il joue à
pile ou face, pour ainsi dire, son dernier souffle de vie... vous ne
croirez pas trop faire en parlant en sa faveur, n'est-ce pas ? Vous
voudrez bien vous souvenir que ce n'est plus seulement ma vie,
mais celle de ce garçon qui est en jeu à présent ; et vous allez me
parler gentiment, docteur, et me donner un peu d'espoir, pour
l'amour de Dieu.

Depuis qu'il avait tourné le dos à ses amis et au fortin, Silver
était un autre homme ; ses joues s'étaient creusées et sa voix trem-
blait ; il parlait avec un sérieux absolu.

– John, vous n'avez pas peur au moins ? lui demanda le docteur
Livesey.

– Docteur, je ne suis pas un lâche ; non certes... Pas même pour
ça (et il claqua des doigts). D'ailleurs, si je l'étais, je n'en parlerais
pas. Mais je dois reconnaître que l'idée de la potence me fait dresser les cheveux sur la tête. Vous êtes un homme bon et honnête ;
je n'ai jamais vu plus honnête ! Et vous n'oublierez pas ce que j'ai
fait de bien, pas plus que vous n'oublierez le mauvais. Je me retire,
comme vous voyez, et je vous laisse en tête à tête avec Jim. Et vous
témoignerez de cela aussi en ma faveur, car c'est un sacré geste
que celui-ci !

---

1. **Destitué :** verbe « destituer », démettre quelqu'un de ses fonctions, lui retirer son
pouvoir.

Tout en parlant, il recula assez loin pour ne plus nous entendre, puis il s'assit sur une souche d'arbre et se mit à siffler. Il se retournait de temps à autre sur son siège pour jeter un coup d'œil soit à moi, soit au docteur, soit à ses ruffians[1] indisciplinés, qui faisaient la navette sur le sable entre le feu – qu'ils étaient chargés de raviver – et la maison d'où ils rapportaient du lard et du biscuit pour le déjeuner.

– Te voilà ici, Jim, dit tristement le docteur. Le vin que tu as tiré, il faut le boire[2], mon garçon. Dieu sait que je n'ai pas le cœur à te faire des reproches, mais que cela te plaise ou non, je te ferai remarquer ceci : quand le capitaine Smollett était bien portant, tu n'as pas osé partir ; et tu as attendu qu'il soit malade et dans l'impossibilité de t'en empêcher… C'est si lâche !

J'avoue que je me mis à pleurer.

– Docteur, dis-je, vous pourriez m'épargner. Je me suis assez fait de reproches ; ma vie est désormais en jeu, et je serais déjà mort si Silver n'avait pris mon parti. Croyez-moi, docteur, je saurai mourir… et je reconnais que je le mérite… mais je redoute la torture. S'ils en viennent à me torturer…

– Jim, interrompit-il, d'un ton tout différent, Jim, je ne peux supporter une telle idée. Passe par-dessus la palissade et filons.

– Docteur, j'ai donné ma parole.

– Je sais, je sais… Mais tant pis ! Je prends tout sur moi sans hésiter, la honte et le blâme, mon garçon, car je ne peux te laisser là, ça non ! Saute ! Un bond, et tu es dehors, et nous prendrons nos jambes à notre cou.

– Non, repris-je. Vous savez bien que vous ne le feriez pas vous-même ; ni vous, ni le chevalier, ni le capitaine, et je ne le ferai pas non plus. Silver m'a fait confiance et j'ai donné ma parole : je dois rester. Mais, docteur, vous ne m'avez pas laissé finir. S'ils en viennent à me torturer, je pourrais laisser échapper un mot et révéler l'endroit où se trouve le navire ; car j'ai repris le navire, autant par hasard que par audace, et il se trouve dans la baie du Nord, sur le rivage sud, presque au niveau de la haute mer. À mi-marée, il doit être à sec.

---

1. **Ruffians :** aventuriers.
2. **Le vin que tu as tiré, il faut le boire :** tu récoltes ce que tu as semé ; proverbe.

– Le navire ! s'écria le docteur.

Je lui exposai brièvement mes aventures et il m'écouta en
silence.

– Il y a une sorte de destin dans tout cela, observa-t-il quand
j'eus fini. À chaque pas, c'est toi qui sauves nos vies. Tu n'ima-
gines pas, je pense, que nous allons renoncer à sauver la tienne ?
Ce serait là une piètre[1] récompense, mon garçon ! Tu as déjoué le
complot, tu as découvert Ben Gunn... et c'est le plus beau coup
que tu aies fait ou que tu feras jamais, dusses-tu vivre cent ans !
Oh ! par Jupiter, à propos de Ben Gunn ! C'est le mal en personne !
Silver ! cria-t-il ; Silver ! J'ai un petit conseil à vous donner ! Et
quand le coq se fut approché, il continua :

– Pour ce trésor, ne vous hâtez pas trop.

– Ma foi, monsieur, je ferais volontiers traîner les choses, mais je
ne peux, sauf votre respect, sauver ma vie et celle du garçon qu'en
recherchant ce trésor, vous le savez bien !

– Eh bien, Silver, puisqu'il en est ainsi, j'ajouterai un mot : veillez
au grain[2], lorsque vous le trouverez.

– Monsieur, entre nous soit dit, vous en dites trop ou pas assez.
Quel but poursuivez-vous en abandonnant le fortin et en me donnant cette carte ? Est-ce que je le sais, moi ? Et pourtant, j'ai obéi
à vos ordres les yeux fermés sans un seul mot d'espoir en retour.
Mais cette fois, c'est trop. Si vous ne voulez pas m'expliquer clairement ce que cela signifie, avouez-le, et je lâche le gouvernail.

– Non, fit pensivement le docteur. Je n'ai pas le droit d'en dire
plus ; ce n'est pas mon secret, Silver, voyez-vous, sinon je vous
donne ma parole que je vous le dirais. Mais je vous en dirai autant
que possible, et même un peu plus, car le capitaine m'arrachera la
perruque quand il le saura ! Et d'abord, un mot d'espoir : Silver, si
vous et moi nous sortons vivants de ce piège à loups, je ferai de
mon mieux pour vous sauver, excepté un faux témoignage !

Silver rayonnait. Il s'écria :

– Vous ne pourriez mieux parler, j'en suis sûr, monsieur, fussiez-
vous ma mère.

---

1. **Piètre :** maigre.
2. **Veillez au grain :** soyez prudent, surveillez.

– C'est ma première concession[1], ajouta le docteur. La seconde est un conseil : gardez bien le petit auprès de vous, et quand vous aurez besoin d'aide, appelez. Je vais en chercher de ce pas, ce qui prouve que ce ne sont pas des paroles en l'air... Au revoir, Jim.

Le docteur Livesey me donna une poignée de main à travers la palissade, fit un signe de tête à Silver, et s'enfonça dans le bois d'un pas rapide.

31

La chasse au trésor : l'indicateur de Flint

– Jim, me dit Silver quand nous fûmes seuls, si je t'ai sauvé la vie, tu viens de me rendre la pareille, et je ne l'oublierai pas. J'ai vu le docteur te faire signe de filer, je l'ai vu du coin de l'œil ; et je t'ai vu dire non, aussi net que si je l'entendais. C'est un bon point pour toi. C'est ma première lueur d'espoir depuis que l'assaut a échoué, et c'est à toi que je le dois. Et maintenant, Jim, nous allons nous mettre à cette chasse au trésor, sans trop savoir où cela nous mènera, et je n'aime pas ça. Ne nous éloignons pas l'un de l'autre, puisque c'est la consigne, et nous sauverons nos têtes, en dépit des hasards du sort.

À cet instant, un homme nous appela auprès du feu car le déjeuner était prêt, et nous allâmes nous asseoir sur le sable devant un repas composé de biscuit et de lard frit. Les pirates avaient allumé un feu à rôtir un bœuf, et ce feu était devenu si ardent qu'on ne pouvait l'approcher timidement que du côté du vent. Dans le même esprit de gaspillage, ils avaient fait cuire trois fois plus de nourriture que nous ne pouvions en absorber : avec un rire stupide, l'un d'eux jeta les restes dans le brasier qui, alimenté par ce combustible insolite, se mit à flamber et ronfler de plus belle. De ma vie je n'ai vu de gens plus insoucieux du lendemain ; ils vivaient, selon l'expression, « au jour le jour » ; et tant par la nour-

---

1. **Concession :** faveur, avantage accordé à un adversaire dans une discussion.

riture gâchée que par leurs sentinelles endormies, et bien qu'ils fussent hardis au combat et rompus à[1] cela, je pouvais constater leur totale inaptitude à tenir un siège durablement.

25 Silver lui-même mangeait et buvait autant que les autres, Capitaine Flint perché sur son épaule, et n'eut pas un mot de reproche pour leur insouciance. Et cela m'étonnait d'autant plus qu'il venait de se montrer plus malin que jamais.

Ça oui, camarades, disait-il, vous avez de la veine que Cochon-
30 Rôti soit là pour réfléchir à votre place avec la cafetière[2] qu'il a ! J'ai obtenu ce que je voulais, moi. Évidemment, ils ont le navire... même si je ne sais pas encore où il se trouve ; mais une fois que nous aurons trouvé le trésor, il faudra nous grouiller pour mettre la main dessus. Et alors, les gars, puisque nous avons les canots,
35 nous aurons l'avantage.

Il parlait ainsi, la bouche pleine de lard chaud, autant, je présume, pour leur redonner espoir que pour ranimer sa propre confiance.

– Quant à l'otage, continua-t-il, c'est la dernière fois qu'il a
40 causé avec ses chers amis. J'ai obtenu un renseignement qui a son importance, ce dont je lui rends grâces[3], mais c'est terminé. Je le tiendrai en laisse pour aller à la chasse au trésor, car nous le garderons comme la prunelle de nos yeux, en cas d'accident, entendez bien ! Dès que nous aurons pris et le navire et le trésor et que nous
45 serons repartis en mer comme de bons compagnons, alors nous causerons avec M. Hawkins et nous le remercierons pour toutes ses bontés !

Rien d'étonnant si les hommes étaient à présent de bonne humeur. Pour ma part, j'étais totalement abattu. Si le plan qu'il
50 venait d'esquisser était réalisable, Silver, deux fois traître, n'hésiterait pas à l'exécuter. Il avait encore un pied dans chaque camp, et il n'y avait pas de doute qu'il ne préférât le parti des pirates, avec la richesse et la liberté à la clef, au nôtre, où le mieux qu'il pût attendre fut d'éviter la potence.

---

1. **Rompus à :** habitués à, entraînés à.
2. **Cafetière :** tête, en argot.
3. **Je lui rends grâces :** je le remercie.

55   Et même si, par la force des choses, il était obligé de rester loyal
avec le docteur Livesey, même dans ce cas, de grands dangers
nous attendaient ! Quel terrible moment ce serait lorsque les soupçons de ses partisans se changeraient en certitude, et que lui et
moi nous aurions à défendre nos vies – lui un estropié et moi un
60 enfant – contre cinq matelots robustes et résolus !

    Ajoutez à cette double appréhension le mystère qui enveloppait
encore la conduite de mes amis : leur abandon inexpliqué du fortin, l'inexplicable cession[1] de la carte et, plus incompréhensible
encore, le dernier avertissement du docteur Livesey à Silver :
65 « Veillez au grain quand vous le trouverez », et vous comprendrez
aisément que je déjeunai sans appétit et me mis en marche le
cœur lourd derrière mes geôliers[2] partis à la conquête du trésor.

    Nous devions offrir un curieux spectacle : tous salement vêtus
et tous, moi excepté, armés jusqu'aux dents. Silver portait deux
70 fusils en bandoulière, un devant et un derrière, sans oublier un
grand coutelas à la ceinture et un pistolet dans chaque poche de
son habit à pans carrés[3]. Pour compléter ce singulier équipage,
Capitaine Flint se tenait perché sur son épaule, et caquetait des
propos de marin incohérents. Une corde fixée à la taille et tenue à
75 l'autre extrémité par le coq, tantôt de sa main libre, tantôt entre ses
dents puissantes, je suivais docilement. Aux yeux de tous, on me
traînait comme un ours de foire.

    Les autres hommes étaient diversement chargés : les uns por-
taient des pioches et des pelles débarquées de l'*Hispaniola* comme
80 objets de première nécessité, les autres du lard, des biscuits et de
l'eau-de-vie pour le repas de midi. Je remarquai que toutes ces provisions venaient de nos réserves, et je pus constater ainsi la véra-
cité des propos de Silver la nuit précédente. S'il n'avait pas conclu
un marché avec le docteur, la disparition du navire les eût réduits,
85 lui et ses mutins, à boire de l'eau et à se nourrir du produit de leur
chasse. Or l'eau n'était guère à leur goût et le marin est rarement

---

1. **Cession :** du verbe « céder », donner, confier.
2. **Geôliers :** gardiens.
3. **Habit à pans carrés :** présentant une fente au dos et sur les côtés.

bon chasseur... De plus, s'ils étaient à court de[1] vivres, il était probable qu'ils étaient à court de poudre.

90 Équipés de la sorte et marchant à la file, nous nous mîmes en route – même l'individu à la tête cassée, qui aurait certes mieux fait de rester à l'ombre – et gagnâmes le rivage où nous attendaient les deux yoles. Elles aussi portaient des traces de la folle ivrognerie des pirates : les bancs de l'une étaient cassés, et toutes deux étaient à moitié pleines d'eau et de boue. Nous devions les

95 emmener avec nous pour plus de sûreté. Ayant donc réparti notre effectif entre elles, nous mîmes le cap sur le fond de la baie.

Tout en ramant, on discutait au sujet de la carte : la croix rouge était bien entendu trop grande pour pouvoir servir de repère, et les termes de la note figurant au verso contenaient, on va le voir, une

100 certaine ambiguïté. Comme le lecteur s'en souvient peut-être, elle disait cela :

> « Grand arbre, contrefort de la Longue-Vue, point de direction
> N.-N.-E. quart N.
> Île du Squelette, E.-S.-E. quart E.
105 > Dix pieds. »

Ainsi donc, un grand arbre constituait le principal repère. Or, tout droit devant nous, le mouillage était dominé par un plateau de deux ou trois cents pieds de haut, qui au nord se raccordait par une pente au contrefort méridional de la Longue-Vue, et aboutis-

110 sait au sud aux abruptes falaises formant l'éminence dite du Mât-d'Artimon. Ce plateau était recouvert de pins de hauteurs diverses. Par endroits, quelques pins d'une espèce particulière se dressaient isolément à quarante ou cinquante pieds au-dessus de leurs voisins ; mais pour déterminer lequel de ceux-ci était bien le « grand

115 arbre » du capitaine Flint, il fallait se trouver sur le lieu même et s'aider d'une boussole.

Malgré cela, les embarcations n'étaient pas arrivées à mi-chemin que chacun de ceux qui les montaient avait son favori parmi les

---

1. **À court de :** en manque de.

arbres. Seul Long John haussait les épaules et leur conseillait d'attendre qu'on fût là-haut.

Nous ramions lentement, sur ordre de Silver, qui craignait de fatiguer ses hommes ; après une assez longue traversée, on aborda à l'embouchure de la seconde rivière, celle qui dévale de la Longue-Vue par une ravine[1] boisée. Ce fut de là qu'en appuyant sur la gauche nous entreprîmes l'ascension de la pente qui menait au plateau.

Tout d'abord, le terrain gras et fangeux[2], et le fouillis des herbes marécageuses, entravèrent fortement notre ascension ; mais peu à peu la montagne devint plus abrupte et plus rocailleuse, tandis que le bois, changeant d'aspect, se clairsemait. Nous approchions en réalité de la zone la plus agréable de l'île. Des genêts[3] au parfum entêtant et divers arbustes en fleurs y remplaçaient le gazon. Parmi les verts bouquets de muscadiers[4], des pins dressaient çà et là leurs fûts[5] rougeâtres et leurs vastes ombrages, et le relent épicé des premiers se combinait à l'odeur aromatique des seconds. L'air était vif et frais, ce qui nous faisait le plus grand bien car le soleil était au zénith.

La troupe s'étala en forme d'éventail, criant et bondissant de-ci de-là. Vers le centre, et assez loin derrière les autres, Silver et moi suivions les autres – moi rivé à ma corde, lui se traînant lourdement parmi les éboulis[6] de cailloux. Par moments, j'étais obligé de lui donner la main pour lui éviter un faux pas qui l'aurait fait dégringoler la pente.

Nous parcourûmes ainsi environ un demi-mille et nous allions atteindre le plateau, lorsque l'individu le plus éloigné sur la gauche se mit à pousser des hurlements de terreur. Il n'arrêtait pas de crier, de telle sorte que tout le monde se mit à courir dans sa direction.

---

1. **Ravine :** creux du terrain provoqué par le ruissellement de l'eau.
2. **Fangeux :** boueux.
3. **Genêts :** arbustes à fleurs jaunes.
4. **Muscadiers :** arbres des pays chauds qui fournissent la muscade, une noix utilisée comme épice en cuisine.
5. **Fûts :** troncs.
6. **Éboulis :** amas.

— Il ne peut avoir trouvé le trésor, cria le vieux Morgan qui arrivait de la droite au pas de course ! Le trésor est tout en haut !

En effet, comme nous le découvrîmes en arrivant, il s'agissait d'autre chose. Au pied d'un assez grand sapin, accroché à une plante grimpante, qui avait même en partie soulevé plusieurs des plus petits os, un squelette humain recouvert de vêtements en lambeaux gisait sur le sol. Un frisson glaça chacun de nous.

Plus hardi que les autres, George Merry s'avança pour examiner les restes de vêtements.

— C'était un marin, déclara-t-il. En tout cas, c'est bel et bien une tenue de marin.

— Bon, bon, fit Silver, c'est assez plausible[1] ; tu ne t'attendais pas à trouver un évêque ici, je suppose. Mais que peut bien vouloir signifier la manière dont ses os sont disposés ? Ce n'est pas naturel...

En effet, au second coup d'œil, on ne pouvait réellement croire que le corps fût dans une position naturelle. À part un léger désordre – dû sans doute aux oiseaux qui s'étaient nourris du cadavre ou à la lente croissance des plantes qui avaient peu à peu enseveli ses restes –, l'homme gisait dans une position parfaitement rectiligne, les pieds orientés dans un sens, et les mains, placées au-dessus de la tête comme celles d'un plongeur, dans l'autre.

— Il me vient comme une idée dans la caboche, fit observer Silver. Voici le compas. Voilà le sommet de l'îlot du Squelette, enraciné comme une dent. Relevez la position du sommet dans l'alignement des os.

Son ordre fut exécuté. Le corps pointait dans la direction de l'îlot, et le compas donnait bien E.-S.-E. quart E.

— J'en étais sûr, s'écria le coq ; c'est un repère. L'étoile Polaire et le butin droit devant nous ! Tonnerre ! Ça me fait froid dans le dos de penser à Flint ! C'est bien une plaisanterie de son genre ! Il était seul ici avec six hommes. Il les tue tous jusqu'au dernier, et celui-ci, il l'installe là et l'oriente à la boussole, par tous les diables !... C'est le squelette d'un grand homme aux cheveux jaunes. Hé ! ça pourrait bien être Allardyce ! Tu te souviens d'Allardyce, Tom Morgan ?

---

1. **Plausible :** probable.

– Oui, oui, répondit Morgan, je me souviens de lui ; il m'avait emprunté de l'argent et mon couteau.

– En parlant de couteaux, dit un autre, comment se fait-il que le sien ne soit pas ici ? Flint n'était pas homme à vider les poches d'un marin ; et les oiseaux, je suppose, ne l'ont pas emporté.

– Par tous les diables, voilà qui est vrai ! fit Silver.

– Il ne reste absolument rien, dit Merry, qui fouillait à tâtons parmi les ossements, pas un rouge liard, pas une tabatière. Ça ne me paraît pas naturel.

– Parbleu non, ça n'est pas naturel, renchérit Silver, ni très joli. Tonnerre de Dieu ! Les gars, si seulement Flint était en vie, ça chaufferait pour vous et moi ! Ils étaient six, tout comme nous, et il ne reste d'eux que des os.

– Je l'ai vu mort, et de mes yeux vu, dit Morgan. Billy m'a fait entrer. Il était couché là, un penny sur chaque œil.

– Mort ! Bien sûr qu'il est bel et bien mort, fit l'individu au bandage ; mais, si jamais un esprit devait revenir sur terre, ce serait bien celui de Flint. Car il a eu une bien vilaine mort !

– Pour ça, oui, affirma un autre ; tantôt il écumait de rage, tantôt il hurlait pour avoir du rhum, tantôt il chantait « Nous étions quinze… » C'était son unique chanson, camarades ; et à vrai dire, je n'ai jamais plus aimé l'entendre depuis. Il faisait très chaud, la fenêtre était ouverte, et j'entendais ce vieux refrain qui résonnait clair et net, tandis que la mort s'était déjà emparée de lui.

– Allons, allons, assez parlé, interrompit Silver. Il est mort, et il ne reviendra pas, que je sache ; en tout cas, il ne reviendra pas en plein jour, vous pouvez en être sûrs. Il n'y a pas de souci à se faire. Sus aux doublons[1] !

Nous nous remîmes en marche ; mais en dépit du soleil ardent et de la brillante lumière du jour, les pirates n'allaient plus séparément en criant ou en riant mais ils restaient côte à côte, parlaient tout bas et retenaient leur souffle. La peur du flibustier mort les paralysait.

---

1. **Sus aux doublons :** à nous les doublons (monnaie d'or espagnole).

Clefs d'analyse

Action et personnages

1. Quelles décisions le conseil des flibustiers a-t-il prises ? À quoi voit-on l'union des mutins contre Silver ?

2. Que signifie la tache noire remise à Silver par l'équipage ? Montrez l'habileté du coq qui ne se laisse pas impressionner et qui infiltre le doute dans l'esprit des hommes.

3. Faites la liste des quatre accusations portées contre Silver. Par quels arguments l'accusé se défend-il ? Sur quelles croyances joue-t-il ? Comment reprend-il le pouvoir ?

4. Pourquoi Jim n'arrive-t-il pas à dormir ? Quelles pensées s'agitent dans son esprit ? Quels sentiments paradoxaux éprouve-t-il à l'égard de Silver ?

5. Expliquez les sentiments contradictoires de Jim à l'arrivée du docteur. Citez quelques termes révélateurs.

6. Comment se conduit le docteur avec les mutins malades ? Dans quel esprit exerce-t-il son métier ?

7. De quelle manière se traduit la superstition des mutins ? Que démontrent ces hommes violents et sûrs d'eux à travers leurs craintes ?

8. Comment s'explique la peur de Silver et son souci de gagner la confiance du Dr Livesey ? Que fait-il valoir pour s'accorder les bonnes grâces du médecin ? Quelles concessions arrive-t-il à négocier ? Citez le texte.

9. Justifiez l'abattement de Jim après le départ du docteur : sa situation est-elle aussi dangereuse qu'il la perçoit ?

10. Quel effet la découverte du squelette produit-elle sur les mutins ? Quelles indications importantes le squelette donne-t-il pourtant aux hommes ?

Langue

1. « C'est l'oiseau matinal, comme le dit le proverbe, qui attrape les bons morceaux » (chap. 30, l. 16-17) : que veut dire Silver dans cette phrase ? Caractérisez le langage du coq à partir de cet exemple.

2. Les mutins et Jim leur otage se mettent en route pour trouver le trésor. Le narrateur explique qu'ils offrent « un curieux spectacle » et un « singulier équipage » (chap. 31, l. 68, 72) : justifiez ces expressions en vous référant au récit.

Clefs d'analyse

Genre ou thèmes

1. « Je connais les règles, voyons : je n'irai pas faire du mal à un émissaire » (chap. 29, l. 31-32) : quelle règle de conduite Silver rappelle-t-il ? Est-il sincère à votre avis ?

2. Jim refuse de fuir avec le docteur parce qu'il a donné sa parole à Silver (chap. 30) : de quelle qualité supérieure fait-il preuve ici ?

Écriture

1. « Le devoir avant le plaisir », déclare le docteur Livesey. Expliquez ce principe et dites ce que vous en pensez à la lumière de vos propres habitudes.

2. « Il les traita de crétins et d'idiots jusqu'à plus soif, leur dit qu'il était indispensable de me laisser causer avec le docteur, leur brandit la carte sous le nez, leur demanda s'ils allaient rompre le traité le jour même du départ pour la chasse au trésor » (chap. 30, l. 106-110) : transformez ce passage de récit en un dialogue au style direct où le langage exprimera le caractère de Silver et des mutins.

Pour aller plus loin

1. Qu'est-ce que la Bible ? Pourquoi la page déchirée inspire-t-elle tant de craintes aux mutins ?

> ## ✳ À retenir
>
> Personnages très romanesques, les pirates sont des hommes grossiers, violents et primitifs ; des « misérables » sans foi ni loi, prêts à tout pour de l'argent. Pourtant, un code de l'honneur existe chez les « gentilshommes de fortune », élite des flibustiers. Ce code où s'exprime l'orgueil d'une communauté qui se met au-dessus des lois communes contient à la fois des devoirs et des interdits.

Clefs d'analyse

32

La chasse au trésor :
la voix dans les arbres

Autant pour se remettre de l'accablement général que pour laisser Silver et le malade se reposer, toute le monde s'assit après l'ascension.

Vu la légère inclinaison du plateau vers l'ouest, le point où nous
5 étions arrivés culminait sur une vaste étendue qui s'étalait à notre droite et à notre gauche. Devant nous, par-delà les cimes des arbres, on apercevait le cap des Bois, ourlé d'écume ; derrière s'étalaient à nos pieds le mouillage et l'îlot du Squelette, et l'on voyait aussi vers l'est – plus loin que la langue de terre et la plaine orien-
10 tale – une grande étendue de mer à perte de vue. Au-dessus de nous se dressait la Longue-Vue, ici parsemée de pins solitaires, et là noire de précipices. On n'entendait que le bruit lointain du ressac s'élevant de toutes parts, joint au bourdonnement de milliers d'insectes dans les buissons. Pas un être humain, pas une voile en
15 mer : l'immensité du paysage accentuait l'impression de solitude.

Silver s'assit puis fit des relevés avec la boussole.

– Voilà, dit-il, trois « grands arbres », à peu près dans l'alignement de l'îlot du Squelette. « Contrefort de la Longue-Vue » désigne, je suppose, ce sommet inférieur-là. Ce n'est plus qu'un jeu
20 d'enfant de trouver ce que nous cherchons. J'ai presque envie de dîner d'abord !

– Je ne suis pas pressé, murmura Morgan. Quand je pense à Flint, je me sens tout chose…

– Ah ! pour ça, mon fils, dit Silver, tu peux remercier ta bonne
25 étoile qu'il soit mort.

– Il était laid comme un diable ! cria un troisième pirate, en frissonnant ; et puis cette figure bleue !...

– C'est le rhum qui l'a emporté, ajouta Merry. Bleu ! oui, j'en conviens, il était bleu. C'est le bon mot.

30 Depuis que la découverte du squelette les avaient plongés dans ce genre de pensées, ils s'étaient mis à parler de plus en plus

bas, presque au point de chuchoter, de sorte que le bruit de leur conversation troublait à peine le silence qui régnait dans le bois. Tout à coup, venant des arbres situés en face de nous, une voix grêle, aiguë et chevrotante entonna ce refrain familier :

> « *Nous étions quinze sur le coffre du mort...*
> *Yo-ho-ho ! et une bouteille de rhum !* »

Jamais je n'ai vu d'hommes plus horrifiés que nos pirates. Les six visages pâlirent comme par enchantement. Les uns se levèrent en sursaut, les autres se cramponnèrent à leurs voisins. Morgan rampait sur le sol.

– C'est Flint, de par... ! cria Merry.

La chanson s'était arrêtée aussi soudainement qu'elle avait débuté ; on l'eût dit interrompue net au milieu d'une note, comme si une main s'était posée sur la bouche du chanteur. Venant de si loin, à travers l'atmosphère claire et ensoleillée, d'entre les verts feuillages, le son me semblait léger et mélodieux ; et l'effet qu'il produisit sur mes compagnons ne m'en parut que plus étrange.

– Allons, dit Silver, remuant péniblement ses lèvres couleur de cendre, allons, ça ne prend pas. Cette voix fait un drôle d'effet, et je ne peux pas mettre un nom sur elle, mais c'est quelqu'un qui nous fait une blague, quelqu'un en chair et en os, vous pouvez en être sûrs.

Tout en parlant il reprenait courage, et son visage se recolorait. Déjà les autres prêtaient l'oreille à son encouragement, lorsque la même voix retentit de nouveau. Ce n'était plus un chant, cette fois, mais un appel faible et lointain, que répercutèrent encore plus faiblement les échos de la Longue-Vue.

– Darby MacGraw ! gémissait la voix (si le mot gémir peut s'appliquer à des cris) ; Darby MacGraw ! Darby MacGraw ! répété à dix reprises.

Puis elle s'éleva un peu, et lança dans un blasphème que les convenances m'interdisent de reproduire ici :

– Passe-moi le rhum, Darby !

⁶⁵ Les forbans, les yeux exorbités[1], restèrent cloués au sol. La voix s'était tue depuis longtemps qu'ils regardaient toujours devant eux, muets et terrifiés.

– On est fixés ! bégaya l'un. Fichons le camp !

– Ce sont ses dernières paroles, soupira Morgan, les dernières ⁷⁰ qu'il a prononcées ici-bas.

Dick avait pris sa bible et priait avec ardeur. Car Dick avait du savoir-vivre avant de prendre la mer et de rencontrer de mauvais bougres.

Silver n'était toujours pas convaincu. Je l'entendais claquer des ⁷⁵ dents, mais il ne s'avouait pas vaincu.

– Personne sur cette île n'a entendu parler de Darby, murmurat-il, personne en dehors de nous autres. Puis, dans un énorme effort :

– Camarades, cria-t-il, je suis ici pour trouver le trésor, et je n'y ⁸⁰ renoncerai ni devant un homme ni devant le diable. Flint vivant ne m'a jamais fait peur ! J'affronterai son fantôme ! À moins d'un quart de mille d'ici, il y a sept cent mille livres enterrées. Un gentilhomme de fortune a-t-il jamais tourné les talons devant tant d'argent à cause d'un vieux pochard de marin à gueule bleue... et ⁸⁵ mort, avec ça !

Aucun signe de courage renaissant ne se manifestait chez les hommes : au contraire, leur effroi augmentait à cause de l'irrévérence[2] des propos de Silver.

– Ça suffit, John ! dit Merry. Ne va pas offenser un esprit.

⁹⁰ Les autres étaient trop épouvantés pour répondre. Tous auraient décampé s'ils avaient osé ; mais la peur les tenait regroupés autour de John, dont l'audace les aidait à soutenir cette épreuve. Quant à lui, il avait entièrement surmonté son malaise.

– Un esprit ? Soit, dit-il. Mais une chose ne me semble pas claire : ⁹⁵ il y avait un écho. Or, personne n'a jamais vu un esprit escorté de son ombre ! Dans ce cas, pourquoi un esprit aurait-il un écho ? Je voudrais bien le savoir car c'est plutôt louche !

---

1. **Exorbités :** qui paraissent sortir de la tête.
2. **Irrévérence :** irrespect.

Je trouvai l'argument assez faible. Mais qui peut prétendre savoir ce qui est susceptible d'affecter une âme superstitieuse ? À ma grande surprise, George Merry parut plutôt soulagé.

– C'est juste, ce qu'il dit. Tu as la tête sur les épaules, John, il n'y a pas de doute. À Dieu vat[1], les gars ! Cet équipage fait fausse route, j'en suis certain. Tout bien réfléchi, ça ressemblait à la voix de Flint, si on veut, mais pas aussi nette, tout compte fait. On aurait dit la voix de quelqu'un d'autre... on aurait dit celle...

– De Ben Gunn ! par tous les diables ! rugit Silver.

– Oui, c'est bien ça, s'écria Morgan, en se relevant sur les genoux. C'était Ben Gunn !

– Ça ne fait pas tellement avancer les choses, répondit Dick. Ben Gunn, pas plus que Flint, n'est ici en chair et en os !

Mais les aînés des matelots accueillirent cette remarque avec dédain.

– Personne ne s'inquiète de Ben Gunn, cria Merry. Mort ou vivant, personne ne se soucie de lui !

Je n'en revenais pas de voir à quel point ils avaient repris courage et combien leurs visages avaient retrouvé leurs couleurs naturelles. Bientôt ils se remirent à bavarder entre eux tout en faisant silence de temps à autre pour prêter l'oreille. Bientôt, n'entendant plus rien, ils rechargèrent les outils sur leurs épaules et se remirent en marche, sous la conduite de Merry, qui tenait la boussole de Silver pour les maintenir dans l'alignement de l'îlot du Squelette. Merry avait dit vrai : mort ou vif, personne ne se souciait de Ben Gunn.

Seul Dick tenait encore sa bible et lançait autour de lui des regards apeurés tout en marchant ; mais il n'éveilla aucune sympathie et Silver le plaisanta même sur ses précautions.

– Je te l'avais dit, railla-t-il, je te l'avais bien dit, que tu avais gâché ta bible. Si elle n'est plus bonne à prêter serment, que crois-tu qu'un esprit va en penser ? Et il fit claquer ses gros doigts en s'arrêtant un instant sur sa béquille.

Mais les encouragements n'avaient point prise sur Dick ; bien plus, je ne tardai pas à voir que ce garçon tenait à peine debout :

---

1. **À Dieu vat :** à la grâce de Dieu.

ravivée par la chaleur, la fatigue et le choc causé par la peur, la fièvre prédite par le docteur Livesey le gagnait de toute évidence.

135 Le terrain dégagé facilitait notre marche sur ce sommet ; le chemin était en pente car le plateau s'inclinait vers l'ouest, comme je l'ai déjà dit. Les pins, grands et petits, étaient espacés, et même, entre les bouquets de muscadiers et d'azalées[1], de vastes clairières grillaient sous le soleil. Comme nous traversions l'île en diagonale

140 vers le nord-ouest, nous nous rapprochions des contreforts de la Longue-Vue d'une part, et de l'autre nous découvrions cette baie dans laquelle le coracle m'avait malmené.

On atteignit le premier des grands arbres ; mais la boussole indiqua que ce n'était pas le bon. Il en fut de même du second. Le troi-

145 sième s'élevait à près de deux cents pieds au-dessus d'un sous-bois touffu ; ce géant du règne végétal avait un fût rouge aussi épais qu'un cottage[2], et il projetait une ombre assez spacieuse pour y faire manœuvrer un bataillon[3]. Il était visible depuis le large aussi bien à l'est qu'à l'ouest, et aurait pu figurer sur la carte comme un

150 repère à la navigation.

Ce n'était pas sa taille qui impressionnait mes compagnons mais bien l'idée que sept cent mille livres en or se trouvaient enterrées quelque part sous son ombre. À mesure qu'ils approchaient, cette idée leur faisait oublier leurs frayeurs précédentes. Leurs yeux

155 brillaient, leur pas devenait plus vif et plus léger, leur âme entière était toute à ce butin qui n'attendait qu'eux et leur promettait une vie entière de plaisir non comptés.

Silver sautillait sur sa béquille en grognant, les narines au vent ; il jurait comme un païen[4] quand les mouches se posaient sur son

160 front brûlant et luisant de sueur ; il secouait rageusement la corde qui me reliait à lui et me jetait de temps en temps des regards assassins. Il ne prenait plus la peine de taire ses pensées que je lisais comme dans un livre. La proximité de l'or lui faisait oublier tout le reste : sa promesse au docteur tout comme l'avertissement

165 de ce dernier appartenaient déjà au passé et je pouvais penser

---

1. **Azalées :** massifs de fleurs blanches, roses ou rouges, très délicates.
2. **Cottage :** petite maison de campagne.
3. **Bataillon :** troupe de soldats.
4. **Païen :** qui n'est pas chrétien.

qu'il comptait bien s'emparer du trésor, retrouver l'*Hispaniola* et y embarquer à la faveur de[1] la nuit après avoir égorgé tout ce que l'île comptait d'âmes honnêtes pour mettre les voiles comme il l'avait rêvé, chargé de crimes et de richesses.

Accablé comme je l'étais par ces inquiétudes, j'avais du mal à soutenir l'allure des chercheurs de trésor. Je trébuchais de temps en temps et Silver en profitait alors pour tirer brutalement sur ma laisse tout en me regardant de ses yeux meurtriers. Puis venait Dick, qui fermait la marche ; il marmonnait dans sa barbe, mêlant les prières aux blasphèmes à mesure que sa fièvre augmentait. Ce spectacle ne fit qu'accroître mon malaise et, pour couronner le tout, j'étais hanté par le drame qui s'était déroulé sur ce plateau, lorsque le flibustier à la face bleue – cet impie[2] qui était mort à Savannah[3] en chantant et réclamant à boire – avait égorgé ses six complices de ses propres mains. Je pensais aux hurlements qui avaient dû alors retentir dans ce bois aujourd'hui si paisible. Je croyais les entendre encore rien qu'en y pensant.

Nous arrivâmes à la lisière du taillis.

– Hardi, les gars, tous ensemble ! cria Merry.

Et ceux qui étaient en tête se mirent à courir.

Ils n'avaient pas fait dix mètres que nous les vîmes soudain s'arrêter. Un cri de désappointement retentit. Silver pressa le pas, labourant le sol comme un fou furieux avec le bout de sa béquille ; un instant plus tard, lui et moi stoppions net également.

Une large excavation[4] s'ouvrait devant nous. Elle datait déjà, car ses parois s'éboulaient et de l'herbe avait poussé au fond. Elle renfermait le manche d'une pioche cassé en deux et les planches de plusieurs caisses. Une des planches portait en grosses lettres marquées au fer rouge le mot « Walrus », le nom du navire de Flint.

Tout était clair : on avait découvert la cache et raflé son contenu ! Les sept cent mille livres s'étaient envolées !

---

1. **À la faveur de :** en profitant de.
2. **Impie :** qui insulte Dieu et la religion.
3. **Savannah :** ville située à Anguilla, une île des Caraïbes.
4. **Excavation :** cavité.

33

La chute d'un chef

Ce fut l'anéantissement général. Les six pirates accusèrent le coup, dont Silver se remit presque immédiatement. Tous ses espoirs étaient tendus vers ce trésor, comme les muscles d'un cheval au galop ; et, bien qu'ils se fussent envolés en un clin d'œil, brutalement, il garda son sang-froid, retrouva ses esprits et modifia ses plans avant que les autres eussent le temps de comprendre ce qui leur arrivait.

– Jim, me glissa-t-il tout bas, prends ça, et attention au grabuge.

Et il me passa un pistolet à deux coups.

Déjà il marchait tranquillement vers le nord, et quelques pas lui suffirent à placer le trou entre nous deux et les cinq autres. Puis il me regarda en hochant la tête, comme pour dire : « Nous voilà dans une sale passe », ce qui était bien mon avis.

Il était tout aimable maintenant, et ces revirements d'humeur permanents me choquaient à tel point que je ne pus m'empêcher de murmurer :

– Donc vous avez encore une fois tourné casaque[1]…

Il n'eut pas le temps de me répondre. Jurant et hurlant, les forbans bondissaient l'un après l'autre dans la fosse, se mettaient à creuser la terre avec leurs mains, tout en rejetant les planches sur les bords. Morgan trouva une pièce d'or. Il la brandit en l'air dans une pluie de jurons. C'était une pièce de deux guinées : pendant un quart de minute elle passa de main en main.

– Deux guinées ! rugit Merry, en l'agitant sous le nez de Silver. Les voilà, tes sept cent mille livres ! Tu m'as tout l'air d'un bon négociateur ! Et tu prétends n'être jamais passé à côté d'un beau coup ! Espèce de marin à tête de bois !

– Creusez, les garçons, dit Silver avec la plus froide insolence ; vous trouveriez des truffes[2] que ça ne m'étonnerait pas !

---

1. **Tourné casaque :** changé de camp.
2. **Truffes :** champignons comestibles enfouis dans la terre, très appréciés des connaisseurs.

– Des truffes ! répéta Merry en hurlant. Vous l'entendez, les gars ! Je vous le dis, moi, cet homme-là savait tout. Regardez-le, c'est écrit sur sa figure.

– Hé, hé ! Merry, remarqua Silver, encore ce poste de capitaine ! Tu en veux, il n'y a pas de doute !

Mais cette fois tous étaient pour Merry. Ils sortirent de l'excavation en jetant derrière eux des regards furibonds. Une chose de bon augure[1] pour nous : tous sortaient par le côté opposé à Silver.

Nous étions là, deux d'un côté et cinq de l'autre, le trou entre nous, sans que personne trouvât le courage de porter le premier coup. Silver ne bronchait pas ; bien droit sur sa béquille, il les surveillait, plus impassible que jamais. Il était indéniablement courageux.

Finalement, Merry sembla penser qu'un petit discours pourrait arranger les choses.

– Camarades, leur dit-il, ils ne sont que deux contre nous : le vieil estropié qui nous a conduits ici et menés en bateau et ce gamin à qui je vais arracher le cœur. Le moment est venu, camarades ! Il éleva le bras en même temps que la voix, visiblement prêt à mener la charge.

Mais au même moment – pan ! pan ! pan ! – trois coups de mousquet jaillirent du fourré. Merry culbuta dans le trou la tête la première ; l'homme au bandage, frappé à mort, pivota sur lui-même comme une toupie, s'abattit de tout son long puis expira dans une ultime convulsion[2] ; les trois autres firent volte-face et déguerpirent à toutes jambes.

En un rien de temps, Long John avait déchargé les deux coups d'un pistolet sur Merry qui se débattait dans son trou, et comme le moribond[3] levait vers lui des yeux agonisants, il lui lança :

– George, il me semble que nous sommes quittes.

Au même instant, le docteur, Gray et Ben Gunn surgirent des muscadiers et s'approchèrent de nous, leurs mousquets fumants au poing.

---

1. **De bon augure :** de bon présage ; annonce une issue heureuse.
2. **Convulsion :** tremblement.
3. **Moribond :** personne en train de mourir.

– En avant, mes enfants ! cria le docteur. Et au trot ! Il faut les empêcher d'atteindre les embarcations.

65 Et nous voilà partis à travers bois, enfoncés parfois jusqu'aux épaules dans les hautes herbes. On peut dire que Silver était décidé à rester avec nous ! De l'avis du docteur, le travail que cet homme accomplit en bondissant sur sa béquille avec une force à faire éclater les muscles de sa poitrine était un travail que jamais 70 aucun homme valide[1] n'égala. Malgré ce rythme, il était à trente mètres derrière nous et sur le point de suffoquer lorsque nous atteignîmes le bord de la descente.

– Docteur ! cria-t-il, regardez ! rien ne presse !

Et en effet, rien ne pressait. Sur une partie plus dégagée du pla- 75 teau, nous apercevions les trois survivants qui couraient toujours dans la même direction qu'au début, droit vers le mont du Mât-d'Artimon. Ce qui signifiait que nous étions déjà entre eux et les canots. Aussi nous fîmes une pause tous les quatre pour reprendre notre souffle, tandis que Long John s'approchait lentement de 80 nous tout en s'épongeant le visage.

– Merci de tout mon cœur, docteur. Vous êtes arrivé à temps, il me semble, pour moi et pour Hawkins... Et c'est donc toi, Ben Gunn ! Eh bien, tu es un brave, il n'y a pas à dire.

– C'est moi, Ben Gunn, c'est bien moi, répondit le marron, qui se 85 tortillait comme une anguille tant il était embarrassé. Et (ajouta-t-il après un silence prolongé) comment allez-vous, monsieur Silver ? Très bien, je vous remercie, n'est-ce pas ?

– Ben, Ben ! murmura Silver, dire que tu as causé ma perte !...

Le docteur envoya Gray chercher une des pioches abandonnées 90 par les mutins lors de leur fuite ; puis, tandis que nous allions sans nous presser vers l'endroit où se trouvaient les canots, il raconta brièvement ce qui s'était passé. Cette histoire, dont Ben Gunn le marron idiot était le héros du début à la fin, captivait Silver.

Au cours de ses longues flâneries solitaires sur l'île, Ben avait 95 découvert le squelette, et c'était lui qui l'avait dépouillé. Il avait découvert le trésor ; il l'avait déterré (c'était le manche brisé de sa pioche qui gisait dans l'excavation) ; il l'avait transporté sur son

---

1. **Valide :** en possession de tous ses moyens.

dos, en plusieurs voyages harassants, du pied du grand pin jusque dans la grotte qu'il occupait sur la montagne à deux sommets, à la pointe nord-est de l'île ; l'or y était en sûreté depuis deux mois avant l'arrivée de l'*Hispaniola*.

Le docteur lui arracha ce secret dans l'après-midi de l'attaque. Le lendemain, voyant le mouillage désert, il alla trouver Silver et lui remit la carte désormais inutile ; il lui remit les vivres, car la grotte de Ben Gunn était bien approvisionnée – il y stockait ses propres salaisons de chèvre préparées par lui-même ; bref, il lui remit tout sans exception, pour pouvoir quitter librement le fortin et se rendre sur la montagne à deux sommets, là où il serait à l'abri de la malaria et où il pourrait veiller sur le trésor.

– Quant à toi, Jim, me dit-il, c'était à contrecœur, mais j'ai agi au mieux des intérêts de ceux qui étaient restés à leur poste ; et si tu n'étais des leurs, à qui la faute ?

Ce matin-là, voyant que j'allais être mêlé à l'affreuse déconvenue qu'il avait réservée aux mutins, il s'était hâté de revenir jusqu'à la grotte, laissant le capitaine sous la garde du chevalier ; escorté de Gray et du marron, il avait traversé l'île en diagonale pour arriver avant nous au grand pin. Constatant alors que nous avions pris de l'avance, il envoya en éclaireur l'agile Ben Gunn, qui ferait de son mieux. C'est alors que Ben avait eu l'idée de mettre à profit les superstitions[1] de ses ex-camarades. Il y réussit à un tel point que Gray et le docteur eurent le temps d'arriver et de s'embusquer avant la venue des chercheurs de trésor.

– Ah ! docteur, fit Silver, j'ai eu de la chance d'avoir Hawkins avec moi. Vous auriez laissé mettre le pauvre John en morceaux sans le moindre regret.

– Sans le moindre regret, répéta gaiement le médecin.

Nous étions arrivés aux embarcations. S'armant de la pioche, le docteur démolit l'une d'elles, et tout le monde s'embarqua dans l'autre, pour gagner la baie du Nord.

C'était un trajet de huit à neuf milles. Silver, bien qu'épuisé de fatigue, prit un aviron comme les autres, et nous glissâmes rapidement sur une mer d'huile[2].

---

1. **Superstitions :** croyances aux présages, au surnaturel (revenants, fantômes, etc.).
2. **Mer d'huile :** mer tranquille.

Le goulet franchi, nous doublâmes la pointe sud-est de l'île, autour de laquelle nous avions, quatre jours plus tôt, remorqué l'*Hispaniola*.

En doublant la montagne à deux sommets, nous aperçûmes la bouche noire de la grotte de Ben Gunn, devant laquelle se tenait un homme appuyé sur un mousquet.

C'était le chevalier. On agita un mouchoir, en poussant trois hourras auxquels Silver se joignit de tout cœur.

Trois milles plus loin, à l'embouchure même de la baie du Nord, devinez ce que nous rencontrâmes !... L'*Hispaniola*, voguant à l'aventure. La dernière marée l'avait remise à flot, et y eût-il eu beaucoup de brise, ou un fort jusant[1], comme dans le mouillage sud, nous ne l'aurions jamais revue, ou du moins elle se serait échouée définitivement. Excepté la grand-voile qui était en lambeaux, il y avait peu de dégât. On para[2] une autre ancre, et l'on mouilla par une brasse et demie de fond. Après quoi nous repartîmes à l'aviron jusqu'à la crique du Rhum, le point le plus rapproché du trésor de Ben Gunn ; puis Gray s'en retourna seul avec le canot jusqu'à l'*Hispaniola* où il devait passer la nuit à veiller sur le pont.

Du rivage à l'entrée de la grotte s'élevait une pente douce en haut de laquelle le chevalier nous attendait. Aimable et affectueux avec moi, il ne dit mot au sujet de ma fugue, ni en bien ni en mal. Mais le salut poli de Silver le fit s'échauffer quelque peu.

– John Silver, dit-il, vous êtes une canaille et un imposteur[3] sans nom… oui, un monstrueux imposteur. On m'a dissuadé de vous faire condamner. Je m'en abstiendrai donc. Mais les cadavres, monsieur, pèsent à votre cou aussi lourd que des meules de moulin.

– Je vous remercie, monsieur, répliqua John, en saluant de nouveau.

– Je vous défends de me remercier, cria le chevalier, car je manque à tous mes devoirs. Retirez-vous !

Nous pénétrâmes dans la grotte. Spacieuse et bien aérée, elle renfermait une petite source et une mare d'eau claire surplombée

---

1. **Jusant :** reflux, descente de la marée.
2. **Para :** prépara.
3. **Imposteur :** individu qui se fait passer pour ce qu'il n'est pas.

de fougères. Le sol était tapissé de sable. Le capitaine Smollett était couché devant un grand feu ; dans le fond, où parvenaient à peine quelques reflets du foyer, j'entrevis de grands tas de pièces d'or et des pyramides de lingots d'or. C'était là ce trésor de Flint que nous étions venus chercher si loin, et qui avait déjà coûté la vie à dix-sept hommes de l'*Hispaniola*. Et qui sait à quel prix on l'avait amassé, combien de sang et de douleurs, combien de beaux navires sabordés, combien de braves gens lancés à la mer, combien de coups de canon, combien de hontes, de mensonges et de crimes, nul au monde n'eût pu le dire. Mais ils étaient encore trois sur cette île – Silver, le vieux Morgan et Ben Gunn – qui avaient pris part à ces crimes, comme ils avaient vainement espéré se partager le trésor.

– Entre, Jim, me dit le capitaine. Tu es un bon garçon, dans ton genre ! Mais je doute que nous naviguerons encore ensemble, toi et moi. Tu es un peu trop enfant gâté à mon goût... C'est vous, John Silver ? Qu'est-ce qui vous amène ici, matelot ?

– Je reviens à mon devoir, monsieur, répondit John.

– Ah ! dit le capitaine.

Et ce fut tout ce qu'il dit.

Quel dîner agréable je fis ce soir-là, entouré de tous mes amis ! Et quel repas ce fut, composé de viande de chèvre salée par Ben Gunn, de friandises et arrosé d'une bouteille de vin vieux provenant de l'*Hispaniola* ! Jamais on ne vit, j'en suis sûr, gens plus gais ni plus heureux. Et Silver était là, assis à l'écart, en dehors de la lumière du foyer, mais mangeant de bon appétit, prompt à s'élancer quand on désirait quelque chose, joignant même en sourdine son rire aux nôtres... le même marin placide, poli, obséquieux[1] qu'il avait été pendant toute l'expédition.

---

1. **Obséquieux :** qui essaie de flatter en étant trop poli et empressé.

34

En conclusion

Le matin venu, on se mit au travail de bonne heure. Il s'agissait de transporter l'or sur un mille par voie de terre jusqu'au rivage, et ensuite sur trois milles par la mer jusqu'à l'*Hispaniola* ; c'était là une tâche considérable pour un si petit nombre d'hommes. La présence des trois individus qui se trouvaient encore sur l'île ne nous troublait guère : une simple sentinelle postée sur le sommet de la colline suffisait à nous prévenir d'un assaut, et nous pensions d'ailleurs qu'ils n'avaient plus aucune envie de se battre.

On s'attela donc sans plus tarder à la besogne. Gray et Ben Gunn faisaient la navette avec le canot tandis que les autres allaient et venaient de la caverne au rivage pour y entasser l'or. Deux lingots attachées au bout d'une corde étaient tout ce qu'un homme pouvait porter ; encore lui fallait-il marcher lentement avec ce poids sur les épaules. Quant à moi, on m'avait chargé de mettre en sacs l'or monnayé[1], et c'est à quoi je m'employais tout le jour dans la caverne.

C'était une étrange collection, analogue au butin de Billy Bones pour la diversité des pièces qui la constituaient, mais tellement plus considérable et variée que je crois n'avoir jamais eu plus de plaisir qu'à les trier.

Pièces anglaises, françaises, espagnoles, portugaises, georges[2] et louis, doublons, doubles guinées, moïdores[3] et sequins[4] aux effigies de tous les rois d'Europe des cent dernières années, monnaies orientales estampillées[5] de dessins qu'on eût pris pour des filaments de corde ou des fragments de toiles d'araignée, pièces rondes et pièces carrées, pièces trouées au milieu comme les perles

---

1. **Monnayé :** sous forme de monnaie, de pièces.
2. **Georges :** pièces d'or à l'effigie du roi George II, roi de Grande-Bretagne et d'Irlande sous le règne duquel fut fondé l'Empire britannique.
3. **Moïdores :** monnaie portugaise.
4. **Sequins :** monnaie d'or créée à Venise au XIIIe siècle, et qui devint la monnaie du grand commerce méditerranéen.
5. **Estampillées :** marquées, gravées.

d'un collier – presque toutes les variétés de monnaie du monde figuraient, je crois, dans cette collection ; et quant à leur nombre, il y en avait au moins autant que les feuilles qui tombent en automne : j'avais mal aux reins de me baisser et mal aux doigts de les trier.

Ce travail dura plusieurs jours : chaque soir une fortune était entassée à bord, mais une autre nous attendait pour le lendemain ; et de tout ce temps-là les trois mutins ne donnèrent signe de vie.

Enfin – ce devait être le troisième soir –, je flânais avec le docteur sur la montagne à l'endroit où elle domine les basses terres de l'île, lorsque, du fond des ténèbres au-dessous de nous, le vent nous rapporta un son qui tenait du chant et du hurlement. Puis tout redevint silencieux.

– Le ciel leur pardonne ! dit le docteur ; ce sont les mutins.

– Ils sont tous ivres, monsieur, prononça derrière nous la voix de Silver.

Silver, je dois le dire, jouissait d'une entière liberté ; en dépit des rebuffades[1] quotidiennes du chevalier et du capitaine, il semblait se considérer plus que jamais comme un serviteur fidèle et privilégié. Je m'étonnais de le voir si bien supporter ces marques de mépris et s'efforcer, avec son inlassable politesse, de s'attirer les bonnes grâces[2] de tout le monde. Mais personne ne le traitait guère mieux qu'un chien ; sauf peut-être Ben Gunn, qui gardait toujours une peur affreuse de son ancien quartier-maître, ou encore moi-même, qui avais envers lui de réels motifs de gratitude[3], bien que sur ce point j'eusse des raisons de penser de lui plus de mal que n'importe qui, après l'avoir vu méditer une nouvelle trahison sur le plateau. Ce qui explique que le docteur lui répondît sur un ton assez bourru[4] :

– Ivres ou délirants à cause de la fièvre…

– Vous avez raison, monsieur, reprit Silver, et peu nous importe !

Avec un ricanement le docteur repartit :

---

1. **Rebuffades :** accueils désagréables, marques de rejet.
2. **S'attirer les bonnes grâces :** faire en sorte de plaire à quelqu'un.
3. **Gratitude :** reconnaissance.
4. **Bourru :** rude.

– Vous ne pouvez vous attendre à ce que je vous considère comme un être humain, maître Silver. Aussi mes sentiments vous surprendront peut-être : si j'étais certain qu'ils délirent – et je suis intimement convaincu que l'un d'eux, au moins, est malade de la fièvre –, je quitterais ce camp et risquerais ma peau pour leur porter assistance.

– Sauf votre respect, monsieur, vous auriez bien tort, déclara Silver. Vous y laisseriez votre vie, soyez-en sûr. Je suis corps et âme de votre bord, à présent, et je ne désire pas voir notre parti diminué d'un de ses hommes, surtout de vous, à qui je dois tant. Ces hommes-là sont incapables de tenir parole, à supposer même qu'ils en aient réellement envie ; et, de plus, ils ne peuvent imaginer que vous tiendrez la vôtre.

– En effet, fit le docteur, nous savons tous que vous êtes un homme de parole, vous !

Ces bribes de voix furent à peu près les derniers indices de la présence des pirates. Une autre fois nous entendîmes un coup de feu au loin qui nous laissa supposer qu'ils étaient en train de chasser. On tint conseil, et – à la grande joie de Ben Gunn, je dois le dire, et avec l'entière approbation de Gray – on décida de les abandonner sur l'île. Nous leur laissâmes de la poudre et des balles en bonne quantité, l'essentiel de nos salaisons, quelques médicaments et autres objets de première nécessité tels que des outils, des vêtements, une voile de rechange, deux ou trois brasses de corde, et, sur les instances[1] du docteur, une jolie provision de tabac.

Il ne nous restait plus qu'à quitter l'île. Nous avions arrimé[2] le trésor, embarqué de l'eau et ce qui restait de salaison, pour parer à toute éventualité. Un beau matin, nous levâmes l'ancre – ce qui ne fut pas une mince affaire – et quittâmes la baie du Nord, sous le même pavillon que celui que le capitaine avait hissé sur le fortin.

Les trois hommes nous observaient de plus près que nous ne pensions, et nous en eûmes bientôt la preuve : en sortant de la passe, il nous fallut longer la pointe sud, et nous les vîmes là, tous les trois à genoux dans le sable, les mains tendues vers nous d'un air suppliant. Nous avions tous le cœur serré de les abandonner

---

1. **Sur les instances de :** à la demande, à la prière de.
2. **Arrimé :** bien attaché.

dans ce triste état ; mais nous ne pouvions prendre le risque d'une nouvelle mutinerie ; et les reconduire en Angleterre pour les envoyer à la potence eût été une bien cruelle faveur. Le docteur les héla et leur dit où ils trouveraient les provisions laissées pour eux. Mais ils ne cessaient de nous appeler par nos noms, nous suppliant, pour l'amour de Dieu, d'avoir pitié d'eux et de ne pas les laisser mourir dans un endroit pareil.

Voyant que le navire poursuivait sa course et allait se trouver hors de portée de voix, l'un d'eux – j'ignore lequel – se leva en poussant un cri rauque, épaula son fusil, et envoya une balle qui vint siffler par-dessus la tête de Silver et transperça la grand-voile.

Après cela, nous nous tînmes à l'abri des bastingages, et lorsque je regardai de nouveau, ils avaient disparu de la pointe qui elle-même s'effaçait avec la distance. C'en était fini avec eux ; et avant midi, à ma grande joie, le pic le plus élevé de l'île au trésor avait disparu dans le cercle bleu de l'horizon marin.

Nous étions si peu à bord que tout le monde devait mettre la main à la pâte[1], excepté le capitaine qui donnait ses ordres couché[2] à l'arrière sur un matelas, car, malgré les progrès de sa guérison, il avait encore besoin de repos. Comme nous ne pouvions tenter le voyage de retour sans un nouvel équipage, nous mîmes le cap sur le port le plus proche, en Amérique du Sud. Quand nous l'atteignîmes, après avoir essuyé des vents contraires et quelques bourrasques, nous étions tous à bout de forces.

Le soleil se couchait quand nous jetâmes l'ancre dans un très beau golfe abrité ; nous fûmes aussitôt entourés par des embarcations pleines de nègres, d'Indiens et de mulâtres[3] qui vendaient des fruits et des légumes ou se proposaient de plonger pour une pièce de monnaie. La vue de tant de visages épanouis – en particulier des Noirs –, la saveur des fruits tropicaux, et surtout les lumières qui commençaient à briller dans la ville formaient un contraste enchanteur avec notre sinistre et sanglant séjour sur l'île. Le docteur et le chevalier me prirent avec eux pour passer la soirée

---

1. **Mettre la main à la pâte :** prendre sa part de travail.
2. **Couché :** le capitaine a été blessé lors de l'attaque du fortin.
3. **Mulâtres :** un mulâtre est une personne née d'un père blanc et d'une mère noire, ou d'un père noir et d'une mère blanche.

à terre. Ils y rencontrèrent le capitaine d'un vaisseau de guerre anglais, lièrent connaissance avec lui et montèrent à bord de son navire ; bref, le temps passa si agréablement que le jour se levait lorsque nous revînmes à l'*Hispaniola*.

Ben Gunn était seul sur le pont. Dès qu'il nous vit monter à bord, il se mit à se contorsionner dans un état de malaise évident et nous fit un aveu : Silver avait fui. Le marron l'avait aidé à s'échapper dans un canot quelques heures plus tôt, et il nous assura qu'il l'avait fait uniquement pour sauver nos vies en danger, « si cet homme à une jambe était demeuré à bord ». Mais ce n'était pas tout. Le coq n'était pas parti les mains vides. Il avait percé une cloison et emporté un des sacs de monnaie contenant peut-être trois ou quatre cents guinées, pour subvenir à ses besoins.

Je crois que nous fûmes tous heureux d'être quittes de lui à si bon marché.

Enfin, pour abréger cette longue histoire, nous embarquâmes plusieurs matelots et fîmes bonne route. M. Blandly s'apprêtait justement à préparer une conserve quand l'*Hispaniola* rentra à Bristol. De tous ceux qui étaient partis à son bord, il ne restait plus que cinq hommes. « La boisson et le diable avaient eu raison des autres » ; mais à vrai dire nous n'étions pas aussi mal en point que le navire de la chanson :

« Avec un seul survivant de tout l'équipage
Qui avait pris la mer au nombre de soixante-quinze. »

Nous reçûmes tous une large part du trésor, que chacun employa raisonnablement ou pas, selon son tempérament. Le capitaine Smollett a aujourd'hui pris congé de la mer. Gray non seulement sut garder son argent, mais, pris d'une ambition soudaine, se mit à étudier sa profession ; il est aujourd'hui second sur un beau navire dont il possède une part ; marié, en outre, et père de famille. Quant à Ben Gunn, il reçut mille livres, qu'il dilapida en trois semaines – ou plus exactement en dix-neuf jours, car il revint à sec le vingtième. On lui donna alors une place de garde-chasse –, précisément ce qu'il craignait tant quand je le rencontrai dans l'île ; il vit encore, très apprécié des enfants du coin, qui en font aussi un peu leur mascotte, et il s'est révélé être un chanteur émérite[1] les jours de messe.

Nous n'avons plus jamais entendu parler de Silver. Ce redoutable marin à une jambe a entièrement disparu de ma vie. J'imagine qu'il a retrouvé sa vieille négresse et qu'il vit heureux avec elle et Capitaine Flint. Du moins il faut l'espérer, car ses chances de bonheur dans un autre monde sont des plus faibles.

Les lingots d'argent et les armes sont toujours enfouis, que je sache, là où Flint les a enterrés, et ce n'est certainement pas moi qui irai les chercher. Pour rien au monde je ne repartirais sur cette île maudite. Mes pires cauchemars sont ceux dans lesquels j'entends le ressac tonner sur les côtes, et il m'arrive de me réveiller en sursaut avec la voix stridente de Capitaine Flint qui me corne[2] aux oreilles :

– Pièces de huit ! pièces de huit !

---

1. **Émérite :** compétent et reconnu comme tel.
2. **Corne :** crie.

Clefs d'analyse

Action et personnages

1. Expliquez l'angoisse des hommes quand ils entendent chanter l'air qui leur est bien connu, suivi d'un cri : que croient-ils ? Pourquoi Dick se met-il à prier ? Grâce à qui reprennent-ils courage ?

2. Quel effet la proximité du trésor produit-elle sur les hommes ? À quoi rêvent-ils ?

3. Quels changements Jim note-t-il chez Silver à l'approche du but ? Expliquez la détresse du jeune garçon.

4. Quel coup de théâtre vient relancer l'action à la fin du chapitre 33 ? Quelle est la réaction des hommes face au trou du trésor ?

5. Comment expliquez-vous la nouvelle volte-face de Silver ? Du côté de qui se range-t-il à nouveau ?

6. D'où viennent les trois coups de feu tirés à partir des buissons ? Qui est touché ? Combien d'hommes sont épargnés ? Que font-ils ?

7. Que révèle le récit du docteur sur les événements qui se sont déroulés pendant que Jim était retenu en otage par les mutins ? Quelle leçon de morale donne-t-il au passage à Jim ?

8. Dans quel esprit se font les retrouvailles de Jim, du docteur, du chevalier et du capitaine Smollett ? Citez le texte.

9. Comment les aventuriers traitent-ils Silver ? Montrez que l'attitude du cuisinier est conforme à son caractère.

10. Que deviennent les trois mutins survivants ? Pourront-ils s'en sortir ? Quels sentiments éprouvez-vous à leur égard ?

11. Dans quelles conditions Silver s'enfuit-il ? Quelles réflexions vous inspire sa fuite ?

Langue

1. « En effet, fit le docteur, nous savons tous que vous êtes un homme de parole, vous ! » (chap. 34, l. 72-73) : en quoi consiste ici l'ironie ?

2. Merry nomme Silver « le vieil estropié » (chap. 33, l. 46) : quelle connotation percevez-vous dans cette manière de désigner le coq ?

3. Relevez dans les réflexions de Jim à la vue du trésor (chap. 33) une construction grammaticale dominante. Que montre-t-elle ?

Genre ou thèmes

1. Combien d'hommes embarqués sur l'*Hispaniola* ont laissé leur vie dans cette aventure ? Qui sont les trois abandonnés sur l'île ?
2. En quoi consiste le fabuleux trésor de Flint ? Pourquoi les rescapés mettent-ils si longtemps à le transporter sur la goélette ?
3. Quel bilan personnel Jim tire-t-il de son aventure sur l'île au trésor ? Qu'en pensez-vous ?

Écriture

1. Comment jugez-vous le personnage de John Silver ? Qui de Jim ou du vieux flibustier est, selon vous, le véritable héros du roman ? Argumentez votre point de vue.
2. Êtes-vous satisfait du dénouement de *L'Île au trésor* ? Exposez votre point de vue en faisant référence à l'ensemble de l'action.

Pour aller plus loin

1. Retrouvez dans *Le Comte de Monte-Cristo*, roman d'Alexandre Dumas, la scène où le héros découvre le trésor de l'abbé Faria.

> ### ✳ À retenir
>
> Le dénouement est une partie essentielle d'un roman. Après de multiples péripéties, dont certaines particulièrement sanglantes, les personnages embarqués dans la chasse au trésor de Flint ont retrouvé la fortune du flibustier. Durant leur quête, ils se sont mesurés à eux-mêmes et à leurs ennemis. Amené à prendre des initiatives dangereuses, le jeune héros, Jim, a considérablement mûri.

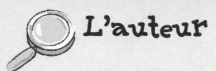
L'auteur

1. **Stevenson est un écrivain :**
   - ☐ américain
   - ☐ anglais
   - ☐ écossais
   - ☐ vénézuélien
   - ☐ argentin

2. **Vrai ou faux ?**
   a. Stevenson a d'abord publié son roman sous forme de feuilleton.   ☐ vrai   ☐ faux
   b. *L'Île au trésor* est la première publication de Stevenson.   ☐ vrai   ☐ faux
   c. *L'Île au trésor* est le premier grand succès de Stevenson.   ☐ vrai   ☐ faux
   d. Stevenson avait une passion pour les îles.   ☐ vrai   ☐ faux
   e. Stevenson est mort sur une des îles Samoa.   ☐ vrai   ☐ faux

3. **Stevenson est un écrivain du :**
   - ☐ XXᵉ siècle
   - ☐ XIXᵉ siècle
   - ☐ XVIIIᵉ siècle
   - ☐ XVIIᵉ siècle
   - ☐ Moyen Âge

4. **Lequel des romanciers suivants n'a rien à voir avec Stevenson ? Barrez son nom :**
   a. Jules Verne
   b. Molière
   c. Walter Scott
   d. James Fenimore Cooper
   e. Jack London

5. **Repérez une erreur :**
   Durant l'été 1881, en Écossse, Robert Louis Stevenson s'engage dans l'écriture de *L'Île au trésor* pour distraire Lloyd, son beau-fils qui s'ennuie parce qu'il doit rester enfermé dans la maison à cause du mauvais temps. Inspiré et encouragé par ses proches qui se passionnent pour son projet, l'écrivain rédige un chapitre par jour : en quinze jours, il écrit quinze chapitres ! D'abord intitulé *Le Cuisinier à la jambe de bois*, puis *Le Cuisinier du bord*, le roman finalement portera le titre glorieux de *L'Île au trésor* et fera de son auteur une célébrité dans le monde de la littérature d'aventure.

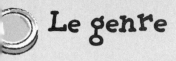

Le genre

1. **Soulignez la bonne réponse :**
   a. *L'Île au trésor* est un roman écrit à la première personne/à la troisième personne.
   b. Jim, adulte/adolescent y raconte une aventure qui l'a marquée.
   c. Le docteur Livesey/le chevalier Trelawney est le narrateur des chapitres 16 à 18.
   d. Le roman se présente comme une pure fiction/une aventure autobiographique.
   e. Jim, le narrateur principal, interrompt souvent/n'interrompt jamais le récit.

2. **Repérez une inexactitude et cochez la case correspondante :**
   ☐ *L'Île au trésor* est devenu un classique de la littérature jeunesse.
   ☐ *L'Île au trésor* est un roman d'aventures.
   ☐ *L'Île au trésor* est un roman social.
   ☐ *L'Île au trésor* est un roman maritime.
   ☐ *L'Île au trésor* est un roman historique.

3. **Rédigez une définition du roman d'aventures à partir des mots-clés suivants :**
   héroïsme – attaques – trahisons – obstacles – danger – exploits – voyages

4. **Choisissez la définition qui, selon vous, convient le mieux à *L'Île au trésor* :**
   ☐ Un enfant dans un univers d'adultes.
   ☐ Une découverte de la piraterie.
   ☐ Une impitoyable chasse au trésor.
   ☐ Une incroyable équipée maritime.
   ☐ Un voyage initiatique.

L'action

Cochez la ou les bonnes réponses :

1. L'auberge de l'Amiral Benbow est située :
- ☐ sur une lande irlandaise
- ☐ sur une côte anglaise
- ☐ sur les bords de la Tamise, à Londres

2. Billy Bones s'installe à l'Amiral Benbow pendant :
- ☐ quelques jours
- ☐ un mois
- ☐ des mois et des mois

3. La « tache noire » est :
- ☐ une maladie mortelle
- ☐ une condamnation à mort
- ☐ un rayon lumineux qui tue

4. La mère de Jim ouvre le coffre de Billy Bones :
- ☐ par curiosité
- ☐ pour prendre l'argent qui lui est dû
- ☐ pour trouver la carte du trésor

5. La taverne de Long John s'appelle :
- ☐ la Longue-Vue
- ☐ la Belle-Vue
- ☐ la Vaste-Vue

6. L'*Hispaniola* est :
- ☐ un cargo
- ☐ une goélette
- ☐ un yacht

7. Jim surprend le projet de mutinerie caché dans :
- ☐ une barrique de pommes
- ☐ un tonneau de vin
- ☐ un coffre en bois

8. Jim quitte l'*Hispaniola* :
- ☐ sur l'un des canots occupés par les mutins
- ☐ sur un canot pendant la nuit
- ☐ à la nage

9. Les combattants des deux camps sont équipés de :
- ☐ mousquets
- ☐ coutelas
- ☐ flèches

10. Qui est blessé lorsque les mutins attaquent le fortin ?
- ☐ le docteur Livesey
- ☐ le capitaine Smollett
- ☐ Jim

11. Dans son face-à-face avec Israël Hands, sur l'*Hispanolia* :
- ☐ Jim est blessé par Hands
- ☐ Hands est tué par Jim
- ☐ Hands est blessé par Jim

12. Le trésor de Flint est composé de :
- ☐ lingots d'or
- ☐ pièces d'or
- ☐ pierres précieuses

13. John Silver s'échappe avec l'aide :
- ☐ du docteur Livesey
- ☐ de Jim
- ☐ de Ben Gunn

14. Le jour de sa fuite, John Silver emporte :
- ☐ un sac de pièces d'or
- ☐ un sac de lingots
- ☐ deux sacs de pièces d'or

15. Ben Gunn reçoit pour récompense de ses services :
- ☐ deux sacs d'or
- ☐ un millier de livres
- ☐ une maison pour ses vieux jours

16. Il reste sur l'île :
- ☐ des lingots d'argent
- ☐ des armes
- ☐ des pierres précieuses

Les personnages

1. **Associez chaque personnage avec son portrait :**
   le Dr Livesey – Billy Bones – Chien-Noir – le chevalier Trelawney – Flint.
   a. « Son teint avait une pâleur de cire ; il lui manquait deux doigts de la main gauche et, bien qu'il fût armé d'un coutelas, il semblait peu combatif » : ....
   b. « Le vieux marin, au visage basané et balafré d'un coup de sabre » : ....
   c. « Le plus atroce forban qui eût jamais navigué » : ....
   d. « Bien mis et allègre, à la perruque poudrée à blanc, aux yeux noirs et vifs, au maintien distingué » : ....
   e. « C'était un homme de haute taille, dépassant six pieds, et de carrure proportionnée, à la mine fière et brusque, au visage tanné, couperosé et ridé par ses longues pérégrinations » : ....

2. **Faites correspondre chaque personnage avec sa fonction sur l'*Hispaniola* :**
   capitaine – garçon de cabine – maître d'équipage – maître coq – second.
   a. Jim : ....
   b. Smollett : ....
   c. John Silver : ....
   d. Arrow : ....
   e. Job Anderson : ....

3. **Ordonnez en deux catégories « opposants » (qui font obstacle au héros) et « adjuvants » (qui aident le héros) les personnages suivants :**
   Alan – Joyce – Hunter – le chevalier Trelawney – Redruth – John Silver – le Dr Livesey – Tom – Israël Hands.

les opposants	les adjuvants
....	....
....	....
....	....
....	....

4. **Ben Gunn est sur son île depuis :**
   - ☐ trois mois
   - ☐ trois ans
   - ☐ vingt-huit ans
   - ☐ dix ans
   - ☐ dix mois

5. **Qui prononce ces mots ?**

   Billy Bones – le capitaine Smollett – Ben Gunn – John Siver – Jim.

   a. « Je me suis juré d'être un homme bon, et je sais comment m'y prendre. » : ....

   b. « Je suis responsable de la sécurité du navire et de l'existence de tous ceux qu'il transporte. » : ....

   c. « Ce docteur est un idiot, je te dis. » : ....

   d. « J'ai donné ma parole : je dois rester. » : ....

   e. « Toi et moi, que de belles choses nous aurions pu faire ensemble ! » : ....

L'écriture du roman

1. **Marquez d'une croix les phrases qui renvoient aux moments de l'écriture du récit :**
   - ☐ « Je me le rappelle, comme si c'était d'hier. Il arriva d'un pas lourd à la porte de l'auberge, suivi de sa cantine charriée sur une brouette. »
   - ☐ « Aussitôt sur la route, Chien-Noir, en dépit de sa blessure, prit ses jambes à son cou. »

☐ « Nous n'avons plus jamais entendu parler de Silver. Ce redoutable marin à une jambe a entièrement disparu de ma vie. »

☐ « Si ce personnage hantait mes songes, il est inutile de le dire. »

☐ « C'est un navire de malheur que cette Hispaniola, Jim, continua-t-il en clignant de l'œil. »

2. Repérez la phrase qui anticipe sur un épisode futur :

☐ « Ce fut peu de temps après cette algarade que commença la série des mystérieux événements qui devaient nous délivrer enfin du capitaine, mais non, comme on le verra, des suites de sa présence. »

☐ « Durant tout le trajet, Long John, debout dans le canot de tête, servit de pilote. »

☐ « L'aigre brise du soir dont j'ai parlé sifflait par tous les interstices de la construction rudimentaire. »

☐ « On peut dire que Silver était décidé à rester avec nous ! »

☐ « J'ai cinquante ans, remarque ; une fois de retour de cette croisière, je m'établis rentier pour de bon. »

3. Lesquelles de ces phrases sont des descriptions ?

☐ « Parmi les verts bouquets de muscadiers, des pins mettaient çà et là leurs fûts rougeâtres et leurs vastes ombrages. »

☐ « Dans l'air silencieux et glacé je venais de percevoir un bruit qui fit cesser mon cœur de battre. »

☐ « La pleine lune, rougeâtre et déjà haute, transparaissait vers la limite supérieure du brouillard. »

☐ « Ses sourcils très noirs et très mobiles lui donnaient un air non pas méchant à vrai dire, mais plutôt vif et hautain. »

☐ « Le docteur brisa avec précaution les sceaux de l'enveloppe, et il s'en échappa la carte d'une île. »

POUR
APPROFONDIR

Thèmes et prolongements

❖ L'enfant et l'aventure

L'Île au trésor est avant tout l'histoire d'un adolescent lancé par les circonstances dans une entreprise périlleuse et exaltante : une chasse au trésor. À ses côtés, trois adultes, le Dr Livesey, le chevalier Trelawney, le capitaine Smollett, tous honnêtes hommes, représentent le monde adulte et ses deux vertus principales : l'expérience et le sens des responsabilités.

Un dur apprentissage

Narrateur principal, Jim Hawkins apparaît, dans les premières pages de l'œuvre, comme un personnage indéterminé : il ne donne sur son identité que peu d'éléments, sans doute parce qu'il n'y a pas grand-chose à dire d'un adolescent qui vit avec ses parents, dans une modeste auberge des côtes anglaises. Mais le jeune héros commence à exister dès que l'action s'amorce : l'arrivée de Billy Bones dans la famille Hawkins est l'élément perturbateur qui va ouvrir au jeune garçon les chemins de l'aventure tout en lui donnant une identité forte dans l'intrigue. D'abord idéalisée, puis organisée dans l'enthousiasme général, la chasse au trésor va constituer pour Jim un dur apprentissage, le mettant face à la trahison, au mensonge, à la violence et à la mort : « Pour rien au monde je ne repartirais sur cette île maudite. Mes pires cauchemars sont ceux dans lesquels j'entends le ressac tonner sur les côtes, et il m'arrive de me réveiller en sursaut avec la voix stridente de Capitaine Flint qui me corne aux oreilles : – Pièces de huit ! pièces de huit ! »

« Le parfum de la désobéissance[1] »

Pourtant Jim, au cours de son périple, aura connu l'ivresse de la liberté, la fierté d'avoir accompli de grandes actions et la satisfaction de s'être enrichi. Tout cela par l'effet de son indiscipline ! Car l'impétueux enfant désobéit aux règles établies par ses amis.

---

1. « Le parfum de la désobéissance » : phrase d'Aragon, poète du XXᵉ siècle.

Il prend des initiatives qui révèlent à la fois son appétit de vivre (il veut voir et savoir) et son immaturité (il est impulsif). Ainsi quand il saute dans l'embarcation des mutins (« Il me prit tout à coup la fantaisie d'aller à terre »), et plus tard quand il s'esquive pour récupérer le bateau de Ben Gunn (« une action insensée et téméraire »). Or sa désobéissance se révèle payante : l'enfant livré à lui-même s'enchante (« Je connus alors pour la première fois les joies de l'explorateur ») ; seul et désarmé face à « la créature des bois » qui n'est autre que Ben Gunn, il prend conscience de ses ressources (« le souvenir de mon pistolet me revint. Je n'étais donc pas sans défense ») ; plus tard, visiteur clandestin de l'*Hispaniola*, il remporte une belle victoire sur le redoutable Israël Hands. Et pour finir, il connaît la fierté d'une action bien conduite qui lui vaudra la reconnaissance et l'admiration de ses compagnons : « Je n'avais de plus grand désir que de rentrer au fortin et de me vanter de mes exploits. » Quant à l'aspect financier de l'expédition, il est loin d'être négligeable puisque une belle fortune vient récompenser l'héroïsme du jeune aventurier : « Nous reçûmes tous une large part du trésor, que chacun employa raisonnablement ou pas, selon son tempérament. »

Le prix de la liberté

Mais la prise de risque et les transgressions ont leur prix : Jim quitte l'univers rassurant de son enfance pour l'inconnu. Vulnérable, l'enfant indiscipliné endure la terreur, le doute et la culpabilité. Témoin épouvanté du meurtre d'Alan par Silver, écœuré par le carnage du fortin (« Mon dégoût de cet endroit céda presque le pas à la terreur »), placé devant la perspective de sa propre mort (« Il ne me restait plus qu'à mourir, de faim ou sous les coups des mutins »), captif de Silver et tenu en laisse comme un animal, il fait l'expérience du mal. Et il paie, de ses tourments, sa désertion : « Et, une fois de plus, je me blâmai de les avoir abandonnés avec si peu d'hommes pour monter la garde. » On comprend alors pourquoi l'aventure de l'île au trésor lui laisse un goût aussi amer.

✢ L'univers romanesque des pirates

> *L'Île au trésor* baigne dans la légende de Flint : de Billy Bones à John Silver, la figure du flibustier mythique s'impose comme une référence tandis que l'équipage de l'*Hispaniola*, sinistre et violent, inscrit clairement l'œuvre dans le cadre du roman d'aventures.

La légende Flint

Flint, dont le nom est sans cesse cité du début à la fin du roman (le perroquet de Silver porte même le nom du glorieux pirate !), occupe l'imaginaire de tous : il hante ses anciens compagnons jusqu'à l'hallucination et obsède le lecteur comme une personnification du mal, mais aussi comme l'incarnation magistrale du type littéraire de l'aventurier.

Dès les premières pages du livre, le mythe se met en place. Tout le monde connaît Flint, même le Dr Livesey, homme de science qui confie : « Moi aussi j'ai entendu parler de lui. » La réputation de Flint, brute impitoyable, est solidement établie : le chevalier Trelawney évoque « le plus atroce forban qui eût jamais navigué » et le compare à Barbe-Noire, un cruel pirate anglais (1680-1718). Ben Gunn garde le souvenir épouvanté d'un criminel dangereux qui autrefois a massacré tous ses hommes : « Il était seul, et eux six ! » Même mort, Flint inspire l'effroi : l'équipage débarqué sent rôder autour de lui l'âme damnée du redoutable pirate (« La peur du flibustier mort les paralysait »). Seul Silver résiste à la superstition : « Flint vivant ne m'a jamais fait peur ! J'affronterai son fantôme ! »

Pourtant le célèbre pirate fait aussi l'objet d'un culte ; il fascine et soulève l'enthousiasme comme en témoigne le cri du cœur du plus jeune marin de l'*Hispaniola* : « C'était la fleur du troupeau, que Flint ! »

La bande de Flint

Très vite, le lecteur comprend que Flint n'a pas vraiment disparu : il est là, invincible, non seulement parce que sa légende prend le relais de son existence sur terre, mais aussi, concrètement, parce que certains de ses hommes sont encore vivants. Parmi eux, son ancien premier officier, Billy Bones, le vieux loup de mer qui possède dans son coffre la carte du trésor ; Chien-Noir, son lieutenant ; Pew, le sinistre aveugle ; et enfin John Silver, son quartier-maître. Quant aux marins embarqués sur l'*Hispaniola*, ce sont des pirates de la bande de Flint, « pas un équipage commode », comme l'explique Silver avant de préciser que « le diable lui-même aurait hésité à s'embarquer avec eux ». Durant l'expédition, d'ailleurs, ces hommes sont à la hauteur de leur réputation. En témoignent certaines scènes particulièrement dramatiques, par exemple l'attaque sanglante du fortin et, plus tard, l'effroyable bagarre de Jim avec Israël Hands, ancien canonnier de Flint qui, sans aucun scrupule, lance son poignard sur l'enfant avant de tomber sous ses balles.

Les gentilshommes de fortune

La bande de Flint mise en scène dans *L'Île au trésor* témoigne des mœurs de la flibuste. Le lecteur découvre une communauté à part, avec sa hiérarchie, ses traditions et son langage. La vie aventureuse, la liberté et les largesses de ces têtes brûlées en font des personnages fascinants, très éloignés du modèle bourgeois qui, incarné par les amis de Jim, ne fait pas rêver. Les gentilshommes de fortune « ont la vie dure et risquent la corde, mais ils mangent et boivent comme des coqs en pâte » ; c'est « à boire et à se donner du bon temps » qu'ils dépensent jusqu'au dernier sou l'argent gagné, avant de reprendre la mer pour de nouvelles aventures. Chez ces hommes indomptables, on reconnaît et on salue la valeur d'un adversaire. Et dans la bagarre, certains principes d'honneur s'appliquent : John Silver ne jure-t-il pas qu'il ne tirerait jamais sur un ennemi venu parlementer : « Je connais les règles, voyons : je n'irai pas faire du mal à un émissaire. »

Pour approfondir

263

❖ Long John Silver, véritable héros de L'Île au trésor ?

Silver ne serait-il pas le véritable héros de *L'Île au trésor* ? Violent et sans scrupules, habile et beau parleur, le leader de la mutinerie sur l'*Hispaniola* gère en virtuose la chasse au trésor. Fripouille sympathique, il est le personnage le plus paradoxal du roman.

Le chef des mutins

C'est par l'intermédiaire du chevalier Trelawney que Long John Silver entre officiellement dans l'intrigue. Alors que le chevalier a toutes les peines du monde à réunir un équipage, « un coup de chance des plus remarquable » met le recruteur sur le chemin du vieux marin. Investi du poste de maître coq, Silver présente au chevalier « une bande de vieux loups de mer endurcis [...] pas jolis, jolis, mais, à en juger par leur mine, des gars d'un courage à toute épreuve » aussitôt engagés pour l'aventure. Cependant, le lecteur comprend rapidement que Long John n'est autre que le flibustier à une jambe dont Billy Bones attendait avec anxiété la venue à l'auberge de l'Amiral Benbow. L'homme révélera, au cours de l'action, une personnalité hors du commun : grâce à son autorité naturelle, à son expérience et à son habileté, c'est lui qui, en vérité, régnera sur l'équipage (« Silver était le vrai capitaine »), lui qui organisera la mutinerie et qui commandera les attaques. Sans scrupules, il supprimera de sang-froid quiconque lui résistera. D'un bout à l'autre du roman, il maniera avec succès la menace et les armes.

Le maître de la volte-face

Long John est redoutable par son incroyable talent à s'adapter aux circonstances. Il se tire de toutes les situations, avec brio : quand Chien-Noir est surpris à la Longue-Vue, il ne nie pas ; au contraire, il tourne l'incident à son profit en affichant une sincérité qui lui sera profitable auprès du docteur et du chevalier : « Long John raconta l'histoire depuis A jusqu'à Z, avec beaucoup de verve et la plus

Pour approfondir

exacte franchise. » Plus tard, quand Jim tombe aux mains des mutins, Long John l'assure de sa protection (« Que quelqu'un ose lever la main sur lui, et c'en est fait de vous, je le jure ! ») tout en négociant sa propre impunité (« Je vais faire de mon mieux pour te tirer de leurs griffes, mon petit Jim. Mais attention, Jim : donnant donnant [...] Tu devras empêcher que Long John pende au bout d'une corde »). Autorisant Jim à parlementer avec le Dr Livesey, il joue un double jeu, tente d'obtenir une paix séparée pour lui au mépris de ses complices. Toutefois la situation n'étant pas claire, il garde habilement un pied dans chaque camp, prêt à tourner casaque quand il arrive à proximité du trésor. Quand il comprend que le trésor se trouve déjà entre les mains des amis de Jim, il choisit définitivement le parti des vainqueurs. Pour ensuite s'éclipser du bateau qui rentre en Angleterre, non sans avoir volé un sac de pièces d'or !

Une fripouille sympathique

Jim décrit John Silver comme un unijambiste très adroit, physiquement puissant (« Il était très grand et robuste, avec une figure aussi grosse qu'un jambon »). Si le visage est laid, la physionomie est « spirituelle et souriante ». Avant que la mutinerie ne les fasse changer d'avis, Long John s'attire l'estime du Dr Livesey (« ce John Silver me botte »), du chevalier (« c'est un parfait brave homme ») et de Jim (« ce serait là pour moi un compagnon de bord inestimable »). Sur l'*Hispaniola*, il est respecté et admiré, comme le révèlent ces paroles ferventes du quartier-maître Israël Hands : « Ce n'est pas un homme ordinaire, Cochon-Rôti [...] Il a reçu de l'instruction dans sa jeunesse, et quand ça lui chante il parle comme un livre. Et d'une bravoure ! » Ses gestes sont aimables, ses paroles enjouées (« charmé de faire ta connaissance »). Il témoigne à Jim une affection paternelle : « Viens faire la causette avec John. Tu es le bienvenu entre tous, mon fils. » Toute l'ambiguïté du personnage est là, dans sa séduction naturelle alliée à une violence qu'il revendique fièrement (« Flint lui-même avait peur de moi ») et qu'il assume sans scrupules : « Je ne réclame qu'une chose : Trelawney. De mes propres mains, je dévisserai de son corps sa tête de veau... »

✢ De l'action avant tout

Avec *L'Île au trésor*, Stevenson crée un modèle unique de roman d'aventures : il privilégie l'action, ne s'égare jamais dans des descriptions inutiles, ignore volontairement l'analyse psychologique. Plongeant le lecteur au cœur des événements, il met en scène les affrontements avec un réalisme saisissant.

Des personnages actifs

Deux camps ennemis poursuivent le même but : retrouver le trésor de Flint. Tous les personnages sont engagés dans cette entreprise exaltante et pleine de risques : si l'on excepte la mère de Jim, femme au caractère bien trempé, les protagonistes sont des hommes mus par l'attrait de l'aventure autant que par l'appât du gain. Parmi eux, seul Billy Bones, possesseur de la carte du trésor, est immobile : stationné à l'Amiral Benbow, il attend avec anxiété un mystérieux visiteur unijambiste. Quand Chien-Noir fait irruption dans l'auberge, les grandes manœuvres romanesques s'enclenchent ; l'action s'amorce ; tous les personnages s'animent : Jim s'empare du rouleau de Flint ; Pew et sa bande saccagent l'auberge de l'Amiral Benbow. Le jeune héros et ses amis se lancent dans l'aventure de la chasse au trésor : on recherche un bateau, on recrute un équipage, on prend la mer avec fougue. Le voyage sur l'*Hispaniola* ménage pour tous un temps de repos, avant que la mutinerie ne remette chacun en mouvement : face au complot des pirates, Jim et ses compagnons organisent la riposte, résistant héroïquement aux offensives de l'ennemi avant de s'emparer du trésor après de multiples péripéties comme les deux fugues de Jim et l'irruption de Ben Gunn.

Des scènes d'action spectaculaires

Thèmes fondateurs, la chasse au trésor et la mutinerie justifient à eux seuls la classification de *L'Île au trésor* dans la catégorie du « roman d'aventures ». Extrêmement riches, ils fournissent à Stevenson un réservoir inépuisable d'actions spectaculaires qu'il enchaîne les unes aux autres sans aucun temps mort. Combats et attaques surprises, fusillades et canonnades, fuites et poursuites, chutes et morts violentes, négociations, trahisons et feintes : les scènes intenses rythment la progression du récit sous forme de péripéties à forte puissance dramatique. Stevenson, en précurseur du film d'action, pose ses personnages dans un décor pittoresque bien délimité (le fortin, l'*Hispaniola*) où se déroulent des scènes fiévreuses : assassinat d'Alan puis de Tom sous les yeux de Jim ; attaque foudroyante du fortin par les mutins et mort terrible de Tom Redruth atteint par une balle ; duel mouvementé entre Jim et le coriace Israël Hands sur la goélette ; marche tumultueuse des mutins vers le trésor et stupéfaction devant la cache vide ; volte-face de John Silver et fureur des mutins...

Un registre réaliste

Le sang coule beaucoup dans *L'Île au trésor* : les blessés et les morts y sont nombreux. Stevenson montre avec complaisance la violence des personnages et ses effets : les gestes menaçants fusent (« [Billy Bones] se dressa d'un bond, tira un coutelas de marin qu'il ouvrit, et, le balançant sur la main ouverte, s'apprêta à clouer au mur le docteur ») ; les plaies sont exhibées sans ménagement (« je vis Chien-Noir fuir, éperdu, serré de près par le capitaine, tous deux coutelas au poing, et le premier saignant abondamment de l'épaule gauche ») ; le handicap de John Silver est évoqué avec une froideur qui étonne le lecteur d'aujourd'hui : « — Qui va m'aider à me relever ? hurla-t-il. « Personne ne bougea. Poussant les plus affreuses imprécations, il se traîna sur le sable jusqu'à ce qu'il pût atteindre le porche et se redresser sur sa béquille. »

Les visages sont présentés en gros plans très visuels (« les narines au vent ; il jurait comme un païen quand les mouches se posaient sur son front brûlant et luisant de sueur ») et la mort est montrée en direct : « Merry culbuta dans le trou la tête la première ; l'homme au bandage, frappé à mort, pivota sur lui-même comme une toupie, s'abattit de tout son long puis expira dans une ultime convulsion. »

Pour approfondir

Textes et images

✤ Les aventuriers

Intrépides et sûrs d'eux, avides de connaître le monde, pressés de vivre, assoiffés de danger, les aventuriers sont des personnages fascinants. Pour ces héros amateurs d'émotions fortes, le défi consiste à atteindre un but inaccessible en surmontant les obstacles réputés infranchissables. Leur corps triomphe dans la difficulté, leur cœur s'enflamme dans la bataille, éveillant chez le lecteur des rêves fous de dépassement de soi.

Documents :

❶ Extrait du *Pays des fourrures*, de Jules Verne (1873).

❷ Extrait de *Michel Strogoff*, de Jules Verne (1876).

❸ Extrait de *Voyage d'une famille autour du monde à bord de son yacht « le Sunbeam », raconté par la mère*, de Lady Brassey (1878).

❹ Gravure de *Michel Strogoff*, par Charles Barbant (1922).

❺ Photo de Buffalo Bill (1846-1917).

❻ *Les Robinsons lunaires*, gravure de Fernand Fau.

❶ *En 1859, des officiers de la Compagnie de la baie d'Hudson, au Canada, vont construire un fort sur les limites de la mer Arctique dans l'intention de faciliter le commerce des fourrures.*

Les préparatifs de départ n'avaient pu commencer qu'à la mi-mars, et un mois se passa avant qu'ils fussent achevés. C'était, en effet, une longue besogne que d'organiser une telle expédition à travers les régions polaires ! Il fallait tout emporter, vivres, vêtements, ustensiles, outils, armes, munitions.

La troupe, commandée par le lieutenant Jasper Hobson, devait se composer d'un officier, de deux sous-officiers et de dix soldats, dont trois mariés qui emmenaient leurs femmes avec eux. Voici la liste de ces hommes que le capitaine Craventy avait choisis parmi les plus énergiques et les plus résolus :

1. Le lieutenant Jasper Hobson, 2. Le sergent Long, 3. Le caporal Joliffe, 4. Petersen, soldat, 5. Belcher, soldat, 6. Raë, soldat, 7. Marbre, soldat, 8. Garry, soldat, 9. Pond, soldat, 10. Mac Nap, soldat, 11. Sabine, soldat, 12. Hope, soldat, 13. Kellet, soldat.

De plus : Mrs. Rae, Mrs. Joliffe, Mrs. Mac Nap. Étrangers au fort : Mrs. Paulina Barnett, Madge, Thomas Black.

En tout dix-neuf personnes, qu'il s'agissait de transporter pendant plusieurs centaines de milles, à travers un territoire désert et peu connu.

Mais en prévision de ce projet, les agents de la Compagnie avaient réuni au Fort-Reliance tout le matériel nécessaire à l'expédition. Une douzaine de traîneaux, pourvus de leur attelage de chiens, étaient préparés. Ces véhicules, fort primitifs, consistaient en un assemblage solide de planches légères que liaient entre elles des bandes transversales. Un appendice, formé d'une pièce de bois cintrée et relevée comme l'extrémité d'un patin, permettait au traîneau de fendre la neige sans s'y engager profondément. Six chiens, attelés deux par deux, servaient de moteurs à chaque traîneau – moteurs intelligents et rapides qui, sous la longue lanière du guide, peuvent franchir jusqu'à quinze milles à l'heure.

La garde-robe des voyageurs se composait de vêtements en peau de renne, doublés intérieurement d'épaisses fourrures. Tous portaient des tissus de laine, destinés à les garantir contre les brusques changements de température, qui sont fréquents sous cette latitude. Chacun, officier ou soldat, femme ou homme, était chaussé de ces bottes en cuir de phoque, cousues de nerfs, que les indigènes fabriquent avec une habileté sans pareille. Ces chaussures sont absolument imperméables et se prêtent à la marche par la souplesse de leurs articulations. À leurs semelles pouvaient s'adapter des raquettes en bois de pin, longues de trois à quatre pieds, sortes d'appareils propres à supporter le poids d'un homme sur la neige la plus friable et qui permettent de se déplacer avec une extrême vitesse, ainsi que font les patineurs sur les surfaces glacées. Des bonnets de fourrure, des ceintures de peau de daim complétaient l'accoutrement.

En fait d'armes, le lieutenant Hobson emportait, avec des munitions en quantité suffisante, les mousquetons réglementaires délivrés par la Compagnie, des pistolets et quelques sabres d'ordonnance ; en fait d'outils, des haches, des scies, des herminettes et autres instruments nécessaires au charpentage ; en fait d'ustensiles, tout ce que nécessitait l'établissement d'une factorerie[1] dans de telles conditions, entre autres un poêle, un fourneau de fonte, deux pompes à air destinées à la ventilation, un halkett-boat, sorte de canot en caoutchouc que l'on gonfle au moment où on veut en faire usage.

Quant aux approvisionnements, on pouvait compter sur les chasseurs du détachement. Quelques-uns de ces soldats étaient d'habiles traqueurs de gibier, et les rennes ne manquent pas dans les régions polaires. Des tribus entières d'Indiens ou d'Esquimaux, privées de pain ou de tout autre aliment, se nourrissent exclusivement de cette venaison, qui est à la fois abondante et savoureuse. Cependant, comme il fallait compter avec les retards inévitables et les difficultés de toutes sortes, une certaine quantité de vivres dut être emportée. C'était de la viande de bison, d'élan, de daim, ramassée dans de longues battues faites au sud du lac, du « corn-beef », qui pouvait se conserver indéfiniment, des préparations indiennes dans lesquelles la chair, broyée et réduite en poudre impalpable, conserve tous ses éléments. Ainsi triturée, cette viande n'exige aucune cuisson, et présente sous cette forme une alimentation très nourrissante.

❷ La porte du cabinet impérial s'ouvrit bientôt, et l'huissier annonça le général Kissoff.

« Ce courrier ? demanda vivement le tsar.

— Il est là, sire, répondit le général Kissoff.

— Tu as trouvé l'homme qu'il fallait ?

— J'ose en répondre à Votre Majesté.

— Il était de service au palais ?

— Oui, sire.

— Tu le connais ?

— Personnellement, et plusieurs fois il a rempli avec succès des missions difficiles.

— À l'étranger ?

---

1. **Factorerie :** établissement commercial.

— En Sibérie même.

— D'où est-il ?

— D'Omsk. C'est un Sibérien.

— Il a du sang-froid, de l'intelligence, du courage ?

— Oui, sire, il a tout ce qu'il faut pour réussir là où d'autres échoueraient peut-être.

— Son âge ?

— Trente ans.

— C'est un homme vigoureux ?

— Sire, il peut supporter jusqu'aux dernières limites le froid, la faim, la soif, la fatigue.

— Il a un corps de fer ?

— Oui, sire.

— Et un cœur ?...

— Un cœur d'or.

— Il se nomme ?...

— Michel Strogoff.

— Est-il prêt à partir ?

— Il attend dans la salle des gardes les ordres de Votre Majesté.

— Qu'il vienne », dit le czar.

Quelques instants plus tard, le courrier Michel Strogoff entrait dans le cabinet impérial.

[...]

Le czar, sans lui adresser la parole, le regarda pendant quelques instants et l'observa d'un œil pénétrant, tandis que Michel Strogoff demeurait absolument immobile.

Puis, le czar, satisfait de cet examen, sans doute, retourna près de son bureau, et, faisant signe au grand maître de police de s'y asseoir, il lui dicta à voix basse une lettre qui ne contenait que quelques lignes.

La lettre libellée, le czar la relut avec une extrême attention, puis il la signa, après avoir fait précéder son nom de ces mots : « Byt po sémou », qui signifient : « Ainsi soit-il », et constituent la formule sacramentelle[1] des empereurs de Russie.

Pour approfondir

---

1. **Sacramentelle :** mots essentiels pour la conclusion d'une affaire d'importance ou un traité.

La lettre fut alors introduite dans une enveloppe, que ferma le cachet aux armes impériales.

Le czar, se relevant alors, dit à Michel Strogoff de s'approcher.

Michel Strogoff fit quelques pas en avant et demeura de nouveau immobile, prêt à répondre.

Le czar le regarda encore une fois bien en face, les yeux dans les yeux. Puis, d'une voix brève :

« Ton nom ? demanda-t-il.

— Michel Strogoff, sire.

— Ton grade ?

— Capitaine au corps des courriers du czar.

— Tu connais la Sibérie ?

— Je suis Sibérien.

— Tu es né ?…

— À Omsk.

— As-tu des parents à Omsk ?

— Oui, sire.

— Quels parents ?

— Ma vieille mère.

Le czar suspendit un instant la série de ses questions. Puis, montrant la lettre qu'il tenait à la main :

« Voici une lettre, dit-il, que je te charge, toi, Michel Strogoff, de remettre en mains propres au grand-duc et à nul autre que lui.

— Je la remettrai, sire.

— Le grand-duc est à Irkoutsk.

— J'irai à Irkoutsk.

— Mais il faudra traverser un pays soulevé par des rebelles, envahi par des Tartares, qui auront intérêt à intercepter cette lettre.

— Je le traverserai.

— Tu te méfieras surtout d'un traître, Ivan Ogareff, qui se rencontrera peut-être sur ta route.

— Je m'en méfierai.

— Passeras-tu par Omsk ?

— C'est mon chemin, sire.

— Si tu vois ta mère, tu risques d'être reconnu. Il ne faut pas que tu voies ta mère ! »

Michel Strogoff eut une seconde d'hésitation.

« Je ne la verrai pas, dit-il.

— Jure-moi que rien ne pourra te faire avouer ni qui tu es ni où tu vas !

— Je le jure.

— Michel Strogoff, reprit alors le czar, en remettant le pli au jeune courrier, prends donc cette lettre, de laquelle dépend le salut de toute la Sibérie et peut-être la vie du grand-duc mon frère.

— Cette lettre sera remise à Son Altesse le grand-duc.

— Ainsi tu passeras quand même ?

— Je passerai, ou l'on me tuera.

— J'ai besoin que tu vives !

— Je vivrai et je passerai », répondit Michel Strogoff.

Le czar parut satisfait de l'assurance simple et calme avec laquelle Michel Strogoff lui avait répondu.

« Va donc, Michel Strogoff ! dit-il, va pour Dieu, pour la Russie, pour mon frère et pour moi ! »

③ Lorsque nous eûmes mis pied à terre, les hommes s'avancèrent pour nous tendre la main, et nous conduisirent à un groupe de huttes en feuilles de palmier [...] où attendaient les femmes et les enfants. Là, les poignées de main recommencèrent ; et la plus âgée des femmes, ayant fait étendre une natte devant sa hutte, m'invita à m'asseoir auprès d'elle. Sa physionomie était vraiment agréable ; elle portait une robe de calicot[1], de couleur claire ; deux longues tresses de cheveux pendaient derrière son dos. Pendant ce temps, un petit cercle se formait autour de nous : je vis une femme dont la chevelure était littéralement hérissée sur sa tête, une autre qui avait le nez coupé et qui tint le pan de sa robe devant son visage, jusqu'à ce que mes compagnons se fussent écartés. En général, elles ont bon air, le teint basané, les cheveux abondants et bien nattés ; il y avait là beaucoup d'enfants de tous les âges et des deux sexes, de jeunes garçons portant pour tout costume, comme quelques-unes des femmes âgées, une branche de palmier autour des reins, mais nous n'avons pas aperçu une seule jeune fille. Sans doute, elles avaient été écartées avec intention, à l'approche du yacht.

Pour approfondir

---

1. **Calicot :** coton ordinaire.

Textes et images

Dès que nous fûmes assis, la femme qui semblait investie du droit de commandement invita l'un des hommes à abattre des noix de coco et nous en fit boire le lait : lait d'autant plus agréable et plus frais qu'il provenait d'un fruit incomplètement mûri. En même temps, les gens de l'île arrivaient avec du poisson et de la volaille, qu'ils déposaient à nos pieds. Certains de ces poissons étaient d'un brun foncé, comme la brème[1] ; d'autres, longs et minces, avec un nez retroussé en forme de pipe, avaient quatre nageoires, qui rappelaient les ailes du poisson-volant.

Apercevant de la fumée au-dessus d'un bouquet de palmiers, nous nous dirigeâmes de ce côté : c'était un groupe de huttes dont les habitants, malheureusement, étaient absents. Des nattes en guise de lits, des noix de coco servant de tasses, des coquilles en nacre comme plats, et des coraux de toutes formes pour ustensiles de cuisine, composaient l'ameublement.

Nous avons rencontré trois femmes, l'une très âgée, n'ayant qu'une natte en feuilles de palmier pour se couvrir, les autres, vêtues du costume ordinaire, lequel consiste en une robe claire, attachée autour des épaules et retombant de là jusqu'au sol, sans même laisser voir la pointe des pieds. J'imagine que ces étoffes viennent d'Angleterre ou d'Amérique ; en tout cas, le coton dont elles sont faites porte les dessins les plus bizarres que j'aie jamais vus. Le rose mêlé de blanc, le bleu foncé rayé de jaune, le rouge avec des pois jaunes, le bleu avec des croix orangées sont les bigarrures les plus goûtées. Les femmes paraissent douces et aimables ; elles ont été ravies des miroirs et des verroteries que je leur ai donnés, en retour des coquillages qu'elles nous ont apportés. Il ne semble pas qu'on cultive la terre, dans l'île ; en fait d'animaux, nous n'avons rencontré que des poulets et quatre porcs. Mais on trouve, dans les broussailles, une grande quantité de gros crabes-ermites, rampant, courant, parfois se livrant, entre eux, à des combats. Nous avons ramassé au moins vingt échantillons différents de coraux – tout en gémissant sur l'état dans lequel ils mettaient nos chaussures –, et des coquillages en profusion, de toutes les formes et de toutes les nuances. Je signale notamment, parmi ceux-ci, un gros univalve en spirale, long de 30 centimètres, marqué de taches et de raies

----

1. **La brème :** poisson d'eau douce de couleur bronze ou vert olive foncé.

brunes, sur un fond café au lait, comme la peau d'un léopard ou d'un tigre [...]

Pendant que nous revenions vers notre embarcation, les naturels[1] nous ont fait comprendre qu'il y avait, dans l'île, un Blanc qui occupait une sorte de maison que nous avions remarquée en débarquant. C'est, sans doute, un de ces aventuriers, américain où anglais, dont parlent tous les livres traitant de ces parages-ci ; qui servent d'intermédiaire entre les équipages des navires et les insulaires[2], et qui excellent dans l'art de s'enrichir à ce métier.

Pour approfondir

1. **Les naturels :** les indigènes.
2. **Insulaires :** habitants des îles.

4

« Va donc, Michel Strogoff!... » (Page 29.)

Pour approfondir

5

6

❖ Étude des textes

Savoir lire

1. Qui sont les aventuriers et les aventurières présentés dans ces trois récits ? Quel but poursuivent-ils ?
2. Dans quel univers ces voyageurs transportent-ils le lecteur ? L'environnement naturel et les gens autour d'eux sont-ils accueillants ou hostiles ? Citez les textes.

3. Quels risques courent-ils ? Quels dangers doivent-ils surmonter pour atteindre leur objectif ?

4. Quelles qualités physiques et morales sont nécessaires à l'accomplissement de leur projet ?

Savoir faire

1. Réalisez le portrait physique de Michel Strogoff en prenant soin de montrer comment ses traits, son allure, ses mouvements traduisent sa personnalité hors du commun.

2. Le texte 3 raconte un épisode du voyage aventureux d'une famille anglaise qui fait le tour du monde en bateau, au XIXe siècle. Quelles réflexions vous inspire ce genre d'expédition ?

3. Qui sont, à votre avis, les aventuriers du monde dans lequel vous vivez ? Pensez notamment à l'univers du sport.

✤ Étude des images

Savoir analyser

1. D'après l'illustration de *Michel Strogoff* (document 4), où se passe l'entrevue entre Michel Strogoff et l'empereur ? Décrivez et comparez les trois personnages en scène.

2. De quoi se compose l'attirail de l'aventurier tel qu'il est représenté dans le document 5 ? Justifiez son utilité.

3. Analysez l'effet-choc produit par le document 6. En vous aidant du titre et des éléments de l'image, montrez que l'on aborde le domaine de la science-fiction.

Savoir faire

1. Qui était Buffalo Bill représenté sur la photo (document 5) ? Faites une recherche sur Internet ou dans une encyclopédie.

2. Expliquez, dans un paragraphe riche en exemples, les émotions et les rêves que doit éveiller en vous un roman ou un film d'aventures.

3. Citez deux autres titres de romans d'aventures écrits par Jules Verne et précisez, en une phrase, le thème de chacun.

Pour approfondir

✣ En mer

> Du roman au poème maritime, la littérature offre au lecteur d'innombrables œuvres qui ont pour décor la mer, pour personnages des navigateurs et des pirates, pour thème le voyage. Les bateaux et leur équipage, les ports et le grand large, les tempêtes et les mutineries fournissent aux écrivains tout un répertoire de situations dramatiques au succès assuré : car le lecteur adore s'enivrer de l'air marin à travers les mots des livres.

Documents :

❶ Extrait du *Naufragé de la Barboude*, d'Édouard Corbière (1833).

❷ Extrait de *Les Pauvres Gens*, in *La Légende des siècles*, de Victor Hugo (1859-1883).

❸ Extrait de *Mon frère Yves*, de Pierre Loti (1882).

❹ Extrait de *Pierre et Jean*, de Guy de Maupassant (1888).

❺ Affiche du paquebot *Gallia* (1913).

❻ Dessin d'une scène de tempête.

❼ Vues et paysages des régions équinoxiales, recueillis dans un voyage autour du monde », lithographie de Louis Choris (1826).

❶ Trois bas-mâts, peints en blanc, sortaient en effet des flots, et paraissaient appartenir à un grand navire entièrement coulé. Le corps du bâtiment naufragé était penché de telle manière que sa mâture se trouvait inclinée de quarante-cinq degrés par rapport à la surface de la mer. Un petit baril avait été placé sur le tenon de chaque mât, comme pour conserver, le plus longtemps possible, les dernières dépouilles du bâtiment. Admirable prévoyance, quand tout le navire lui-même était abandonné sans doute pour toujours !

Il prit envie à notre commandant de faire visiter les restes de ce bâtiment, et d'obtenir des renseignements sur le sinistre qui venait de laisser des vestiges si frappants. On mit une embarcation à la mer, et on désigna un aspirant de corvée. Je fus choisi pour commander l'embarcation.

Après avoir écouté, chapeau bas, les instructions que me donnait le commandant, je m'éloignai du vaisseau, qui s'était mis en panne pour m'offrir la facilité de déborder, et je me dirigeai sur le trois-mâts à la côte. En une heure je parcourus, à la rame, la distance d'une lieue et demie qui me séparait de lui ; le vaisseau, en m'attendant, se mit à courir quelques petites bordées çà et là, en se tenant toujours au vent de la Barboude.

Ma visite à bord du bâtiment submergé ne m'offrit aucun indice bien précis ni bien intéressant. Le gréement avait été enlevé. La coque était coulée à cinq ou six pieds de la surface de la mer. Ce bâtiment s'était crevé sur le fond que la transparence de l'eau laissait apercevoir dans les plus petits détails. D'énormes et voraces requins rôdaient lentement autour de ce cadavre de navire. Quoique privés de harpons, mes hommes se donnèrent le plaisir de piquer ces terribles ennemis avec le fer de la gaffe de l'embarcation. Le patron du canot me proposa, malgré la présence des requins, de plonger sur le fond, et de s'insinuer dans la chambre du bâtiment pour tâcher d'en arracher quelques objets, s'il en existait encore. Je crus devoir applaudir à son dévouement, et refuser net sa courageuse proposition.

J'allais m'en retourner fort tristement à bord du vaisseau sans avoir réussi à recueillir le plus petit indice intéressant, lorsqu'un de mes canotiers, dont l'œil était vif et bon, me fit remarquer sur le rivage un rouffle[1] de navire, peint en vert, et qui, sans doute, avait appartenu au navire naufragé. Je me dirigeai de suite, à la rame, sur la partie de la côte où se trouvait ce rouffle, supposant avec quelque raison qu'en interrogeant les débris du naufrage, je pourrais obtenir quelques renseignements satisfaisants sur les détails, ou tout au moins sur la date approximative de cet événement.

Cet espoir me parut bientôt d'autant mieux fondé qu'en gouvernant sur la grève, que battait une houle assez forte, j'aperçus une petite pirogue se jouant entre les grosses lames qui se déroulaient lentement sur le rivage. Mais, à mon approche, la petite pirogue

Pour approfondir

---

1. **Rouffle :** petit réduit en forme de cabane à l'arrière d'un petit bâtiment.

alla se cacher dans une des échancrures de la côte, comme un de ces plongeons¹ qui disparaissent sous une vague, au moment où le chasseur les couche en joue.

J'abordai la Barboude non loin de l'endroit où le rouffle avait été halé à sec, ou jeté par la mer entre quelques cocotiers qui ombrageaient cet ancien asile de quelques malheureux marins naufragés sans doute sur cette terre inhospitalière. « Voilà, me disais-je très philosophiquement, notre destinée à nous, hôtes infortunés de l'Océan ! Ce rouffle, après avoir parcouru peut-être, sur le pont d'un navire, toutes les mers du globe, au milieu des tempêtes qui l'ont battu vainement, est venu se briser au sein du calme sur cette île sauvage. Pendant que le navire sur lequel il dominait fièrement les flots se trouve submergé là, ici lui sert de repaire à quelques hideux serpents, à d'immondes manitous², et le capitaine et les officiers qui l'habitaient sont peut-être morts de faim dans ces lieux de désolation ! »

La tête toute remplie de ces tristes réflexions, je mets le pied à terre, porté sur les épaules d'un de mes hommes qui s'était jeté à la mer pour m'épargner le désagrément d'entrer dans l'eau jusqu'aux aisselles. Je me dirige vers le rouffle, dont l'extérieur me paraissait se trouver dans un parfait état de conservation. Dans la crainte de rencontrer sous mes pas quelques dangereux reptiles, j'avais mis le sabre à la main. Armé ainsi, je pénètre, suivi du patron et du brigadier de mon embarcation, dans le rouffle abandonné, en frappant de la lame de mon sabre sur le bord de la porte de cet édifice de bois, pour déterminer les hôtes sauvages qui auraient pu s'emparer du logis, à nous céder la place que nous voulions visiter.... Mais quel ne fut pas mon étonnement, lorsque, du fond de ce silencieux refuge, je vis s'avancer dans l'obscurité un homme à la longue barbe, aux longs cheveux et à la figure cave³ et pâle !... Je crus d'abord à une vision, ou plutôt je ne crus encore à rien, car, dans ce moment et à cet aspect, je ne sus éprouver autre chose qu'une impression extraordinaire. Malgré l'assurance que devait me don-

---

1. **Plongeons :** un plongeon est un oiseau aquatique de la taille d'un grand canard.
2. **Manitous :** esprits.
3. **Cave :** creusée.

ner le sabre que je tenais dans la main, et l'escorte que je voyais à mes côtés, je reculai d'étonnement ou d'effroi.... « Mais, monsieur, me dit mon patron[1], c'est un homme !

— Un homme ! pardi, je le vois bien !

— Mais quand je vous dis que c'est un homme, je veux vous dire, monsieur, que ce n'est qu'un homme, et qu'il n'y a pas tant de quoi avoir peur !

— Que faites-vous ici ? demandai-je à l'inconnu, sans trop savoir s'il comprendrait le français, ou sans trop savoir moi-même ce que je lui disais.

— Monsieur l'aspirant, me répondit-il d'une voix creuse et rauque, je vis... voilà ce que je fais.

2 L'homme est en mer. Depuis l'enfance matelot,
Il livre au hasard sombre une rude bataille.
Pluie ou bourrasque, il faut qu'il sorte, il faut qu'il aille,
Car les petits enfants ont faim. Il part le soir
Quand l'eau profonde monte aux marches du musoir[2].
Il gouverne à lui seul sa barque à quatre voiles.
La femme est au logis, cousant les vieilles toiles,
Remmaillant les filets, préparant l'hameçon,
Surveillant l'âtre où bout la soupe de poisson,
Puis priant Dieu sitôt que les cinq enfants dorment.
Lui, seul, battu des flots qui toujours se reforment,
Il s'en va dans l'abîme et s'en va dans la nuit.
Dur labeur ! tout est noir, tout est froid ; rien ne luit.
Dans les brisants, parmi les lames en démence,
L'endroit bon à la pêche, et, sur la mer immense,
Le lieu mobile, obscur, capricieux, changeant,
Où se plaît le poisson aux nageoires d'argent,
Ce n'est qu'un point ; c'est grand deux fois comme la chambre.
Or, la nuit, dans l'ondée et la brume, en décembre,
Pour rencontrer ce point sur le désert mouvant,
Comme il faut calculer la marée et le vent !
Comme il faut combiner sûrement les manœuvres !

1. **Patron :** marin qui tient la barre, le gouvernail.
2. **Musoir :** extrémité d'une digue, d'une jetée.

Pour approfondir

Les flots le long du bord glissent, vertes couleuvres ;
Le gouffre roule et tord ses plis démesurés,
Et fait râler d'horreur les agrès effarés.
Lui, songe à sa Jeannie au sein des mers glacées,
Et Jeannie en pleurant l'appelle ; et leurs pensées
Se croisent dans la nuit, divins oiseaux du cœur.

3 La nuit qui suit est claire et délicieuse. Nous allons tout doucement, dans la mer de Corail, par une petite brise tiède, avançant avec précaution, de peur de rencontrer les îles blanches, écoutant le silence, de peur d'entendre bruire les récifs.

De minuit à quatre heures du matin, le temps du quart se passe à veiller au milieu de ces grandes paix étranges des eaux australes.

Tout est d'un bleu vert, d'un bleu nuit, d'une couleur de profondeur ; la lune, qui se tient d'abord très haut, jette sur la mer des petits reflets qui dansent, comme si partout, sur les immenses plaines vides, des mains mystérieuses agitaient sans bruit des milliers de petits miroirs.

Les demi-heures s'en vont l'une après l'autre, tranquilles, la brise égale, les voiles très légèrement tendues. Les matelots de quart, en vêtements de toile, dorment à plat pont, par rangées, couchés sur le même côté tous, emboîtés les uns dans les autres, comme des séries de momies blanches.

À chaque demi-heure, on tressaille en entendant la cloche qui vibre ; et alors deux voix viennent de l'avant du navire, chantant d'une après l'autre, sur une sorte de rythme lent : « Ouvre l'œil au bossoir... Tribord ! » dit l'une. « Ouvre l'œil au bossoir... Bâbord ! » répond l'autre. On est surpris par ce bruit, qui paraît une clameur effrayante dans tout ce silence, et puis les vibrations des voix et de la cloche tombent, et on n'entend plus rien.

Cependant la lune s'abaisse lentement, et sa lumière bleue se ternit ; maintenant elle est plus près des eaux et y dessine une grande lueur allongée qui traîne.

Elle devient plus jaune, éclairant à peine, comme une lampe qui meurt.

Lentement elle se met à grandir, à grandir, démesurée, et puis elle devient rouge, se déforme, s'enfonce, étrange, effrayante.

❹ Pierre ne vécut guère dans sa famille pendant les jours qui suivirent. Il était nerveux, irritable, dur, et sa parole brutale semblait fouetter tout le monde. Mais la veille de son départ il parut soudain très changé, très adouci. Il demanda, au moment d'embrasser ses parents avant d'aller coucher à bord pour la première fois :

— Vous viendrez me dire adieu, demain sur le bateau ?

Roland s'écria :

— Mais oui, mais oui, parbleu. N'est-ce pas, Louise ?

— Mais certainement, dit-elle tout bas.

Pierre reprit :

— Nous partons à onze heures juste. Il faut être là-bas à neuf heures et demie au plus tard.

— Tiens ! s'écria son père, une idée. En te quittant nous courrons bien vite nous embarquer sur la *Perle* afin de t'attendre hors des jetées et de te voir encore une fois. N'est-ce pas, Louise ?

— Oui, certainement.

Roland reprit :

— De cette façon, tu ne nous confondras pas avec la foule qui encombre le môle quand partent les transatlantiques. On ne peut jamais reconnaître les siens dans le tas. Ça te va ?

— Mais oui, ça me va. C'est entendu.

Une heure plus tard il était étendu dans son petit lit marin, étroit et long comme un cercueil. Il y resta longtemps, les yeux ouverts, songeant à tout ce qui s'était passé depuis deux mois dans sa vie, et surtout dans son âme. À force d'avoir souffert et fait souffrir les autres, sa douleur agressive et vengeresse s'était fatiguée, comme une lame émoussée. Il n'avait presque plus le courage d'en vouloir à quelqu'un et de quoi que ce fût, et il laissait aller sa révolte à vau-l'eau à la façon de son existence. Il se sentait tellement las de lutter, las de frapper, las de détester, las de tout, qu'il n'en pouvait plus et tâchait d'engourdir son cœur dans l'oubli, comme on tombe dans le sommeil. Il entendait vaguement autour de lui les bruits nouveaux du navire, bruits légers, à peine perceptibles en cette nuit calme du port ; et de sa blessure jusque-là si cruelle il ne sentait plus aussi que les tiraillements douloureux des plaies qui se cicatrisent.

Pour approfondir

Textes et images

Il avait dormi profondément quand le mouvement des matelots le tira de son repos. Il faisait jour, le train de marée arrivait au quai amenant les voyageurs de Paris.

Alors il erra sur le navire au milieu de ces gens affairés, inquiets, cherchant leurs cabines, s'appelant, se questionnant et se répondant au hasard, dans l'effarement du voyage commencé. Après qu'il eut salué le capitaine et serré la main de son compagnon le commissaire du bord, il entra dans le salon où quelques Anglais sommeillaient déjà dans les coins. La grande pièce aux murs de marbre blanc encadrés de filets d'or prolongeait indéfiniment dans les glaces la perspective de ses longues tables flanquées de deux lignes illimitées de sièges tournants, en velours grenat. C'était bien là le vaste hall flottant et cosmopolite où devaient manger en commun les gens riches de tous les continents. Son luxe opulent était celui des grands hôtels, des théâtres, des lieux publics, le luxe imposant et banal qui satisfait l'œil des millionnaires. Le docteur allait passer dans la partie du navire réservée à la seconde classe, quand il se souvint qu'on avait embarqué la veille au soir un grand troupeau d'émigrants, et il descendit dans l'entrepont. En y pénétrant, il fut saisi par une odeur nauséabonde d'humanité pauvre et malpropre, puanteur de chair nue plus écœurante que celle du poil ou de la laine des bêtes. Alors, dans une sorte de souterrain obscur et bas, pareil aux galeries des mines, Pierre aperçut des centaines d'hommes, de femmes et d'enfants étendus sur des planches superposées ou grouillant par tas sur le sol. Il ne distinguait point les visages mais voyait vaguement cette foule sordide en haillons, cette foule de misérables vaincus par la vie, épuisés, écrasés, partant avec une femme maigre et des enfants exténués pour une terre inconnue, où ils espéraient ne point mourir de faim, peut-être.

5

Pour approfondir

6

7

Entrevue avec les habitans des Iles Penrhyn

❖ Étude des textes

Savoir lire

1. Quel aspect de l'univers maritime développe chaque texte ?
2. Pour quelle raison les personnages évoqués dans ces textes prennent-ils la mer ?
3. Justifiez, en citant les détails les plus significatifs du texte 1, l'expression « ce cadavre de navire » qu'emploie le narrateur pour désigner le bateau naufragé.
4. Entre le texte de Victor Hugo et celui de Pierre Loti, lequel vous semble le plus poétique ? Pourquoi ?

Pour approfondir

Textes et images

Savoir faire

5. Continuez la conversation qui s'amorce à la fin du récit d'Édouard Corbière. Vous intégrerez, dans le dialogue, un portrait du naufragé présenté à partir du point de vue du narrateur.

6. Trouvez le poème de Charles Baudelaire (1821-1867) « L'homme et la mer », extrait du recueil *Les Fleurs du mal*. Quel lien met-il en évidence entre l'homme et la mer ?

7. Pour vous, la mer représente-t-elle plutôt l'infini, le danger, l'aventure ? Répondez dans un développement bien argumenté qui fera référence à certaines de vos lectures et au cinéma.

❖ Étude des images

Savoir analyser

1. Décrivez le paquebot présenté sur l'affiche publicitaire de la Compagnie de navigation Sud-Atlantique (document 5). Expliquez quels éléments suscitent chez l'observateur l'envie de voyager avec cette compagnie.

2. Par quels traits la violence de la tempête est-elle suggérée dans le document 6 ?

3. Comparez dans le document 7 les deux mondes et les deux cultures mises face à face et expliquez le sens de cette image.

Savoir faire

4. Comment les images complètent-elles le thème du groupement de textes « En mer » ? Qu'apportent-elles ?

5. Racontez, sur un registre épique, la tempête présentée dans le document 6.

6. Comment s'appelait le prestigieux paquebot français qui assurait la traversée entre la France et les États-Unis dans les années 1960 ?

7. Imaginez un dialogue entre les deux personnages qui se parlent de loin, à partir de leurs embarcations respectives (document 7).

Langue et langages

1. a) À quelle catégorie grammaticale appartient le terme « y » dans la proposition « parce qu'il s'y trouve toujours une partie du trésor » ?

   b) Quel mot remplace-t-il ?

2. a) Proposez un synonyme du verbe « excepter » dans la phrase « sans rien excepter ».

   b. En faisant attention à l'orthographe, donnez le nom et l'adverbe dérivés du verbe « excepter ».

3. « Il le but posément et le dégusta en connaisseur » :

   a) Conjuguez le verbe « boire » au passé simple et au passé composé.

   b) « En connaisseur » : que signifie ici le mot « connaisseur » ? Utilisez ce mot dans une autre phrase significative.

4. « – Voilà une crique commode, dit-il à la fin, et un cabaret agréablement situé. Beaucoup de clientèle, camarade ? » :

   a) En restant au plus près de la construction d'origine, transformez cette phrase de style direct en style indirect. Apportez les modifications nécessaires à la correction grammaticale.

   b) Quelle est la formulation la plus expressive ? Pourquoi ?

5. « Mon père lui répondit négativement : très peu de clientèle ; si peu que c'en était désolant » : transformez cette phrase de style indirect en style direct. Veillez à utiliser la ponctuation qui s'impose dans le cadre du dialogue et apportez les modifications nécessaires à la correction grammaticale.

6. « Je n'ai plus qu'à jeter l'ancre » :

   a) Expliquez le sens propre et le sens figuré de l'expression « jeter l'ancre » et justifiez son emploi par le vieux marin.

   b) Sur quelle figure de style est-elle construite ?

7. En comparant cette forme avec le futur « vous pourrez », justifiez l'emploi du conditionnel dans la phrase : « Vous pourriez m'appeler capitaine. »

8. « On l'eût pris plutôt pour un second ou pour un capitaine qui ne souffre pas la désobéissance » :
   a) Précisez le temps et le mode du verbe « eût pris ». Quelle forme utiliserait-on aujourd'hui ?
   b) Proposez un synonyme du verbe « souffrir » dans cette phrase.

9. « L'homme à la brouette nous raconta que la malle-poste l'avait déposé la veille au Royal George » :
   a) Précisez la nature grammaticale et la fonction du mot « l' ».
   b) Quel mot remplace-t-il ?

10. « Et pour son isolement il l'avait choisie comme gîte » :
    a) Quel est le rapport de sens exprimé par « pour » ?
    b) Remplacez le groupe nominal « et pour son isolement » par une proposition subordonnée qui traduira le même rapport de sens avec « il l'avait choisie comme gîte ».

11. Jim se souvient de l'enfant qu'il était à l'époque de la chasse au trésor. Il fait son autoportrait à l'imparfait à partir de son point de vue d'adulte.

Petite méthode

- Le narrateur va observer le Jim d'autrefois : le portait utilisera donc l'imparfait descriptif.

- C'est un homme mûr qui va recomposer une image du passé : sa perception sera peut-être teintée de nostalgie ; il évoquera avec une certaine tendresse l'enfant qu'il n'est plus.

- Un autoportrait est un portrait qu'on fait de soi-même. Jim passera en revue les traits les plus singuliers de sa personnalité (son caractère, ses goûts et ses passions, ses peurs et ses espoirs) sans oublier son physique.

- Vous pourrez, bien sûr, pour réaliser ce portrait, vous inspirer de ce que vous savez du jeune héros de *L'Île au trésor*.

Pour approfondir

Exercice 2 : Texte 1, *Le Pays des fourrures*, de Jules Verne, p. 268.

1. « C'était, en effet, une longue besogne que d'organiser une telle expédition à travers les régions polaires ! » :
   a) Par quels procédés d'écriture le narrateur donne-t-il à cette phrase toute son expressivité ?
   b) Simplifiez la construction sans changer le sens de la phrase.
2. « Ces véhicules, fort primitifs, consistaient en un assemblage solide de planches légères que liaient entre elles des bandes transversales » :
   a) Expliquez le sens de l'adjectif « primitifs » et proposez un terme synonyme.
   b) Quel est le sujet du verbe « liaient » ? Quel est son complément d'objet direct ?
3. « – moteurs intelligents et rapides qui, sous la longue lanière du guide, peuvent franchir jusqu'à quinze milles à l'heure » : expliquez la valeur du tiret au début de cette phrase.
4. « Ces bottes en cuir de phoque, cousues de nerfs, que les indigènes fabriquent avec une habileté sans pareille » : transformez cette construction active en construction passive.
5. « Ces chaussures sont absolument imperméables et se prêtent à la marche par la souplesse de leurs articulations » : justifiez ici l'emploi du présent dans ce récit au passé.
6. « Quant aux approvisionnements » :
   a) Donnez la nature grammaticale de « quant à » et utilisez cette expression dans une phrase qui fera ressortir son sens.
   b) Avec quel homonyme ne faut-il pas confondre « quant à » ? Utilisez cet homonyme dans une phrase.
7. « cette venaison » :
   a) Donnez la définition de ce mot.
   b) À quel mot apparaissant dans la phrase précédente ce terme fait-il référence ?

8. « Cependant, comme il fallait compter avec les retards inévitables et les difficultés de toutes sortes, une certaine quantité de vivres dut être emportée » :
   a) Quelle nuance de sens traduit l'adverbe « cependant » ?
   b) Faites l'analyse logique de la phrase.

9. « Une certaine quantité de vivres dut être emportée » :
   a) Précisez le temps et le mode du verbe.
   b) Justifiez l'accord du participe passé.
   c) Conjuguez le verbe « devoir » au passé simple, puis au passé composé.

10. « Les retards inévitables », « poudre impalbable » :
   a) Observez la composition des deux adjectifs et donnez leur sens.
   b) Qu'ont- ils en commun ?

11. « Nutritifs » :
   a) À quelle famille de mots appartient cet adjectif ?
   b) Utilisez-le dans une phrase significative.
   c) Donnez deux mots appartenant à la même famille.

12. Une fois les préparatifs terminés, le convoi se met en route. Racontez ce départ pour la grande aventure. Utilisez le présent de narration.

Petite méthode

- Prenez soin de replacer l'expédition dans le cadre des régions polaires où elle se déroule et servez-vous des descriptions données par Jules Verne afin de dramatiser le récit.

- Dans un récit au passé, l'emploi du présent de narration donne aux événements racontés une actualité qui les rend plus vivants.

- Vous pourrez utiliser un registre épique pour montrer le côté audacieux et héroïque de ce départ aventureux vers des contrées glaciales.

Exercice 3 : texte 3, *Mon frère Yves*, de Pierre Loti, p. 284.

1. « La nuit qui suit est claire et délicieuse » : remplacez la proposition subordonnée relative par un adjectif de même sens. Pourquoi l'auteur a-t-il préféré utiliser la subordonnée ?

2. « La lune, qui se tient d'abord très haut, jette sur la mer des petits reflets qui dansent » :

   a) Sans changer le sens de la phrase, transformez cette construction de façon à éviter l'emploi répété de deux propositions subordonnées relatives.

   b) Conjuguez le verbe « jeter » au présent de l'indicatif et dites quelle difficulté orthographique présente cette forme.

3. « Ces grandes paix étranges des eaux australes » : par quels choix d'écriture l'auteur enrichit-il le nom « paix » dans ce groupe de mots ? Quel est l'effet produit ?

4. « Couchés sur le même côté tous, emboîtés les uns dans les autres » : quel est le mot mis en valeur dans cette construction ? Quelle impression veut créer l'auteur en jouant ainsi sur l'ordre des mots ?

5. « On tressaille en entendant la cloche qui vibre » : donnez la nature grammaticale de « on ». Qui est désigné par ce mot ? Justifiez ce choix de l'auteur.

6. « «Ouvre l'œil au bossoir… Tribord !» dit l'une. «Ouvre l'œil au bossoir… Bâbord !» répond l'autre » : justifiez l'emploi des guillemets dans ce passage.

7. « Ce bruit, qui paraît une clameur effrayante dans tout ce silence, et puis les vibrations des voix et de la cloche tombent » : quelle différence faites-vous entre un « bruit », une « clameur » et une « vibration » ? À quel champ lexical appartiennent ces mots ?

8. « Comme des séries de momies blanches » ; « comme une lampe qui meurt » : nommez la figure de style utilisée dans ces deux phrases. Expliquez leur sens et leur effet poétique.

9. « Lentement elle se met à grandir, à grandir, démesurée, et puis elle devient rouge, se déforme, s'enfonce, étrange, effrayante » : étudiez le mécanisme de l'énumération dans cette phrase et montrez comment l'image de la lune est dramatisée.

10. Pierre Loti évoque sur un registre poétique la nuit sur mer et le clair de lune. Dans le même registre, évoquez maintenant le lever du soleil sur les flots, au petit matin.

Petite méthode

- Le registre poétique consiste à utiliser les procédés d'écriture de la poésie, notamment à évoquer les couleurs, les lumières, les mouvements et les bruits, à créer des images (métaphores et comparaisons), à jouer sur le rythme de la phrase (ici l'auteur procède par touches successives, comme un peintre).

- Comme Pierre Loti, caractérisez l'atmosphère générale du petit matin avant de vous attarder sur les mouvements du soleil qui apparaît à l'horizon et de suivre, pas à pas, son lever.

- Faites le lien entre la mer et le ciel pour rendre compte des beautés naturelles de l'environnement.

Glossaire maritime

Abattre : éloigner la proue du courant dans lequel souffle le vent.

Abordage : 1) assaut donné à un navire ennemi ; 2) arrivée d'un navire contre un quai.

À l'ancre : immobilisé par l'ancre.

Alizés : vents circulant d'est en ouest.

Amariner : envoyer des gens pour remplacer l'équipage d'un navire pris à l'ennemi.

Amarre : chaîne ou cordage servant à attacher un navire à un point fixe (quai, bouée, autre navire...).

Amener (un drapeau) : abaisser, faire descendre (un drapeau).

Amorce : poudre avec laquelle on enflamme la charge d'un fusil.

Amure : position d'un bateau par rapport au vent.

Anspect : levier utilisé dans la manœuvre du cabestan.

Appareiller : prendre la mer.

Armateur : propriétaire, ou parfois locataire, d'un navire.

Artimon : mât le plus à l'arrière.

Aussière : gros cordage employé pour l'amarrage et le remorquage des navires.

Avant : l'avant est la partie du bateau réservée aux simples marins par opposition à l'arrière où vivent les sous-officiers et les officiers, ceux qui savent manœuvrer le navire.

Bâbord : côté gauche d'un navire en regardant vers l'avant.

Baisser pavillon : s'avouer vaincu.

Bande : inclinaison transversale de la goélette.

Bandée : tendue, soumise à une forte traction.

Barre de flèche : pièce de bois ou de métal, située à une certaine hauteur et servant à raidir ou à cintrer le mât sur les petits voiliers.

Bassin : structure construite le long d'une voie navigable de sorte que les navires puissent y stationner afin de charger et de décharger des marchandises.

Bastingage : parapet, petit mur faisant office de garde-corps.

Beaupré : mât à l'avant d'un voilier.

Billy Bones : ce nom évoque les tibias croisés du drapeau noir des pirates ; « bones » signifie « les os » en anglais.

Bordée : 1) décharge simultanée de tous les canons rangés sur un des bords d'un vaisseau ; 2) équipe ; 3) distance parcourue par un bateau sur un même bord, lorsqu'il est obligé de louvoyer, c'est-à-dire d'aller en zigzag, tantôt sur un côté, tantôt sur l'autre, pour arriver quelque part.

Bossoir : appareil de levage qui, sur un bateau, permet de hisser ou de mettre à l'eau une embarcation.

Boucaniers : pirates qui infestaient les Antilles.

Bouche : la bouche du canon.

Bouliner : naviguer.

Bout-dehors : longue pièce de bois ou de métal qui tient une voile.

Bras : cordage qui permet de régler l'écartement d'une voile d'avant.

Brasses : une brasse est une ancienne mesure de longueur correspondant à l'envergure des bras (1,60 m environ).

Brisants : rochers, écueils à fleur d'eau, sur lesquels la mer se brise en formant des vagues écumeuses.

Caban : manteau court en lainage.

Cabestan : espèce de tourniquet qui, sur un navire, sert à rouler ou

Glossaire maritime

dérouler un câble pour tirer de grosses charges.

Cadre : sorte de lit.

Cale : espace incliné vers le rivage sur lequel on entrepose un bateau et d'où on le met à l'eau.

Cale avant : la partie la plus basse dans l'intérieur d'un navire.

Calfater : remplir les joints et les interstices entre les planches constituant le revêtement extérieur de la coque et du pont afin de les rendre étanches.

Canonnade : succession de coups de canon.

Capot : ouverture permettant de descendre dans la cabine.

Carénage : réparation et nettoyage de la carène.

Carène : partie immergée de la coque d'un navire.

Caréner : nettoyer le bateau et remettre la coque en état.

Caronade : gros canon court.

Charpentier : sur un bateau en mer, ouvrier chargé des travaux d'entretien, de réparation ou de remplacement des pièces de bois ou de métal.

Chasse : dérapage. Une ancre chasse lorsqu'elle ne tient pas suffisamment sur le fond et qu'elle dérape. Le navire dérive alors.

Chasse-marée : petite embarcation côtière, à deux ou trois mâts.

Chenal : passage praticable à la navigation.

Chien : pièce du pistolet qui provoque la mise à feu de la poudre.

Clin-foc : le foc (voile triangulaire) qui se trouve le plus à l'avant d'un voilier.

Conserve : navire qui ordinairement fait route avec un autre, pour le secourir.

Coq : cuisinier.

Coracle : embarcation minuscule, très légère, fabriquée avec une toile tendue sur un cadre.

Corne d'alarme : ou corne de brume, instrument émettant des signaux sonores, pour signaler la présence du navire par temps de brouillard.

Coursive : couloir étroit à l'intérieur d'un navire.

Crique : enfoncement du rivage, où les petits bateaux peuvent s'abriter.

Dalot : ouverture dans le bastingage du navire pour l'écoulement des eaux.

Dans les fers : livré aux vents et donc incapable d'avancer.

Déramer : lâcher les rames, renverser les avirons.

Draille : cordage placé verticalement sur l'avant ou sur l'arrière d'un mât pour servir à la manœuvre.

Drapeau blanc : il signale qu'on se rend à l'ennemi.

Drisse : cordage destiné à hisser un pavillon, une vergue ou tout autre objet.

Drosser : pousser.

Dunette : construction légère située au-dessus du pont supérieur d'un navire, qui constitue un poste d'observation et sert de logement.

Écoper : vider l'eau qui entre dans une embarcation.

Écoutille : ouverture rectangulaire dans le pont d'un bateau.

Embardée : brusque écart.

Embruns : pluie fine formée par le vent qui balaie la crête des vagues.

Enflèchure : échelons de cordage qui servent à monter d'un hauban à l'autre.

Entrepont : étage ou espace qui sépare deux ponts d'un vaisseau.

Esquif : canot, petite embarcation.

Étrave : pièce de bois massive formant une partie de la proue du vaisseau.

Faction : garde, guet.

Faire de l'eau : s'approvisionner en eau douce.

Falot : grande lanterne.

Faubert : balai en fibres naturelles avec lequel on nettoie le pont des bateaux.

Figure de proue : sculpture représentant généralement un être humain ou un animal qui ornait l'avant des navires en bois.

Filer l'amarre : laisser aller l'amarre en la déroulant.

Filin : cordage.

Flambart : pirate.

Flibuster : voler, s'emparer de.

Flibustier : nom donné aux pirates européens qui, du XVIe au XVIIIe siècle, pillaient les possessions espagnoles de la mer des Caraïbes.

Flottaison : ligne qui sépare la partie immergée d'un bateau de la partie visible.

Foc : voile en forme de triangle à l'avant d'un bateau.

Forban : pirate, corsaire.

Gaillard d'avant : pont surélevé à l'avant du navire.

Galhauban : nom de plusieurs longues cordes qui, descendant du haut des mâts, aux deux côtés du vaisseau, servent à soutenir ces mâts.

Galion : grand navire de charge que l'Espagne employait autrefois pour porter en Amérique les objets nécessaires aux colons et en Europe les produits des mines du Pérou, du Mexique.

Garçon de cabine : sur un bateau, garçon qui s'occupe des passagers, qui les sert.

Gentilhomme de fortune : aventurier qui aime la grande vie ; nom par lequel les pirates se désignent entre eux.

Goélette : voilier à deux mâts.

Goulet : passage étroit faisant communiquer un port ou une rade avec la haute mer.

Grand-vergue : pièce de bois fixée au mât et qui porte une voile.

Gréement : équipement.

Gréeurs : ceux qui équipent un bateau de tout le nécessaire pour naviguer (voiles, cordages, poulies).

Gui d'artimon : ou « bôme d'artimon » ; c'est la barre rigide sur laquelle est fixée la partie basse d'une voile.

Guindant : le guindant d'une voile est sa hauteur le long du mât.

Gros temps : mauvais temps.

Gué : endroit d'une rivière où l'on peut passer à pied car l'eau y est peu profonde.

Hauban d'artimon : cordage servant à maintenir le mât d'artimon, à l'arrière de la goélette.

Havre : port.

Hunier : voile carrée située au-dessus des basses voiles.

Jolly Roger : pavillon noir des pirates ; il est orné d'une tête de mort surmontant deux tibias (ou deux sabres) entrecroisés.

Jusant : reflux, descente de la marée.

Lames : vagues.

Larguer un ris : donner de la voile.

Glossaire maritime

Latitude : distance d'un endroit par rapport à l'équateur, exprimée par une mesure d'angle.

Lof : celui des coins inférieurs d'une basse voile qui est du côté du vent.

Lofer : se rapprocher du vent.

Longitude : distance d'un endroit par rapport au méridien d'origine, exprimée par une mesure d'angle.

Loup de mer : vieux marin qui a beaucoup navigué.

Louvoyer : porter le cap d'un côté, et puis revirer de l'autre, pour ménager un vent contraire et ne pas s'éloigner de la route qu'on veut tenir.

Lunette d'approche : longue-vue.

Maître coq : chef cuisinier.

Maître d'équipage : matelot qualifié, sous-officier qui a autorité sur tout l'équipage. Il est sous les ordres du second.

Marigot : bras de fleuve.

Marin d'eau douce : mauvais marin.

Mât de misaine : mât le plus à l'avant.

Mathurin : matelot, dans l'argot des marins.

Mettre (se) à la cape : interrompre sa route, se mettre face au vent, réduire la voilure pour parer au mauvais temps.

Mettre en panne : orienter les voiles de manière à arrêter le navire.

Mouillage : endroit favorable pour jeter l'ancre.

Moussaillon : petit mousse (jeune garçon qui apprend le métier de marin sur un bateau).

Noliser : noliser un bateau signifie l'affréter, c'est-à-dire l'acheter ou le louer, et l'équiper.

Passe : passage étroit ouvert à la navigation.

Pavillon parlementaire : drapeau blanc, qui indique que l'on veut arrêter momentanément les combats ou se rendre.

Pavillon rouge : les pirates hissaient leur pavillon noir avant de passer à l'attaque, pour terroriser l'adversaire. Cette manœuvre pouvait suffire à elle seule pour décourager les navires marchands qui préféraient se rendre sans combattre. Si le navire refusait de s'arrêter, les pirates hissaient un drapeau rouge sang pour signaler à l'adversaire que personne ne serait épargné.

Perroquet : voile haute et carrée.

Pièce de huit : monnaie espagnole souvent découpée en morceaux pour servir de petite monnaie ; butin fréquent des pirates.

Pièce de neuf : canon anglais, en bronze.

Pied : mesure de longueur anglo-saxonne qui équivaut à un peu plus de 30 cm.

Piquer trois coups : « piquer l'heure » signifie sonner l'heure à la cloche.

Poire à poudre : petite gourde où l'on mettait la poudre destinée aux armes à feu.

Poix : matière collante, visqueuse et inflammable à base de résines et de goudrons végétaux utilisée pour rendre les assemblages étanches.

Pomme de mât : pièce sphérique qui termine l'extrémité supérieure d'un mât.

Pont : sur un bateau, plateforme sur laquelle on marche comme sur le plancher d'un bâtiment.

Portaient : étaient gonflées par le vent.

Poupe : arrière du navire.

Proue : avant du navire.

Quart : période de service de garde à bord du navire.

Quart de cercle : instruments de repérage de position portant un quart de cercle gradué.

Quille : longue pièce de bois qui va de la poupe à la proue d'un vaisseau, et sur laquelle s'appuie toute la charpente.

Quartier-maître : marin du premier grade au-dessus de matelot.

Rade : ou goulet ; plan d'eau de mer enclavé ayant une ouverture vers la mer, plus étroit qu'une baie ou un golfe.

Refluer : descendre.

Refouloir : cylindre en bois qui sert, dans les canons se chargeant par la bouche, à introduire la charge et le projectile et à presser la charge.

Renflouage : remise d'un bateau à flot alors qu'il est échoué.

Roulis : agitation d'un vaisseau qui penche alternativement à gauche et à droite.

Sabord de poupe : ouverture extérieure dans la partie basse de la poupe correspondant à la chambre du maître canonnier. Un sabord est une ouverture pratiquée dans la muraille du navire de guerre pour y faire sortir le fût du canon.

Second : officier de navire directement inférieur au capitaine.

Souquer : ramer.

Soute : réduit ménagé dans les étages inférieurs d'un navire et qui sert de magasin.

Subrécargue : représentant de l'armateur, sur les navires de jadis. Il n'avait pas grand-chose à faire pendant les traversées, et pouvait dormir à l'aise.

Suroît : veste de grosse toile que portent les marins.

Taille-mer : partie inférieure de la proue d'un navire.

Tillac : pont supérieur du navire.

Timonier : marin chargé de la barre qui oriente le gouvernail.

Tonnage : capacité de transport des navires de commerce.

Tonneau : une unité de volume représentant 2,81 m³.

Toise : ancienne mesure de longueur valant 1,949 m.

Torons : fils tournés ensemble, qui font partie d'une corde.

Tribord : côté droit du navire en regardant vers l'avant.

Vareuse : large blouse de toile ou de laine que portent les marins.

Vergue d'artimon : vergue (longue pièce de bois) qui s'appuie horizontalement contre le pied du mât d'artimon (mât le plus près de l'arrière).

Vigie : matelot posté en sentinelle, en haut du mât.

Virer : virer de bord, changer de direction.

Virer au cabestan : faire tourner le cabestan (treuil vertical) sur son axe à l'aide de ses barres, pour lever l'ancre, c'est-à-dire partir.

Voile de misaine : ou misaine, voile basse du mât de misaine.

Yole : embarcation légère, étroite et allongée, qu'on fait avancer à l'aviron ; canot.

Bibliographie et filmographie

Éditions de L'*Île au trésor*

L'Île au trésor, traduction et préface d'André Bay, commentaires de Daniel Leuwers. Librairie générale française, Livre de poche, 1985.

▶ Appareil critique de grande qualité ; apporte un éclairage utile sur l'auteur, sur son art et sur les conditions d'écriture de l'œuvre.

L'Île au trésor, Gallimard, « La Pléiade », 2001, sous la direction de Charles Ballarin.

▶ Contient une introduction, une chronologie, une notice, des notes et des cartes. Très utile pour qui veut se documenter sur Stevenson.

L'Île au trésor, Hugo Pratt, Casterman, 2010.

▶ Bande dessinée accompagnée d'un dossier de 12 pages intitulé « Îles au trésor ».

Quelques romans et BD d'aventures maritimes

Robinson Crusoé, Daniel Defoe, 1719. Petits classiques Larousse, 2010.

▶ Appareil pédagogique qui renseigne le lecteur sur le contexte, les conditions d'écriture et la réception de l'œuvre.

Les Aventures d'Arthur Gordon Pym, Edgar Alan Poe, 1837. Gallimard, « Folio », 1975.

▶ Œuvre-clé du roman d'aventures. Le sous-titre annonce « les détails d'une révolte et d'un affreux massacre à bord du brick américain le *Grampus*, faisant route vers les mers du Sud, en juin 1827 ».

Vingt mille lieues sous les mers, Jules Verne, 1869. Garnier-Flammarion, 1977.

▶ Grand classique du roman d'aventures qui raconte l'épopée de trois hommes capturés par le capitaine Nemo, patron du sous-marin *Nautilus*.

Le Secret de la licorne, Hergé, Casterman, 1943.

▶ Grand classique de la bande dessinée. Tintin et le capitaine Haddock partent en quête d'un trésor caché...